Ver van mij

Rita Spijker

Ver van mij

ROSA

'ZE IS DEENS.' TRIOMFANTELIJK BUIGT JESSICA ZICH OVER DE tafel naar ons toe. Ze werpt een schuine blik op de hoogblonde vrouw die een volgeladen dienblad voor een jonge zwarte man neerzet en tegenover hem plaatsneemt. Alle ogen van de hotelgasten zijn op het stel gericht. Men fluistert en loert, verholen of onbeschaamd openlijk. Even later verschijnt ook een meisje met een dienblad. Het is overduidelijk de dochter van de vrouw. Blond, net zo lang als moeder maar minstens vijf maten dunner. Het ultrakorte broekje accentueert de lengte van haar gebruinde benen. Het witblonde haar en de goudgebruinde huid van mensen uit het hoge noorden.

'Hoe kan zo'n vrouw? Met haar dochter erbij. Dat kind is bijna net zo oud als die jongen!' sist Simone. 'Hij heeft waarschijnlijk een voorkeur voor vlezig. Dat hebben toch de meeste Afrikanen? Vlezig, en het liefst meerdere, als hun religie polygamie toestaat. De dochter is hem natuurlijk veel te mager.' Simone schuift met een stukje brood restjes roerei op een hoopje midden op haar bord. Ze snuift verontwaardigd als ze uitgesproken is.

'Moeders bankrekening zal ongetwijfeld ook een rol spelen.' Jessica praat op samenzweerderige toon terwijl ze opzij gluurt en een sinaasappel pelt. Dat gaat onhandig met haar lange nepnagels. Het botermes werkt ook niet mee.

'Hoe weet je dat ze Deens is?' Het komt er onnozeler uit dan ik het bedoel.

'Ach Rosa, dat is toch gewoon een kwestie van de juiste vraag aan de juiste persoon stellen. Toevallig liepen ze langs toen ik mijn sleutel haalde bij de balie. Ik zag de receptioniste, die één-meter-negentig schoonheid met die waanzinnige bos haar, ineens een beetje stiekem langs me heen kijken. Achter mij wandelden ze met z'n drieën naar buiten. Toen heb ik rechtstreeks gevraagd wat zij daarvan vond.' Jessica wijst met de punt van haar mes naar het onderwerp van gesprek.

'O, en toen antwoordde ze dat mevrouw Deens is. Alsof dat iets verklaart.' Simone klinkt geïrriteerd. Met snelle halen plukt ze stukjes van een wit broodje.

Jessica trekt haar wenkbrauwen op. 'Het merendeel van de vrouwen die hier een jongen oppikken, is Scandinavisch. Of Engels. Hoewel de Engelsen van oudsher liever een eind verderop aan de kust zitten.' Met haar lange nagels trekt Jessica nu de oranje partjes uit elkaar. 'Kijk toch hoe zoet. Echte liefde!' Ze grijnst en gebaart met een hoofdknik naar de tafel van de Deense.

Over de tafel heen houden de vrouw en de jongen elkaars hand vast. De dochter hangt achterover in haar stoel. Met haar blik naar de grond gericht zuigt ze aan het rietje in haar flesje sap. De ogen van de zwarte jongen met de enorme bos bijeengebonden rastahaar lijken vastgeklonken aan de lichte ogen van de vrouw tegenover hem. Ze zitten stil, het enige wat beweegt zijn de donkere vingers die in een ritmische beweging over haar bleke hand strijken. Onder zijn stoel zie ik de glimmend nieuwe sportschoenen aan zijn voeten.

'Jullie nog een sapje? Koffie?' Abrupt schuif ik mijn stoel naar achteren.

'Ja graag, koffie. Sap heb ik al meer dan genoeg.' Jessica likt haar druipende vingers af.

Ik zal een extra servet voor haar meenemen. 'En jij, Simone?'

'Doe maar koffie.' Ze gooit stukjes brood op de tegels. Een alerte koereiger vliegt onmiddellijk op van het hek rondom het terras in de tuin waar we ontbijten. De witte vogel landt pal naast mijn voeten en begint het brood razendsnel op te pikken.

'Hier, kijken of hij dit ook lust.' Jessica gooit een partje sinaasappel op de grond. De vogel kijkt er nauwelijks naar.

Ik loop tussen de terrastafels door, vlak langs het tafeltje van de Deense en haar vriendje, naar het ontbijtbuffet. In een bloeiende struik verderop bij de deur flitst het blauwgroen van een kleine zangvogel. Even blijf ik staan, in de hoop dat ik hem tussen het dichte gebladerte in het oog krijg. Ja! Metallic groen en geel oplichtend in het zonlicht komt hij tevoorschijn. De gevorkte staart en de licht gebogen snavel steken prachtig scherp af tegen de blauwe ochtendlucht.

In een waaierende flits van kleur vliegt hij op. Als ik hem met mijn ogen volg, zie ik boven het hotel de gieren zweven. Geduldig gaan ze hun dagelijkse cirkelgang, als een meditatieve voorbereiding op het maal dat hun wacht.

'Did you loose something?' Er klinkt een lach door in de stem vlak naast me.

'Maybe some old dreams.' Wat flap ik er nu weer uit? Ik wil doorlopen maar de man steekt zijn hand naar me uit.

'Ben je Nederlands?' Vragend houdt hij zijn hoofd schuin. Ik had geen idee dat mijn Engels zo slecht is dat de eerste de beste Nederlander mij als landgenoot zou ontmaskeren. Ik knik bevestigend.

'Nederlandse én vogelliefhebber misschien? Aangenaam, Ben Klamer.' Uitgedost als een padvinder staat hij grijnzend naast me.

Ik neem zijn uitgestoken hand, aarzel geen seconde en antwoord: 'Rosa Rood.' Waarom ik mijn achternaam verzin, is me een raadsel, het is eruit voor ik het weet. Zei hij nou dat hij Ben Cramer heet? Op zijn forse buik prijkt een verrekijker.

'Dat was de *beautiful sunbird*, die je zag. Een regelmatige bezoeker van deze tuin. Je eerste keer hier?'

Met zijn arm gebaart hij naar zijn tafelgenoot. 'Dit is Klaas. Wij komen hier al voor het zesde jaar. Dit keer doen we een combi-reis met Noord-Senegal. Als je eens wilt vogelen met kenners? *Welcome to join the club.*'

De handen van Klaas zijn de spreekwoordelijke kolenschoppen. Mijn hand past er wel drie keer in. Verrast merk ik dat hij behoedzaam voelt hoeveel druk ik kan hebben. Klaas is een reus vergeleken bij de amper één meter zestig van Ben.

'Je man of vriendin is natuurlijk ook welkom. Wij ontbijten iedere ochtend vaste tijd, negen uur vijftien stipt. Dan hebben we natuurlijk wel al een uurtje of twee veldwerk verricht.' Klaas glimlacht, misschien om het enthousiasme van zijn vriend, misschien omdat hij mij aardig vindt. Misschien uit verlegenheid.

'Ik zou koffie halen voor mijn vriendinnen. Bedankt voor de uitnodiging, een prettige dag.'

Zong Ben Cramer niet dat lied over een huilende clown?

Als ik over de drempel de eetzaal in stap, waait de koelte van de airconditioning me tegemoet. De eierbrigade staat met over elkaar geslagen armen achter de kookplaten te kletsen. Daarnaast sissen de laatste flensjes in de pan. Achter de warmhoudbakken met bonen en worst en spek staat niemand meer. Tegen tienen is het ontbijt zo'n beetje afgelopen. De koereigers en enkele duiven durven nu zelfs een eindje naar binnen. Ook wat kleinere vogels doen zich tegoed aan de ontbijtresten.

Op het merendeel van de tafels is het een enorme puinhoop. Er ligt zo veel overgebleven voedsel, half opgegeten of onaangeraakt, dat ik er niet zonder schaamte naar kan kijken. De mensen in Gambia gaan niet dood van de honger, heb ik me laten vertellen, maar ze lijden er wel aan. Ik tap koffie en schenk sap in een groot glas. De obers staan uit te rusten, zij hebben er al een groot deel van hun werkdag op zitten. Als ik weer naar buiten loop, zie ik hoe de Deense en haar minnaar hand in hand het terras verlaten. Haar achterwerk schommelt in de vrolijke bloemenrok. In de zolen van de sportschoenen van de jongen zitten lampjes. Bij iedere stap die hij zet, lichten ze rood op. Ook zijn short en shirt lijken splinternieuw. Het lange rastahaar zit bijeengebonden in een staart die over zijn rug valt. Op enkele meters afstand loopt de dochter van de Deense te sms'en.

'Er komt weleens iets uit de lucht vallen, Rosa. Pas maar op.' Clown Ben spreekt me aan als ik langsloop en wijst naar een klodder vogelpoep naast zijn bord. 'Maar zie, het is mijn pet die me heeft gered.' Hij grijnst breed. Klaas lacht een beetje onbenullig mee. Zijn enorme handen liggen plat op tafel, aan weerszijden van zijn halfvolle koffiekop. Ik knik alleen maar even terug en loop door. Ik vraag me af wat voor vrouwen die twee thuis hebben.

Op het inmiddels bijna verlaten terras zijn enkele obers druk met het zo snel mogelijk afruimen van de tafels. De koereigers proberen de overgebleven etensresten weg te snaaien en maaien in hun haast het serviesgoed van de tafels. Van een naburige tafel klettert met veel kabaal een glas op de grond. De dader klappert wild met zijn vleugels, vliegt voor de vorm een eindje op en hervat zijn schranspartij. Een van de obers verjaagt de vogel met een wapperende theedoek. Jessica en Simone kijken lachend toe hoe ik, met mijn dienblad balancerend tussen twee handen, op ze af loop.

'En, verliep de kennismaking met de heren naar wens?' Simone pakt snel een kopje van het blad en scheurt een suikerzakje open. Ze kijkt me vragend aan. De huid van haar magere, lange gezicht is vlekkerig en roodverbrand. In tegenstelling tot Jessica ziet ze er onverzorgd uit. Arme Simone is herstellende van een langdurige burn-out. Over de oorzaak blijft ze vaag, maar over een maand gaat ze weer aan de slag als afdelingshoofd bij de gemeente. Alle drie zijn we voor het eerst in Gambia, maar Simone reist al alleen sinds ze op haar vierentwintigste weduwe werd. Daarna is ze nooit meer verliefd geweest, terwijl ze nu achtenveertig is. Onvoorstelbaar vind ik dat. Ik ken ze pas enkele dagen en toch zijn we verbazingwekkend open naar elkaar. De donkere wallen onder Simones ogen komen van onze avondjes doorzakken.

'Nederlanders,' zeg ik, 'én vogelaars. We zijn uitgenodigd door de heren. Die grote is Klaas, die ander met die kijker op zijn buik heet Ben. Hij is de leukste thuis.'

Jessica drinkt haar koffie zwart met koffie, zoals ze zelf grappend zegt. Het vlammetje uit haar aansteker is net zo blauw als de lucht boven ons. Er kringelt een sliertje rook omhoog in de windstille lucht.

'Je liep nét naar binnen toen een vogel vlak naast die pet scheet.' Jessica blaast een ferme strook rook in de richting van de mannen. Ik kijk om en zie hoe Klaas en Ben opstaan. Dat had ik beter niet kunnen doen. Enthousiast zwaait Ben naar me, alsof we nu al oude bekenden zijn. Snel wend ik me af. Jessica zwaait wel terug. 'Homo's', fluistert ze naar ons terwijl ze vriendelijk lachend wuift.

Plotseling zie ik de mannen in een vogelkijkhut, rug tegen buik, voor het oog op zoek naar vogels. Ik zie de grote handen van Klaas op de schouders van Ben liggen, handen die over de dikke buik naar beneden glijden. 'Brrr.' Ik schrik van mijn eigen geluid, neem snel een paar grote slokken sap en veeg mijn mond uitvoerig schoon met mijn servet. De vrouwen kijken me verbaasd aan.

'Alles goed, Rosa? Kijk, daar gaat onze Deense. Met aanhang.' Jessica weet alles wat ze zegt een spottend toontje mee te geven.

Het pad naar de hoofdingang van het hotel wordt door een lage bloeiende haag gescheiden van het ontbijtterras waar wij zitten. Aan de andere kant van de haag is het een komen en gaan van hotelgasten.

'Hij heeft vannacht weer zijn best gedaan en mag nu in een winkel zijn beloning uitzoeken. Zeg Jessica, wat zei die receptioniste nou eigenlijk over dit soort uitbuiting? Kunnen ze het aanzien, hun mooie kleine broertje met een oude blanke taart?' Simone maakt voldoende duidelijk hoe zij er zelf over denkt.

Resoluut drukt Jessica de rokende peuk diep in een vochtig opgezwollen theezakje. 'Ze zei dat het voor de jongen natuurlijk goed is als hij de mogelijkheid krijgt om te studeren. Daarvan profiteert de hele familie, en de gemeenschap. Ik vroeg haar ook of er volgens haar weleens echte liefde in het spel was. Toen ik dat zei, schoot ze bijna in de lach. Ze keek me aan met die enorme hertenogen en haalde haar schouders op. Meer wilde ze er niet over kwijt. Nou ja, het zijn volwassen mensen, toch...'

'Sommige jongens zijn anders nog minderjarig, heb ik gehoord. Dat lijkt me zelfs strafbaar!' Simone kan behoorlijk vasthoudend zijn. Ik vind dat het nu wel wat minder scherp mag.

'Bij de receptie mogen ze natuurlijk niet over de hotelgasten praten. Ik snap wel dat zo'n receptioniste zich op de vlakte houdt. Bij dit soort vragen zou ik me ook ongemakkelijk voelen. Zelf zou ik ook niet willen dat er over mij gepraat werd', probeer ik nog.

'Hoe kijken jullie eigenlijk tegen sekstoerisme aan?' Simone kan op een haast agressieve manier een vraag stellen. Ik heb genoeg van het onderwerp.

'Wil je het eerlijke of het sociaal wenselijke antwoord?' Deze wedervraag geeft me even respijt.

Maar Simone heeft zich vastgebeten. Ze is snel met haar reactie. 'Alsof ik het verschil zou merken. Zo goed ken ik jullie niet. Waarom zou je trouwens niet gewoon eerlijk zijn?'

Simone lijkt iemand die altijd zo eerlijk mogelijk is. Zelf vind ik dat niet altijd nodig. Voordat ik kan antwoorden, maakt Jessica aanstalten om te vertrekken. 'Dames, zullen we deze interessante discussie over een ingewikkeld onderwerp op een ander moment voortzetten?' Ze pakt sigaretten en aansteker en laat ze in haar knalrode leren tas vallen.

Simone knikt. 'Goed. Ik ga zo meedoen met de aquafit. Als tegenwicht tegen de alcoholische uitspattingen hier. Ik zie jullie in ieder geval bij het diner. Acht uur in de lobby?'

'Ik denk dat ik met mijn boek naar het strand ga. Ik lunch tegen drieën. Als een van jullie gezelschap wil, kun je me in de beachbar vinden. Anders zien we elkaar vanavond.' Ik heb niet verteld dat ik een vage afspraak op het strand heb met een onweerstaanbare jonge Gambiaan, Rano. Ik heb hem een halve toezegging gedaan elkaar vandaag weer te ontmoeten. Na een paar erg leuke gesprekjes eerder deze week, al wandelend langs de vloedlijn, heb ik me voorgenomen me wat terughoudender op te stellen. Ik durf niet meer op mijn beoordelingsvermogen te vertrouwen. Dat ik met moeite iets door mijn keel krijg, zegt eigenlijk voldoende. Ik heb Birgit en Inger min of meer laten weten dat ik mannelijk gezelschap heb opgeduikeld. Voor de grap. Omdat Birgit altijd onmiddellijk met haar mening klaarstaat over wie wel of niet geschikt is voor haar moeder. Mijn opvliegende dochter op zijn tijd een beetje stangen kan geen kwaad. Dat de grap werkelijkheid lijkt te worden, maakt het eigenlijk des te lachwekkender. *Fake it till you make it.*

Waarom vertel ik het niet aan Jessica en Simone? Ach, ik ken ze nauwelijks een week. Ik heb ze hier ontmoet en waarschijnlijk blijft het daarbij en zie ik ze nooit weer. Aan hen ben ik toch zeker geen verantwoording schuldig. Of spreek ik het niet graag hardop uit omdat ik het voor mezelf maar moeilijk kan verantwoorden?

Op mijn kamer zie ik onder aan het stapeltje boeken de smalle rug van het schrift van Alphons. Ik heb nog niet aangedurfd het te lezen. Tot ik het schrift vond, had ik geen flauw idee dat Alphons verhalen schreef. Hij heeft me er nooit iets over verteld en dus neem ik aan dat het geheim was. Wie weet was het zijn bedoeling wel om een heel boek te schrijven. Ik trof het ouderwetse zware schrift met lijntjes aan in de gebutste metalen broodtrommel. Dezelfde trommel waarin hij een dekentje en handschoenen opborg, droog en veilig voor de vraatzucht en de nesteldrang van de muizen op het volkstuinencomplex. Na zijn dood, vlak voordat ik op reis ging, ben ik een keer gaan kijken naar de wildgroei in zijn tuin. Ongetwijfeld konden de andere tuiniers de verwaarlozing niet aanzien want het zag eruit of er regelmatig onderhoud werd gepleegd. Onder het houten afdak was alles keurig geordend. Toen ik in de trommel keek en het dunne fleece dekentje eruit haalde om te luchten, viel mijn oog op het schrift. Tot mijn verrassing bleek hij een heel verhaal te hebben geschreven. Ik heb het mee naar huis genomen en in een opwelling in mijn koffer gestopt. Waarom wist ik hier niets van? Had Alphons nog meer geheimen? Wat was ik eigenlijk schaamteloos ongeïnteresseerd in hem geweest. Wie weet is het onverstandig van me dit te willen lezen, maar mijn nieuwsgierigheid wint het. Ik schuif het schrift naast het badlaken in mijn tas en ik haast me naar buiten. Ik gun me niet eens de tijd mijn verrekijker tevoorschijn te halen om naar de vogels in de tuin en de gieren te kijken.

Bij de beachbar bestel ik een drankje en kies dan een plekje in de schaduw van een palmboom. Ik strek me uit op het strandbed en haal het schrift uit mijn tas. Toen ik het voor het eerst in handen had, bladerde ik het snel door, op zoek naar mijn eigen naam. Misschien hoopte ik wel dat het over mij zou gaan. Een kinderlijk verlangen naar erkenning. Ha, hoe zou ik dat kunnen verwachten van Alphons?

Maar ik ben wel zijn vrouw en erfgenaam, houd ik mezelf voor, en dus heb ik recht op zijn nalatenschap. Deze gedachte houdt de gêne, die me ook nu weer bekruipt bij het zien van zijn handschrift, op een afstandje. Met de klep van mijn pet diep over mijn ogen en mijn zonnebril stevig op mijn neus, sluit ik mijn omgeving buiten en begin te lezen. Het eerste hoofdstuk heet *MOED.*

Na iedere stap zet de jongen beide voeten stevig naast elkaar op het hout. Daarna buigt hij zich voorover om te kijken. Tussen de planken kieren vingerbrede spleten. Nergens ziet hij ook maar een glimp van een sluierende vin.

Nergens een zilveren of roodgouden flits.

Stap, buigen, turen. Stap, buigen, turen. Stap, buigen, turen.

Geen vis, geen plant, geen mens. Hij is alleen.

Al dat glinsterende water om hem heen maakt hem dorstig. Hij klikt de fles los van zijn riem en schroeft de dop eraf. Met een lichte metaalsmaak maar nog steeds zoet en koel stroomt het water in zijn mond.

Vanochtend, bij een ontbijt van droge tarwekoekjes en een glas karnemelk waar tot zijn afschuw klontjes in dreven, had oom Durk hem de hele tijd aan zitten staren.

Toen het hem gelukt was dwars door de starende blik en de klontjes heen te drinken had zijn moeder hem toegebeten dat hij zijn tas moest pakken. 'Een tas met een verschoning, genoeg voor een nachtje buiten de deur.' Haar stem was halverwege de zin omhooggeschoten. De jongen dacht dat de woorden hun best deden de boodschap ietsje leuker te laten klinken.

In zijn kamer had hij zijn super-you-man-uitrusting onder zijn gewone kleren aangetrokken. De versleten rugzak met daarin een schone onderbroek en sokken, zijn kompas, de houten hamer en het waterpistool, hing vormeloos en bultig om zijn schouders.

In de auto hadden ze alle drie gezwegen.

Hij zat op de achterbank, met zijn hoofd tegen de neksteun om gemakkelijker te kunnen zien hoe de wolken beelden vormden. Precies op het moment dat hij een kudde wolkenmammoeten had ontdekt, maakte de auto een onverwachte woeste slinger. Boem. Ze stonden stil.

Mama en oom Durk hadden hem in koor toegeblaft dat hij uit moest stappen. Dit keer luidde het bevel: 'Morgen komen we je halen, zelfde tijd zelfde plaats. De wereld wacht op je. En je weet, de wereld is niet iemand die je straffeloos kunt laten wachten. Doe je best, jongen!' Mama had nog even naar hem geknipoogd, toen was hij uitgestapt.

De klap waarmee oom Durk de autodeur had dichtgetrokken, had een gat in de lucht geslagen.

Doodstil was hij aan de kant van de weg blijven staan om te zien hoe de auto uit het zicht verdween. Hij zag hoe de uitlaatgassen verwaaiden en voelde hoe zijn hart langzaamaan bedaarde.

Er zat niets anders op dan de opgave te aanvaarden.

Hij prentte zich de plek in waar ze hem hadden achtergelaten. De kromgegroeide eik naast het elektriciteitshuisje, het scheefstaande paaltje en de drie zwerfkeien in het weiland. Daarna was hij op pad gegaan.

Nadat hij een of twee, misschien wel drie uur had gelopen – omdat een dikke wolkenjas de zon had ingepakt, had hij geen idee van de tijd – was hij op het water gestuit. Aan de rand van het land lag het water, stil en glad. Een zee van water. Hij was een tijdje aan de rand staan blijven kijken naar hoe het schijnbaar roerloze water zakte. Hoe langer hij keek, hoe verder de auto met mama en oom Durk uit zijn hoofd reed. Hoe langer hij keek, hoe meer er gebeurde.

Verwonderd zag hij hoe er, streep voor streep, planken oprezen uit het wiegende oppervlak. Vanonder de oude afgetrapte gympen aan zijn voeten verschenen een voor een grijs verweerde planken. Ze legden een kilometerlange smalle baan door het water.

Toen er geen nieuwe meer bij kwamen, doemde aan het eind een donkere schaduw op. Midden in de donkerte flonkerde iets, heel kort. Toen hij dacht dat hij het zich verbeeld had, flitste er opnieuw iets op. Een sein! Iemand seinde iets.

Voor hem strekte het pad zich uit als een landingsbaan. Nee, een startbaan. Hij was begonnen te lopen, behoedzaam, een plank per stap.

Nu staat hij midden in de drooggevallen zee, aan de voet van het wonderlijkste bouwsel dat hij ooit heeft gezien.

Hij kijkt omhoog langs een druipende muur. Slierten zeewier bewegen zachtjes in de wind. Er hangt een natte geur van verse spinazie. Ineens verlangt hij verschrikkelijk naar de gehaktbal die ze iedere vrijdag eten.

Voor hem ontstaat een opening in de muur. Geen deur, geen bel, geen brievenbus. Ineens is het gat er. Daarachter deint mist. En mist, dat weet hij van oom Durk, mist kan optrekken maar is gevaarlijk zolang je erin zit.

Hij wacht.

De mist straalt net zo'n kou uit als wanneer hij thuis de vrieskist opendoet. Het is in feite een soort omgekeerde kachel. Bruikbaar voor een hete zomerdag, voor als je af moet koelen, denkt hij.

De mist trekt niet op. Wel ontstaat er deining. Er verschijnen letters. Twee woorden plus een uitroepteken: kom binnen!

De jongen kijkt nog een keer om zich heen. Aan de rand van het land achter hem ligt een rij wolken.

Ze zien er dik en opgeblazen uit, als de wangen van oom Durk als die een bord aardappelen naar binnen werkt. De palen waarop het planken pad rust, zijn een stukje langer geworden, het water is duidelijk nog meer gezakt. Hier en daar ligt de natte zandbodem open en bloot in de lucht. Het laatste water stroomt weg door uitwaaierende geulen.

Het doet de jongen denken aan de handen van oma, zachte handen met hoog oprijzende aderen die zich vertakken. Vlak onder de dunne oppervlakte stroomt oma's bloed. Soms, ook al probeerde hij heel hard dat soort gedachten tegen te houden, stelde hij zich voor dat een heel klein sneetje in het dunne vel en door het donkerblauw genoeg zou zijn om het bloed vrij te laten. Hij huivert en wenst dat oma hier was.

Kom binnen!

De mistletters wenken, dansend als vrolijk dronken stripfiguurtjes.

Ineens verschijnt een enorme hand uit de mist, een reuzenhand aan een behaarde reuzenarm. Grote vingers grijpen de punten van de jaskraag van de jongen en sleuren hem naar binnen de mist in.

Dan is er zon. Door een opening in het hoge dak gutst een plens licht precies op de enorme bos stekeltjeshaar op het hoofd van de reus. Hij sleurt de jongen nog enkele meters mee en laat hem los.

'Ik dacht, die heeft een helpende hand nodig.' De stem van de reus waait als een fluisterstorm door

de hal, ademwind strijkt lauw langs de wangen van de jongen. 'Zo zo, wie hebben we hier? Eens kijken: Hoogte: vijf hands. Soort: mens. Kleur: wit, met stipjes op neus en wangen. Bezakt als een reiziger voor één nacht. Mooi zo, kom, ik wijs je de kamer!'

Met bonkend hart voelt de jongen de grote hand van de reus op zijn lichaam. Van voet tot voorhoofd wordt hij gemeten. Vijf reuzenhanden lang meet hij dus. Als toetje legt de reus zijn handpalm op zijn zachte, rode haar. De hand ligt er zwaar en warm. Na de eerste schrik trekt een huivering langs zijn rug. Hij kan niet anders dan zijn ogen sluiten. Achter zijn oogleden is het schitterend blauw, een lege ruimte vol van licht. Onder het gewicht van de hand, in het klare blauwe licht, klinkt het ruisen van een kalme vleugelslag.

'One juice for the lady. Anything else, madam?'

Beneveld door het verhaal en niet direct in staat te antwoorden laat ik mijn ogen langs de gestalte van de ober gaan. Op de rechterpijp zit ter hoogte van de knie een donkere vlek. Onderaan hangt de zoom van de grijze broek rafelig los. Zijn voeten zijn bloot in de zwarte, kunstleren veterschoenen. Het overhemd is uitbundig gebloemd. Druppels condens glijden traag langs de hals van het flesje limoensap op het tafeltje naast me. Uit het hoge glas steekt een blauw-wit gestreept rietje. Ondanks het overvolle terras van de beachbar achter me en het drukbezette strand om me heen wekt deze ober de indruk alle tijd van de wereld te hebben. Ritmisch slaat hij het metalen dienblad tegen zijn bovenbeen. Ineens klinkt de muziek uit de luidsprekers bij het zwembad. De aquagym is kennelijk begonnen. Boven me geraas. Luid ritselend zwiepen de palmbladeren heen en weer onder het gewicht van een gier. De vogel klauwt zich vast aan de bladsteel, meedeinend op de golfbeweging bewaart hij zijn evenwicht.

Verschrikt ga ik rechtop zitten waardoor het schrift van mijn bovenbenen glijdt en open in het zand valt. De ober bukt zich onmiddellijk en raapt het voor me op. Heel even strijkt zijn kroezende haar langs mijn bovenarm. Ik ruik een droge, zoetige geur. Het is dezelfde soort geur als die van Rano. Als de ober weer rechtop staat, zet hij het dienblad tegen zijn onderbeen op de grond. Dan, zoals je een kaartspel schudt, ontdoet hij Alphons' schrift van zand. Met behoedzame bewegingen houdt hij de harde kaften tussen duim en wijsvinger en laat de bladzijden langs zijn vingertoppen flitsen. Daarna houdt hij het schrift ondersteboven en maakt voorzichtig een schuddende beweging. Als er geen korrels meer uit lijken te vallen sluit hij het schrift en strijkt over voor- en achterkant, controleert met zijn duim de rug op beschadigingen en brengt het dichter naar zijn gezicht. Hij knijpt zijn ogen samen om beter te kunnen zien.

Alphons moet de foto uit een tijdschrift hebben geknipt en op de voorkant geplakt. Het is een foto van een klein bleek jongetje op een kinderfietsje. Het voorwiel hangt boven een afgrond. Het kind lijkt te aarzelen, hij kijkt omhoog, een van zijn kleine handjes zweeft doelloos boven het stuur. De foto straalt zo veel kinderlijke machteloosheid uit, dat ik er niet naar kan kijken zonder te huiveren. Boven het jongetje is de lucht gevuld met genadeloos hard middaglicht, aan de horizon is de rafelige lijn van een bergrug zichtbaar. De foto is in zwart-wit, waardoor het knalrode vraagteken dat Alphons in de wolkenloze lucht plakte ervanaf spat.

De ober houdt het schrift wat verder van zich af. Zijn wenkbrauwen schieten omhoog, met verbaasde ogen kijkt hij afwisselend naar de foto en naar mij. Ik schiet in de lach om de uitdrukking op zijn gezicht.

Met getuite lippen blaast hij een laatste denkbeeldige zandkorrel weg, bukt zich en vlijt het schrift tegen mijn naakte dij. Met een uiterst traag gebaar en dichterbij dan nodig, denk ik. Glimlachend raapt hij het dienblad op en laat het op zijn geopende handpalm balanceren.

'*Anything else, madam?*' Zijn naam staat in drukletters op het kaartje dat op zijn overhemd is gespeld, zoals bij al het personeel hier.

'*No thank you Mohammed, maybe later.*'

'*Of course, anytime, madame. Enjoy your drink.*' Met een lichte buiging van zijn hoofd, een snelle draai van zijn heupen en slepende stappen door het mulle zand laat hij me alleen.

Ik laat me achterover vallen, leg het schrift op mijn buik. Jammer dat Alphons me niet eerder verteld heeft over zijn schrijfambitie. Misschien heeft hij het ook wel verteld maar heb ik niet geluisterd. Dat kan natuurlijk heel goed. Heb ik hem ooit verteld over *De wereld wacht op je*? Vroeger riep ik dat vaak tegen de kinderen om een eind te maken aan hun eindeloze getreuzel. Maar toen was ik nog met Wander getrouwd en kende ik Alphons nog niet. Wie zou model hebben gestaan voor het jongetje? Een van Alphons' leerlingen? Het begin is spannend, die reeks opdoemende houten planken in het water. Als een oplichtend pad. Dat het kind zomaar uit de auto wordt gezet, is net als in een eng sprookje.

Enkele meters verderop buigt de ober zich naar de volgende klant. Borst en rug van de jonge Engelsman die druk gesticulerend zijn bestelling doorgeeft, zijn vol getatoeëerd met tekeningen, tekst en gezichten. Ik herken het gezicht van Jimi Hendrix van een poster die ik vroeger zelf had. Het meisje dat bij hem hoort, ligt op haar rug met haar knieën opgetrokken. Vanaf de enkel van haar linkerbeen slingert een wijnrank omhoog over kuit, knie en dij, verdwijnt daar in haar bikinibroekje om laag op haar rug weer tevoorschijn te komen en via haar heup te eindigen in een bloem rondom haar navel. Daarin glinstert een piercing. Ik heb haar eerder uitvoerig bestudeerd toen ik op het terras bij het zwembad lag. Het lichamelijke vertoon wekte mijn nieuwsgierigheid. Op haar rug, weet ik, spreidt een duif zijn vleugels precies over beide schouderbladen. Hoog om haar bovenarm loopt een cirkel van Keltisch prikkeldraad. Op haar schouders en in haar hals hebben zich donkere sterren gegroepeerd en onder haar oor schijnt een maantje.

Niemand anders dan ikzelf weet dat er verborgen onder de rand van mijn bikinibroekje een zwaluw vliegt. Toen ik in Amsterdam de tattooshop binnenstapte, wist ik dat ik naar buiten zou komen met een vogel. Het soort vogel, en de plek waar die precies zou moeten komen, daarover had ik nog geen besluit genomen. Wel wist ik zeker dat de tatoeage niet op een plek mocht die gemakkelijk zichtbaar zou zijn. Ook in hemdje, zomerjurk of bikini wilde ik hem voor mezelf houden.

De tattooshop die ik had uitgekozen, heette *Classic Ink*. Een vertrouwenwekkende naam, vond ik. Heel anders dan de ernaast gelegen zaak die de naam *Skin Diggers* droeg.

'Dame, waar mag ik iets voor u doen?' De bodybuilder die me te woord stond, leek recht uit een film gestapt. Het kostte me moeite zijn kleding te onderscheiden van de getatoeëerde lichaamsdelen. Zelfs zijn adamsappel was opgenomen in een ingewikkeld patroon dat zijn hele hals bedekte.

'Waar? O ja natuurlijk, ik wil graag een tatoeage. En ik zou willen dat een vrouw het doet. Kan dat hier?' Dat was het tweede ding dat ik zeker wist, dat een vrouw mijn tattoo moest zetten.

Hij lachte zachter en melodieuzer dan ik van iemand met zo'n enorm lichaam verwacht had. 'Raphaela!?'

Van zijn stem schrok ik wel. In het midden van de zijmuur werd een gordijn opengeschoven, een hoofd met geblondeerde korte pieken kwam tevoorschijn. Op verschillende plekken in haar gezicht blonk zilver. Ringetjes, puntjes, een hangertje in haar neus. Ik verwachtte half en half dat ze zou rinkelen als ze zich bewoog.

'Brand?' Ze keek naar de man, en toen naar mij.

Hij tokkelde met zijn volgetekende vingers op de balie. 'Wil jij mevrouw van dienst zijn?'

'Over een minuutje of tien, hooguit vijftien.' Weg was het hoofd. De dolfijnen op het zeegroen bedrukte gordijn deinden zachtjes na op de golvende plooien.

'Weet je al wat je wilt? Anders liggen daar wat boeken met voorbeelden.' Hij wees naar de hoek waar een zwartleren poef met daarop een stapel boeken en tijdschriften lag. Ik bedankte en nam plaats op de witte leren bank onder een levensgrote foto van wat ik dacht te herkennen als een Maori, met indrukwekkende tatoeages en dikke ringen door neus en oren. Opgetuigd en in vol ornaat kon hij net zo goed klaar zijn voor een huwelijksceremonie als voor het slagveld. Van achter het gordijn was het zoemen hoorbaar, een geluid dat ik uit films kende. Het klonk net iets anders dan de tandartsboor, zachter, vetter leek het wel. Even huiverde ik, hoewel ik zweette.

Een hartstilstand is niet de slechtste manier om dood te gaan. Het is schoon en direct. Dat er geen tijd was om afscheid te nemen vond ik niet zo erg. Stel je voor dat er een lang ziekbed was geweest. Dan had ik moeten huichelen, verdriet voorwenden en tranen moeten opwekken. Gelukkig is dat me bespaard gebleven. De eerste weken na de crematie van Alphons lag ik 's avonds ruggelings met armen en benen wijd gespreid in bed. Ik had behoefte de volle omvang van de vrijheid met mijn lichaam te voelen. Ook al barstte ik regelmatig in huilen uit, het gevoel van bevrijding dat na zijn overlijden in me was gevaren, was vele malen sterker. Het was best een goede man, eerlijk, beleefd en netjes. Maar ook zonder ambities, zonder hoogtepunten en feestelijkheden. Zijn leven was regelmatig, duidelijk en vooral voorspelbaar. Dat was precies wat me in het begin zo in hem had aangetrokken. In hem dacht ik gevonden te hebben waar ik zo naarstig naar op zoek was geweest na mijn scheiding van Wander en het leven in de woongroep: innerlijke rust.

Ik vond dat ik iets blijvends op mezelf moest aanbrengen, ik weet niet precies waarom. Ook al had ik niet het gevoel in de rouw te zijn, ik had wel de behoefte aan een tastbare herinnering op mijn lichaam. Mijn motieven zijn ook voor mijzelf vaak een raadsel. Natuurlijk had ik redenen om te kiezen voor deze sierlijke, watervlugge vogel. Toen ik een sigaartje rookte in het achtertuintje van de tattooshop vlogen ze af en aan. Hoewel mijn bewondering zeker ook de nesten gold, hoog en kunstig onder de dakgoot aangebracht, koos ik voor een afbeelding van de vogel zelf. Ik zag mezelf niet rondlopen met een getatoeëerd nest naast mijn schaamhaar. Hoe huiselijk, veilig en warm ook. Ik snakte naar vrijheid. Ik wilde uitvliegen. Weg van het nest.

Het gladde flesje glijdt bijna uit mijn hand als ik inschenk. Hoewel het limoensap fruitig smaakt, vind ik het te zoet. Er valt een druppel op de voorkant van het schrift. Hij spat op de wolkeloze hemel, passeert het vraagteken en de scherpe karteling van de bergketen en glijdt rakelings langs het kind, langs het loos draaiende voorwiel, de diepte in. Het lijkt een uit de lucht gevallen traan. Een teken van boven, om aan het kind te laten weten dat het gezien wordt.

Dat er op hem gelet wordt, hier en nu en altijd. Een teken dat zegt dat niets onopgemerkt blijft.

Ik vind dat een fijne gedachte. En ik zou willen dat ik erin kon geloven. Dat lukt me niet. Ik geloof in de biologie, dat het de evolutie is die ons stuurt. Het kunstmatig aangebrachte web van inktlijnen kan niet verhullen hoe smal de jongen is. Het is een poging de aandacht af te leiden van zijn gestalte. De jongen mist de brede schouders, taps toelopend naar smalle heupen, van de man wiens zaad de grootste kans op sterk nageslacht geeft. Voortplanting is ons levensdoel, meer niet. Het leven is al met al banaler dan we graag geloven. Onze zogenaamde keuzevrijheid is beperkt. Het is de drang tot instandhouding van de soort die ons voortdrijft. Die ons in de armen drijft van een partner die wijzelf denken te kiezen. Wij kiezen helemaal niet zelf. Er wórdt voor ons gekozen. Iets in onze hersenen kiest voor ons. In een razendsnel proces van wegen en vergelijken. Een proces in ons brein waar milliseconden later een keuze uitrolt die wij ervaren als helemaal van onszelf. Dus kun je je afvragen of er wel een *ik* is. Of dat er alleen sprake is van chemische processen. Net als bij een bevalling.

De geboorte van Birgit was een regelrechte ramp. Een stormvloed, een beving met een score van tien op de schaal van Richter. Tijdens de zwangerschapscursus – in die tijd was 'natuurlijk bevallen' hot – was me geleerd me over te geven aan de wijsheid van mijn lichaam. Volgens de cursusleidster zat alle kennis die aanstaande moeders nodig hadden al in ons verborgen. Als we ons denken uitschakelden, als we ontspanden en de natuur haar gang lieten gaan, zou bevallen een fluitje van een cent zijn. Het werd dan een gebeurtenis waarvan we zouden genieten. De natuur zijn gang laten gaan was het credo. Alsof het vermogen tot denken en redeneren, ja, alsof het verstand géén natuur is! Maar nee, je lichaam, je ware natuur, dát moesten we volgen. Ik heb mijn uiterste best gedaan. Maar had ik moeten genieten van die veelgeprezen natuur die mijn lichaam uiteindelijk vér uitscheurde? Wanders gezicht had de angstwekkende kleur van vuilgele onweerswolken toen hij het slagveld verliet. Hij ging op de gang staan wachten tot het voorbij was. En ik? Ik schreeuwde om verlossing en pijnstillers. Ik was overgeleverd. Een bevalling is geen kwestie van kiezen. Het overkomt je.

Toen ik elf maanden eerder tegen Wander aan was gelopen, gebeurde iets soortgelijks. Bij het zien van zijn ogen, zijn hand om mijn bovenarm geklemd om me voor een val te behoeden, ging ik domweg voor de bijl. Iets in mij besloot dat dit de ware was. Met het zaad van deze man zou ik het sterkste nageslacht baren. Dat ik mannen met lichte ogen, een rossige baard en sproeten totaal onaantrekkelijk vond, deed niet ter zake. Tot ik tegen Wander aanliep, prefereerde ik donkerharige Zuid-Europese types. Wander hield me vast en daar gebeurde het. We stonden tegen de deurpost, op de drempel waar achter mijn naaldhak was blijven steken. Om ons heen ging het feest gewoon door, niemand zag het vuurwerk dat onder mijn huid afgeschoten werd. De hitte die mijn wangen kleurde ontging ze, net zoals mijn roffelende hart niet gehoord werd in het feestgedruis. Verliefd. In één klap. Op het eerste gezicht. Het bestond dus. Zoiets kan alleen maar wederzijds zijn. Onze genen juichten en deden niets anders dan ons aanzetten tot paren. Opeens was een bleekhuidige sproetige man voor mij het toppunt van aantrekkelijk. Het licht in zijn ogen was onweerstaanbaar. Alles in mij riep hem. Alles in hem riep mij. En ik was er, bereid en willig telkens als ik zijn roep hoorde. Twee maanden later werd ik zwanger. Ineens waren we met zijn drieën. Wij leefden in een wolk van geluk, we dachten dat er niet genoeg 'ons' kon zijn.

Het lichaam is een wonderlijk iets. Het sleurt je mee in hormonale vlagen van gekte en verdriet. In onbegrijpelijke pijnen en geluksmomenten. Het lichaam stuurt je. Hoe vrij ben ik uiteindelijk?

Restjes verdord blad dwarrelen uit de palmbladeren naar beneden op mijn benen. De gier heeft gezelschap gekregen van een soortgenoot die met veel vleugelgeflapper in de boom landt. De grote vogels intrigeren me, de sterke gekromde snavels boezemen ontzag in.

Het hotel waar ik verblijf, heeft een dagelijkse attractie waar busladingen toeristen uit omliggende resorts naartoe stromen. Iedere ochtend worden de gieren gevoerd. Op het grote gazon tussen de oude bomen in de hoteltuin verzamelen zich tientallen gieren. Vanaf een uur of negen kun je ze in grote cirkels zien vliegen. Anders dan de bijna tamme witte koereigers die naast de ontbijttafels hun kans op een stuk vers brood, kaas of koek afwachten, blijven de gieren hoog in de lucht. Een uur later krijgen ze handenvol verse piepkuikens en slachtafval. Twee mannen die als vogelgids werkzaam zijn, verzorgen beurtelings de voedershow. Met veel gevoel voor drama en iedere ochtend dezelfde grapjes worden de gieren zo dicht mogelijk naar de opgewonden toeristen gedreven. Door een handvol bloederig vlees tussen de kijkers te gooien proberen de gidsen de mensen schrik aan te jagen. De vogels volgen echter onverstoorbaar het neergeworpen voedsel. Ze keuren de voeten waartussen ze het vlees oppikken geen blik waardig. Zelf kijk ik graag veilig vanaf het hoger gelegen terras naar de vogels. Met mijn verrekijker waan ik me dichterbij dan wanneer ik beneden zou staan. Bovendien kan ik zo ongemerkt mijn blik naar de toeschouwers verleggen.

Hier op het strand ben ik voorzichtig. Als er op zee schepen verschijnen, neem ik mijn kans waar. Terwijl het lijkt alsof ik naar de verrichtingen van de vissers kijk, richt ik mijn kijker op de zonnende mensen op de ligbedden het dichtst bij de vloedlijn. Vooral stellen hebben mijn belangstelling. Smeren ze elkaar in met zonnebrandolie? Praten ze met elkaar? Hebben ze contact? Sommige stellen liggen de hele dag zwijgend naast elkaar. De vrouw met een roman of een puzzelboekje, de man leest vaak een bekende thriller. Waarom zijn zij samen?

Alphons vond mijn nieuwsgierigheid ongepast en reageerde steevast geïrriteerd op mijn verholen gluurgedrag. Wat ik toch moest met het bekijken van wildvreemden, of ik niet genoeg had aan hem, aan mezelf, aan ons. Als ik met Alphons op een strand lag, verveelde ik me. Niet dat ik dat ooit aan hem heb verteld, liever deed ik alsof ik zijn gezelschap nodig had. In feite was hij de chaperon die ik nodig had om te durven reizen, om plekken op te zoeken waar ik in mijn eentje niet naartoe durfde. Was hij maar eerder overleden. Geschokt door deze ijskoude, glasheldere gedachte, deze kille constatering, sluit ik mijn ogen.

Het alleen reizen gaat me buitengewoon makkelijk en goed af. Waar ik altijd zo bang voor ben geweest, blijken spookbeelden te zijn. Er is niets engs aan alleen zijn. Helemaal niets. Sterker nog, nooit eerder heb ik zo veel aanspraak gehad. Met Alphons samen was ik deel van een stel. En stellen hebben genoeg aan elkaar, is de algemeen geldende opinie. Nu ik alleen ben, heb ik veel gesprekken, met vrouwen en mannen. Een vrouw alleen is interessant, merk ik nu. Waar ik zo tegenop zag, in mijn eentje eten, is nog niet gebeurd. Mijn lichaam reageert ongewoon sterk op allerlei dingen. Heel anders dan thuis. Niet alleen op de jonge zwarte mannen die zich aan me aanbieden, van wie ik Rano, hoewel hij soms gevaarlijk dicht naast me komt lopen, nog steeds heb kunnen weerstaan. Het rijpe vruchtvlees van een mooie mango kan me opwinden. Van een ontblote schouder of een gladde bovenarm krijg ik soms zomaar ondraaglijke jeuk. Mijn dromen zijn vele malen erotischer dan thuis. Logisch. Of biologisch.

Alphons had op den duur een anti-erotiserende werking op me. Al die jaren heb ik mijn afnemende interesse en lust op de overgang gegooid. Voor het gemak vergat ik dat ik van seksuele lusteloosheid bij de uitstapjes met de minnaars die ik had geen enkele last had. Integendeel zelfs.

Waarom wilde ik dat huwelijk zo angstvallig behoeden? Waarom bleef ik bij een man van wie ik niet echt meer hield? Deed ik het voor de meisjes? Wilde ik Birgit en Ingers afwijzing voorkomen? Langzamerhand dringt het tot me door dat ik werkelijk jaren verspild heb.

Alphons werkte in stilte aan een boek. Het verhaal ontroert me, het raakt me meer dan ik had verwacht. Hoewel het een soort sprookje lijkt, is het dat niet. Ik heb het gevoel dat hij met het verhaal iets anders wil zeggen. Ik moet nog eens opnieuw beginnen, het is hier eigenlijk veel te onrustig. Morgen zal ik het eerste stuk nog eens lezen.

Plotseling bonst mijn hart in mijn keel. Bij de vloedlijn staat Rano. Bewegingloos staart hij mijn kant op. Wit schuim spoelt af en aan langs zijn enkels. Ik leg het schrift weg en maak aanstalten op te staan, verzamel mijn spullen en leg ze bij elkaar onder het badlaken.

Alleen mijn omslagdoek met een handig vakje voor kleine dingetjes zoals geld en een tubetje zonnebrandcrème, neem ik mee. En mijn slippers natuurlijk. Het zand kan erg heet zijn en het strand is bezaaid met scherpgerande schelpen. Mijn hart klopt sneller dan gewoonlijk en ik krijg de fysieke verschijnselen die duiden op verliefdheid. Hittegolven en vlinders. Ik geef gehoor aan een onhoorbare maar onmiskenbare roep. Iets dwingt me, drijft me naar de jongen die in de branding op me staat te wachten.

Het is niet alleen dat hij de onmisbare chaperon is die me behoedt voor de eindeloze stroom opdringerige verkopers aan het strand. Het is ook niet louter mijn interesse in gesprekken met hem over de Gambiaanse geschiedenis en cultuur die zijn gezelschap zo noodzakelijk doen lijken. Het is met name – ik vrees dat ik dat moet toegeven – het bewijs dat ik gewild ben als vrouw. Als mogelijke partner. Bedpartner welteverstaan. En dat idee is onweerstaanbaar.

Ik kom ze tegen op onze wandelingen langs de zee, natuurlijk, dezelfde soort stelletjes. En op het terras. En in het hotel. We zijn goed op weg te integreren, van vreemdelingenangst kunnen wij niet beschuldigd worden. Met ironie probeer ik alle bedenkingen weg te lachen.

Als ik vanaf mijn ligbedje door het mulle zand naar hem toeloop, voel ik het vet van mijn buik bewegen. Niet dat ik dik ben, maar de wijntjes en nootjes blijven toch wel een beetje plakken. Dat doen ze het liefst in mijn taille.

Achter me voel ik de brandende blik van de zonnebaders, ik hoor ze denken: kijk, daar gaat er weer een... Vóór me voel ik de blik waarmee Rano me monstert. Ook al lacht hij, en ziet hij eruit als een levend uithangbord voor de *Smiling Coast,* ik kan niet anders dan me afvragen wat hij in me ziet en wat ik me in hemelsnaam in mijn hoofd haal. Toch loop ik door en geef gehoor aan de dwingende lokroep. Moeizaam ploeg ik door het gloeiende zand tot ik zo dicht bij hem ben dat het koele water over mijn voeten stroomt en ik zijn fluisterend uitgesproken '*Hello* Rosa' kan verstaan. '*How are you today?*'

Zodra ik zijn stem hoor en zijn glanzende strakke buik zie, kan ik alleen nog hoog en hijgend ademhalen. Dus richt ik mijn blik op de zee terwijl hij dicht naast me loopt. Zijn tred is verend, gemakkelijk en ontspannen. Ik heb mijn omslagdoek omgeknoopt zodat mijn buik bedekt is.

Jaren geleden, tijdens een vakantie op de Azoren, ben ik eens met kleren en al in zee gerend. Het strand waar we liepen, was bezaaid met stenen en ik had verkeerde schoenen aan. Lopen op blote voeten was pijnlijk. Tussen de stenen door laverend vroeg ik me af waarom ik daar was. 'Wat doen we hier eigenlijk, ik vind er niets aan.' Narrig snauwde ik de woorden in Alphons' richting. Ik had totaal geen oog voor de woeste branding, de turkooizen zee of de ondiepe poelen vol krabbetjes. 'Jij wilde toch naar de Azoren? Nu, je bent er, geniet er dan van. Of doe tenminste alsof!' Geïrriteerd beende hij bij me vandaan, het weinige haar dat hij nog had, woei in lange slierten omhoog, zijn tanige, haast magere lichaam knokig onder zijn overhemd. Ik verafschuw overhemden met korte mouwen. Mannenarmen steken er altijd zo gek uit, te gespierd of te dun. Ik houd van lange of opgerolde mouwen, tot onder de elleboog, maar nooit hoger dan tot daar. Maar mijn man hield van korte mouwen. Dat Alphons' overhemd ook nog rommelig over zijn fladderende zwemshort hing, deed mijn bloed koken. 'Zo dan? Geniet ik er zo goed genoeg van?' Gillend gooide ik mijn tas naar zijn rug en liep zwikkend over de stenen het water in. Ik had door willen lopen en willen verdrinken. Toen ik tot mijn borsten in het water stond, zag ik een kwal. En nog een. En nog een. Omringd door een groep grote kwallen gilde ik opnieuw, ditmaal om hulp.

Op het strand stond Alphons roerloos naar me te kijken. Met zijn armen in zijn zij, wijdbeens en onverzettelijk. Ik realiseerde me dat ik weer eens te ver was gegaan. Onze relatie stond me in die paar seconden doodsangst glashelder voor ogen: ik die hem naar me toe trok, ik die hem van me af duwde, ik die vond dat hij te dichtbij kwam, ik die vond dat hij te afstandelijk was, ik die vond dat hij zus en zo moest. Voor mij was het nooit goed en nooit genoeg. Al mijn verwarde ongenoegen en ongemak projecteerde ik op hem. Ondertussen vocht ik voor mijn leven.

Met woest maaiende armen om de aanraking met geleiachtige tentakels en slierten te voorkomen, ploeterde ik terug naar het strand. Half zwemmend en half verdrinkend werd ik uiteindelijk door een onverwacht krachtige golf op het strand gesmeten. Op handen en voeten bracht ik me in veiligheid. Zand schuurde in en achter mijn oren, tussen mijn vingers en het elastiek van mijn slip. Van mijn aanvankelijke woede was niets meer over, nu huilde ik hete tranen van spijt en opluchting. En om mijn hulpeloosheid. Als de kinderen mij niet meer nodig hadden, waarom was Alphons dan ook niet vertrokken? Wat deed hij nog in ons huis? Had hij mij soms nodig? Toen ik naar hem opkeek vanuit mijn zeemeerminnenpositie, aangespoeld, druipend en met de staart tussen de benen, lag op zijn gezicht de gemoedelijke uitdrukking die ik vreesde. Weer werd ik begrepen. Weer werd ik vergeven. Weer had ik straffeloos een grens kunnen overschrijden. Ik smeekte in mezelf, alsjeblieft in godsnaam niet weer dit zeverige begrip. Maar ja hoor, daar kwam het gevreesde woord: 'Hormonen?' Het subtiele vraagteken erachter ontbrak ook deze keer niet. Zo sneed hij me de weg af en maaide hij me het gras voor de voeten weg. Hormonen. Ben ik mijn hormonen? Ben ik niets meer dan een chemische huishouding?

Machteloos stond ik aan het roer van mijn leven. Ik kon draaien wat ik wilde, het waren hormonen die de koers bepaalden.

Rano's zwembroek hangt zo laag op zijn heupen dat ik me verbaasd afvraag wanneer deze naar beneden zal glijden. Eronder draagt hij een strakke slip. De manier waarop de witte elastieken boord tegen zijn huid ligt, beneemt me de adem. Rano is lang, misschien wel één meter negentig. Zijn haar ligt als een rul wollen tapijtje op zijn hoofd, als kroon op een gezicht dat eruitziet of het in vorm gesneden is. Scherp en hoekig waar het dat moet zijn: kaaklijn, jukbeenderen en kin. En zacht golvend rond lippen en ogen. Zijn schouders zijn rond en breed. Ze nodigen je uit er vol overgave je hoofd tegenaan te leggen, of wellustig je tanden in te zetten. Hartverscheurend mooi is hij. Ik draai mijn hoofd weg om te voorkomen dat ik als een oude teef, kwijlend bij de aanblik van een vers bot, grommend toehap.

'*Why do you smile? Are you happy? That is good, don't hurry be happy.*' Hij spreekt snel en bij de laatste woorden maakt hij een danspasje. Dan ligt ineens zijn arm om mijn middel en zie ik afwisselend het blauwe water en het lichte strand met daarachter het groen van een strook bomen. Blauw wit groen zwart blauw wit zwart groen blauw wit groen. Hij draait me woest in het rond. Zijn stem dichtbij in mijn oor: '*Don't worry be gappy.*' Zangerig, veelbelovend. '*Come with me to the river, Rosa, it's beautiful, like you. I show you the river, we go together, if you like?*'

Rivier? Wat voor rivier?

'Stop, please don't. Stop.' Paniekerig voel ik hoe de knoop in mijn omslagdoek losraakt.

Als hij me loslaat, tol ik duizelig op mijn voeten, raak verstrikt in de stof van de pareo en val tegen hem aan.

We zijn al zo ver gelopen dat de strandtentjes en hotels een eind achter ons liggen. Een enkele eenzame gier vliegt boven de bosrand. Uit de richting van de bomen klinkt geschreeuw van apen. Ik heb spijt dat ik mijn zonneklep niet heb meegenomen, het licht is fel in mijn ogen. Maar dan voel ik zijn lichaam. Het is er, hier, tegen mij aan. Er rest mij niets dan mijn ogen te sluiten. Mijn tastzin komt tot leven. Zijn buik drukt tegen de mijne en ik heb gewoon geen tijd om te denken. Ik merk het eenvoudigweg op, hoe zijn handen over mijn schouders langs mijn armen naar beneden glijden. Dat ze overspringen naar mijn billen. De hitte op mijn lippen, de volheid van zijn mond op de mijne. Het puntje van een tong. De streling van zijn lippen langs de mijne, naar mijn wang en tegen mijn oor. Het fluweelzachte blazen, een fluistering van adem, een belofte die het waakvlammetje van mijn lust gloeiend leven inblaast.

'Later', fluister ik en doe een stap terug om me te bukken en de omslagdoek om te slaan. Er schieten tranen in mijn ogen, van verdriet dat ik niet verwachtte en evenmin begrijp. Met afgewend gezicht knoop ik de doek vast en knipper mijn tranen weg. De kalme golfslag van de branding brengt mijn hartslag enigszins terug.

'Sorry, sorry sorry. Why do you cry? Such a beautiful woman, don't cry please.' De lichte druk van zijn vingertoppen tintelt op mijn schouder.

Als ik verstandig ben, laat ik hem hier voorgoed achter. Dan vier ik nog enkele dagen lekker vakantie met Jessica en Simone en stap ik over een week ontspannen en gebruind op het vliegtuig naar huis. Natuurlijk ben ik verstandig. Waarom sta ik hier dan nog? Omdat het onmogelijk is mijn voeten op te tillen en weg te lopen. Ik kan me er eenvoudig niet toe zetten afscheid te nemen, me om te draaien en hem de rug toe te keren. Maar het moet. Ik kan het niet. Maar ik wil het. Je dénkt dat je weg wil, maar je wil maar één ding. Je kunt in werkelijkheid nog maar aan één ding denken, Rosa, wees eerlijk. Toch? Vanaf de allereerste ontmoeting met deze jongen dacht jij aan seks. Daarom verzet je geen stap. Daarom wacht je. Lijdzaam, onnozel en bij je volle verstand wacht je op wat er zéker komen gaat. Alsof kiezen een optie is.

BIRGIT

OP DE DREMPEL TUSSEN DE SLAAPKAMER EN DE GANG STAAT Birgit stil. Haar blote voeten steken bleek af tegen het antracietgrijs van de plavuizen. Met een ruk ritst ze het jackje van het huispak dat ze draagt, dicht tot aan haar kin. Ze haat het om onverzorgd tegenover iemand te staan.

Door het raam in de voordeur is een lichte jas zichtbaar. De geslepen randen in het glas laten de contouren vervloeien. Het beige waaiert uit als wuivend zeewier in de stroming.

Birgit aarzelt. Ze overweegt terug te gaan naar de beslotenheid van haar slaapkamer maar de gedachte aan het gele linnen jurkje en de designertas die ze via internet heeft besteld, is té verleidelijk. Resoluut stapt ze de gang in, doet de voordeur van het slot en opent deze om het pakketje in ontvangst te nemen.

De man doet een stapje terug bij het openzwaaien van de deur. Hij heeft een ongewoon lange baard. Baardmos, denkt ze.

De oplichtende flits van witte tanden is verwarrend. Iets in dit plaatje klopt niet. De bruine aktetas – van dat stijve rundleer dat in geen eeuwigheid soepel wil worden – waar Birgit een pakketje verwacht. Zijn stem bevestigt haar vermoeden.

'Mevrouw, één minuutje van uw tijd waarin een eeuwigheid te winnen valt. Zou ik slechts deze ene minuut van u mogen?' De rest van zijn betoog verwatert in een bui die boven hun hoofd losbarst. De boodschapper trekt zijn schouders hoog op voor het geweld van de druppels op zijn onbedekte hoofd. Het kleine afdakje boven de voordeur biedt nauwelijks bescherming tegen de hevige regen. Hij klemt de tas steviger tegen zijn buik.

Deze man komt om haar te verlossen. Geen sterveling kan zich immers verbeelden te kunnen leven zonder leiding, zonder God? Het toenemende kletteren van de druppels maakt het onmogelijk hem nog te verstaan.

Ze kan hem niet wegsturen, niet in dit weer. 'Wil je koffie?'

'Als het geen moeite is? Een kopje koffie zou er wel in gaan.'

In de keuken zet hij de tas rechtop tegen een tafelpoot. Met trage gebaren vouwt hij zijn vochtige regenjas zorgvuldig op tot een kleine rechthoek, gaat zitten en legt het pakketje textiel op zijn schoot.

'Ik heb een kapstok, hoor.'

‘Nee, nee dank u wel. Het gaat prima zo.’

‘Zeg maar jé. Melk? Suiker?’

‘Zwart met suiker.’

De broek, die los om zijn benen fladderde toen ze hem door de gang mee naar de keuken loodste, heeft scherpe vouwen in de pijpen. Iemand strijkt zijn kleren, denkt ze terwijl het nespresso-apparaat twee koppen koffie maakt. Vanuit haar ooghoeken observeert ze de man. Ineens roffelen zijn lange nagels op het houten tafelblad. Ze schrikken beiden van het onverwacht harde geluid. IJlings trekt hij zijn handen terug en verbergt ze onder de tafel. Als hij zijn hoofd opheft en haar aankijkt, is daar weer die witte flits tussen de roze vlezige lippen.

Even overweegt ze haar oude huispak te verruilen voor iets fatsoenlijks, maar ze wil de man niet alleen in haar keuken laten. Wel heeft ze snel een paar slippers aangedaan.

Hij schraapt zijn keel. ‘Hoe denk jij over het leven?’

De toon waarop hij de vraag stelt, is mild. Niet overredend, wat ze min of meer verwachtte, eerder nieuwsgierig.

Hij vervolgt, de lichtgrijze ogen neergeslagen. ‘Wat geloof jij dat er na de dood zal zijn?’

Na de dood? Ze krijgt het warm en ritst het jackje een eindje open. Met langzame gebaren schikt ze vier granenbiscuits op een schoteltje. Ze laat een glas water vollopen en drinkt voorzichtig om slikgeluiden te voorkomen. Iemand te horen slikken veroorzaakt een ongepaste intimiteit, vindt ze. De vragen die hij stelt, echoën in haar hoofd, verrast constateert ze dat ze geen idee heeft wat ze zou moeten antwoorden. Ze denkt aan Alphons in zijn kartonnen doos. Alphons geloofde heilig in reïncarnatie. Birgit zelf gelooft dat er na de dood wel iets van haar achterblijft. Een sprankje energie, misschien de 'ziel', die weer opgaat in het grote geheel. Als ze dat grote geheel zou moeten omschrijven loopt ze vast. Daarom vindt ze nadenken over de dood bijzonder ingewikkeld, omdat je het niet kunt wéten.

Zonder antwoord te geven zet ze de koekjes en suiker op tafel.

Op de deur van de koelkast hangt de ansichtkaart die ze gisteren bij de post heeft gevonden. Een schitterend tropisch strand. Palmen en zee. Blauw en groen, zonovergoten. Het kruisje dat Rosa's verblijfplaats aangeeft, ligt pal aan zee. De tekst op de achterkant vertelt dat ze is aangespoeld op een goddelijke plek. Aan een strand zo wit als de huid van een pasgeborene. Dat schrijft ze nota bene op een kaart uit Afrika! De onhandige vergelijking ergert Birgit hevig. Bedoelt Rosa soms dat het hoog tijd wordt dat Birgit moeder wordt? Verder schrijft ze dat ze gezelschap heeft. De met blauwe inkt geschreven woorden die dit heuglijke nieuws melden, hellen sterk voorover. Natuurlijk, denkt Birgit, het voorover hellen is de voorbode van de mislukking waarop ook dit avontuur ongetwijfeld zal uitlopen. De vallende, uit het lood staande letters zeggen genoeg. Typisch Rosa. Altijd op zoek en altijd nét het verkeerde gevonden. Ze zou eens een handschriftdeskundige naar de kaarten moeten laten kijken. Voor de grap.

Ze neemt de volle kopjes uit het apparaat en gaat tegenover de baardige boodschapper aan tafel zitten. Hij knikt als hij zijn eerste slok heeft genomen en overhandigt haar een glanzende folder. *Jezus leeft.* Ze bekijkt de voorkant vluchtig en legt het papier tussen hen in op tafel.

Met zorgvuldige, langzame gebaren heeft hij een koekje genomen van het hem aangeboden schoteltje. In de warrige, donkere baardharen ziet ze enkele koekkruimels. Als verdwaalde schapen in een veld, denkt ze. Ze heeft de neiging de bleek afstekende kruimels een voor een uit dat gevaarlijke struikgewas te redden, ze veilig bijeen te drijven en voorzichtig tussen de lippen van de man te steken. Ze huivert.

'Ik doe niet aan geloven.' De toon van haar stem verraadt de spanning die ze voelt.

'Mensen hebben vragen. Jij niet?'

Bij wijze van antwoord haalt ze haar schouders op.

Hij vervolgt zijn missie op een toon die haar slaperig maakt. Een slepende, verleidelijke manier van spreken heeft hij. Ze luistert. 'Alles is het werk van God. Zonder Hem zouden wij niet bestaan. Zonder Hem is er niets. Geen groei, geen bloei, geen leven. Ik ga deur aan deur in de wetenschap dat ik broeders en zusters mag helpen naar het paradijs terug te keren. Ik hoop en geloof opdat wij gered en gespaard zullen zijn op de Dag des Oordeels. De dag die aanstaande is en die wellicht sneller komt dan wij denken. En jij, ben jij klaar voor het oordeel? Durf jij die dag voor Hem te verschijnen?'

Na deze vraag kamt hij met gespreide vingers door zijn baardharen, de kruimels vallen een voor een. Vandaag of morgen worden ze opgezogen of vertrapt.

Birgit heeft gezien hoe deze zelfbenoemde boodschapper zijn best deed niet naar haar hals te kijken en naar de aanzet van haar borsten toen ze zich vooroverboog om het schoteltje met koekjes naar hem toe te schuiven. Boodschapper of niet, zijn regenjas ligt waarschijnlijk niet voor niets strategisch over zijn bovenbenen gedrapeerd. Ze zou hem er onmiddellijk uit moeten gooien. In plaats daarvan staat ze tot haar eigen verrassing onverhoeds op en haalt de ansichtkaart van de koelkast.

Alsof ze een spelletje kaart spelen en zij aan zet is, legt ze de kaart met een klap voor hem neer op tafel. 'Kijk. Mijn moeder is zoekende. Kun je háár niet helpen?' Birgits stem heeft een hese ondertoon, alsof de woorden liever binnen waren gebleven.

Ze was twaalf, toen ze op een ochtend naar beneden ging voor het ontbijt. In de keuken van de woongroep had een vreemde man naast Rosa aan tafel gezeten. Ze stelde haar dochter aan de man voor als: '*...kleine Birgit, mijn oudste dochter en de parel van onze woongroep. Birgit, liefje, dit is Steven.*'

Birgit had haar ogen weggedraaid om hem niet te hoeven aankijken en had stijfjes geknikt. Aan het aanrecht had ze met haar rug naar de tafel een kom yoghurt met muesli en een enorme hoeveelheid honing klaargemaakt. Ze deed alles in slow motion. Toen ze op de klok zag dat ze niet veel tijd meer had, versnelde ze haar tempo. Met een onnodig harde klap zette ze de zware kom op het tafelblad. Ze had zwijgend gegeten, haar ogen gericht op de lepel in haar hand. Traag trok ze met haar lepel witte strepen yoghurt tot, op de bodem van de kom, de geschilderde rode bloem tevoorschijn kwam. Toen pas had ze opgekeken naar de man om haar vraag te stellen. 'Wat kom jij hier doen?'

Zijn ogen waren eerst naar mama geflitst, die dicht naast hem zat. Daarna richtte hij zijn aandacht vol op haar. Ze had er kippenvel van gekregen. Loeistrak staarde hij haar aan. Tussen de vingers van zijn hand zat een stuk brood met kaas. Toen hij glimlachte en met de andere hand door zijn lange baard streek, hadden de kruimels brood in het rond gevlogen. Zijn gezicht was overwoekerd door een wilde bos blond haar. Birgit stelde zich voor hoe de bacteriën daarbinnen zich vermenigvuldigden, hoe de huismijt wriemelend tussen huid en haar kroop. Op school, bij biologie, had ze een filmpje gezien over het onzichtbare leven in huizen. Overal krioelde het van leven, in vloerbedekking en matrassen, op huisdieren en op mensenlichamen.

Daar lag mama's hand, op een walgelijk behaarde onderarm. Toen was hij van wal gestoken. Hij zei dat dat niet bepaald klonk als een vraag van een parel, met zo'n scherpe toon. En of ze misschien een probleem had met zijn aanwezigheid? Birgit had haar moeder aangekeken en die had doodleuk meegedeeld dat arme Steven dakloos was en een tijdje zou blijven. Er was immers plek genoeg in het grote huis? Birgit had besloten dat ze de baardaap nog even in de waan zou laten dat haar moeder voor hem zou zorgen. Nu volstond het te zwijgen, hoewel ze het liefst iets nét verstaanbaars zou mompelen over het gevaar van luizen in het algemeen en baardluis in het bijzonder.

Ze reageerde op zijn opmerking door op te staan van tafel om naar school te gaan. Ze wist dat ze al ruimschoots haar moeders irritatie had gewekt maar kon het niet laten de stoelpoten nog even snerpend over de plavuizen te schuiven. Goed zo, mama's handen vlogen naar haar oren. Steven legde hoofdschuddend zijn arm om haar schouders. Toen al dat haar heen en weer zwiepte en mama's haar raakte, meende ze de luizen te zien overspringen. Rosa had nooit eerder een dakloze in huis gehaald.

Stevens verblijf was van korte duur geweest, hij was nog geen drie weken in de woongroep gebleven. De nachten bracht hij afwisselend in mama's kamer en die van Ara door. Overdag hing hij in de schuren en de tuin rond, altijd en eeuwig een sjekkie of tabakszak tussen zijn vingers. De top van zijn wijsvinger was oranjebruin, net als de uiteinden van zijn snorharen.

Nadat Steven op een nacht in Birgits kamer was verschenen, was het gedaan met mama's liefde. Midden in de nacht had hij zich over Birgit heen gebogen en haar deken een eindje opgetild. 'Waar is mijn mooie pareltje, waar is het mooie pareltje dan?' Birgit was wakker geschrokken van zijn stem en de plotselinge koude lucht. Ze had de schimmelende etensresten in zijn baard kunnen ruiken. Luid vloekend trok ze de dekens terug en haar knieën hoog op. Met beide voeten had ze hem zo hard getrapt dat hij vloekend achterover was gevallen.

Nadat ze voor haar gevoel uren had gegild verscheen mama in de deuropening. Steven lag hevig kreunend heen en weer te rollen. Birgit had geschreeuwd dat ze die viespeuk moesten weghalen, dat hij een gore kinderlokker was en dat hij moest oprotten. Rosa was als enige op de herrie afgekomen. Er gebeurde immers altijd wel iets in de slaapkamers in het huis. Een van de woongroepregels was dat je elkaars privéruimte respecteerde. Birgit had maar een enkel woord hoeven laten vallen. Aanranding. Zonder aarzelen had Rosa Steven een schop in zijn zij gegeven, hem aan zijn arm omhooggetrokken en de kamer uitgeduwd. Aan de achterkant van zijn lichte onderbroek zat een donkere veeg. Birgit was diep onder de dekens weggekropen en had gewacht tot haar moeder terugkwam. Een hele tijd later pas hoorde ze de voordeur dichtslaan. Daarna had ze stampende voetstappen op de trap gehoord.

Tegen die tijd waren Birgits tranen opgedroogd en was haar ademhaling weer regelmatig. Wel klappertandde ze, zo koud had ze het. Mama was naar haar toe gekomen en op de bedrand gaan zitten. Haar hand lag zwaar en toch heel licht op Birgits voorhoofd. Het vroege ochtendlicht had door de gordijnen geschenen en de haan hield niet op te kraaien. Mama praatte op haar in. Dat Steven er niets aan kon doen, dat hij gelukkig niet écht iets gedaan had, nietwaar? Dat zij hem zelf in huis had genomen en hem er dus ook zelf had uitgezet. Dat zij haar verantwoordelijkheid als moeder nam en dat Birgit het allemaal maar snel moest vergeten. Meer dan dat hij een kijkje in haar kamer had genomen, was er toch niet gebeurd? Het was heel goed dat Birgit zo van zich af had gebeten. Heel goed. Dus, oogjes toe en nu maar lekker slapen. Welterusten, pareltje.

Die ochtend had het pareltje besloten een scherp geslepen diamant te worden. Iedereen die ongevraagd dichtbij kwam zou zich lelijk aan haar verwonden.

De boodschapper heeft zijn ogen op de ansichtkaart gericht, zijn handen liggen plat op tafel aan weerszijden van zijn koffiekop. De handen doen haar denken aan de gespreide vleugels van een vleermuis. Ieder botje is overduidelijk zichtbaar in de knokige handen, er ontbreekt alleen een vlies tussen. Zijn baard zou eraf moeten. Hij ziet er eigenlijk wat verloren en onhandig uit, vindt Birgit.

Nu zit ze hier in haar eigen keuken met net zo'n baardige man als Steven toen. Het was niet de eerste man na Rosa's scheiding van Wander. En het zou nog jaren duren voordat ze Alphons zou ontmoeten. Birgit was twaalf en Rosa tweeendertig. Net zo oud als Birgit nu. Als het niet zo vreselijk was gaan regenen, had hij hier helemaal nooit gezeten. Hoewel... er was ook verwarring door die onverwacht witte flits. Ondanks het excuus van regen en fatsoen was het een impulsieve, irrationele beslissing. Ze had beter moeten nadenken.

Na een lichte aarzeling vraagt ze het toch. 'Laat jij je tanden bleken? Keurt jouw God dat goed, zulke wereldse ijdelheden?'

Hoofdschuddend kijkt hij haar aan terwijl hij uitlegt dat het witte gebit erfelijk is, dat al zijn broers en zussen het ook hebben. En dat een mens te leven heeft met wat hem of haar wordt toebedeeld.

Ze zwijgen. Birgit denkt aan het gezicht dat Fenja is toebedeeld, haar cliënte van vanmiddag.

De ansichtkaart ligt kleurig, haast obsceen, naast de folder. Rosa vindt dat ze geen probleem heeft. Birgit denkt daar anders over. Kan deze vreemde man in haar keuken haar moeder redden? Wat haarzelf niet lukt, zou de boodschapper misschien wel voor elkaar kunnen krijgen.

Zijn stem klinkt vastberaden. 'Zullen we samen voor je moeder bidden? Hier. Nu?' De lange vingers van zijn handen vlechten zich al ineen en zijn kin zakt op zijn borst. Nu valt haar de dunne plek op, bij de kruin. Hij kijkt niet of Birgit zijn beweging volgt maar begint op zachte toon te praten. 'Laten wij bidden voor onze zuster in nood. Dat ze de kracht en de moed moge vinden om Het Woord in het vlees te volgen. Dat deze vrouw de weg terug mag vinden naar de gemeenschap van broeders en zusters. '

Birgit ziet op de klok van de elektrische oven dat het zeventien minuten voor elf is. Een langpootmug stort zich keer op keer op het glas van het keukenraam. Als de woorden vlees en woord tot haar doordringen, schiet ze in de lach. Ze staat op, schuift haar stoel met kracht naar achteren.

'Dank je, zo is het wel genoeg. Bij nader inzien heb ik me vergist. Dit is helemaal niets voor mij. En al helemaal niet voor mijn moeder. Ik zal je de deur wijzen.'

Hij staat op en trekt zijn jas aan terwijl zij al bij de voordeur is en deze voor hem openhoudt. Als hij langs haar heen stapt, kijkt hij haar nogmaals langdurig strak aan. 'Vreest niet, het gebed om hulp zal doorgaan. Je hulproep zál beantwoord worden.' De haren van zijn baard trillen.

Birgit moet de neiging bedwingen langs de glanzende haren te strijken. Ondanks de belachelijke situatie zou ze dat gewoon graag willen. Ze zou haar hoofd tóch even tegen die schouder willen leggen. Want hier staat een man die weet wat hem te doen staat. Een man met antwoorden. Birgit verlangt hevig naar iets of iemand die haar zou leiden. Iemand die haar zegt wat ze moet doen. De wetenschap dat dit verlangen een illusie is, maakt haar woedend.

Harder dan ze bedoelde, sluit ze de deur. Ze buigt naar het raampje, beweegt haar gezicht heen en weer voor het geslepen glas zodat zijn gestalte golvend en waggelend als een dronkenlap uit het zicht verdwijnt.

Vroeger stond ze in de woonkamer met haar neus tegen het glas als Rosa de ramen waste. Vol verrukking wachtte ze op het water dat buiten met een zwaai van de steelpan tegen het raam plensde. Eerst het bukken, dan de boog waarmee het water uit de steelpan naar haar toe vloog. En telkens weer de schrik en het terugtrekken als het water het glas raakte. Nooit lukte het haar haar hoofd níét terug te trekken en haar neus tegen het koude glas te houden. Hoe ze zich ook voornam stil te blijven staan en het water dichtbij te laten komen, telkens weer trok ze haar gezicht toch even terug. De kleuren op mama's schort vervloeiden en haar lichaam kromp en rekte zich uit alsof ze van elastiek was. Als mama zich bukte om de steelpan opnieuw te vullen in de zinken emmer aan haar voeten verheugde Birgit zich alweer op de volgende plens.

Vanmiddag om één uur pas komt haar eerste cliënt, dus ze heeft nog even tijd. Onder de douche gebruikt ze overdreven veel zeep, wrijft zichzelf droog met een schoon, heerlijk rul badlaken en gooit die samen met de ochtendjas in de wasmachine. De gebaren waarmee ze zich aankleedt, zijn ongeduldig, haar ademhaling is snel. Ze kiest een zwarte skinny jeans en een lange nachtblauwe top uit de zeer geordende klerenkast. De zwarte, gevlochten flatjes neemt ze mee naar beneden. In de keuken gooit ze de folder van de boodschapper ongelezen bij het oud papier. Wanneer ze zich bukt om de koffiekopjes in de afwasmachine te zetten, glijdt haar blik langs de antracietgrijze vloer. In een baan zonlicht, onder de stoel waar hij heeft gezeten, glimt tussen de koekkruimels een haar. Terwijl ze met wilde gebaren de keukenvloer boent, voelt ze zich belachelijk. Vervolgens geeft ze ook de vloer in de gang een beurt.

Een waterig zonnetje heeft de regen verdrongen. In de tram onderweg naar haar praktijk belt ze haar zus. Inger is twee jaar jonger en woont met vrouw en kind vijftig kilometer verderop in zo'n typisch polderdorp met een molen en veel water. Dat ze daar geaccepteerd zijn als lesbisch stel mét kind, is te danken aan het feit dat Inger zo sociaal is. De verenigingen waar ze als vrijwilliger werkt, zouden zonder haar allemaal op hun gat liggen. Ze heeft zichzelf in het dorp onmisbaar weten te maken, net als Petra, die er een hondentrimsalon runt. Inger en Petra vormen met Aya een hecht gezinnetje, vindt Birgit. Alles wat zijzelf als kind gemist heeft met een moeder van wie je nooit wist of ze er zou zijn als je uit school kwam, dat alles krijgt Aya dubbel en dwars. Met twee moeders is er altijd wel eentje thuis.

Inger neemt de telefoon op met haar standaardreactie. 'Ha grote zus! Hoe is-ie?'

Birgit negeert de vraag. ‘Weet je dat mama op een Gambiaans strand ligt met een of andere inheemse jongen? Ze schrijft dat er sprake is van gezelschap! Dat betekent natuurlijk dat ze aan de haak is geslagen door zo’n – hier hapert ze even omdat het beeld van een grote zwarte man die haar moeder seksueel bevredigt haar naar adem doet happen – Gambiaan die uit is op mama’s geld. Die jongens willen allemaal trouwen. En een paspoort.’

Birgit verwacht niet echt een invoelende reactie van haar doorgaans nuchtere zus. Bovendien doet de gedachte aan een zwarte man haar lesbische zus natuurlijk niets.

‘Ho ho. Schrijft mama dat? Of maak jij dat ervan?’

‘Hoezo, ho ho? Nee, natuurlijk schrijft ze dat niet letterlijk. Maar ik kan heus wel tussen de regels door lezen. Wat denk je, als ze schrijft dat ze verwend wordt en geen last meer heeft van de overgang. Dat ze zich, kreun, weer als een jong meisje voelt?! Dat is toch bespóttelijk?’

‘Ach Birgit, wind je niet zo op. Het klinkt alsof ze het naar haar zin heeft. Wij kregen ook een kaart. Daarop staat dat Aya ook eens naar Afrika moet om al die exotische vogels te zien. Ze geniet daar, Birgit, het is maar een ansichtkaart. Laat haar toch. Ze is in de rouw om Alphons, de reis leidt haar hopelijk een beetje af. Gun het haar gewoon.’

‘Mama in de rouw? Dat zal wel meevallen. Je weet toch hoe ze over Alphons dacht? Trouwens, hoe verder van ons vandaan hoe gelukkiger ze lijkt... Ik ga ophangen want ik ben er bijna. Ik heb zo een cliënt. We hebben het er nog over. Liefs voor Aya.’

Inger heeft makkelijk praten, denkt ze, die heeft gewoon niets te maken met het gedoe tussen mannen en vrouwen. Laat staan dat ze zich opwindt over de puinhoop die Rosa telkens weer van haar relaties weet te maken.

Birgit stapt uit de tram en steekt de straat over.

Haar werkkamer ligt op de tweede verdieping van een negentiende-eeuws herenhuis. Ze is er gemiddeld vier dagen per week, afhankelijk van het aantal klanten dat ze heeft. Het is prettig met de tram of de bus naar haar werk te kunnen reizen. Tijdens de heenreis kan ze zich voorbereiden op de komende werkdag en op de terugweg laat ze in gedachten bij iedere halte een cliënt die ze die dag gezien heeft uitstappen. Zodra ze thuis is, heeft ze ze allemaal losgelaten en is ze leeg.

Robin begroet Birgit van achter de strak vormgegeven ontvangstbalie en wijst naar de wachtruimte in de hoek.

Fenja zit voorovergebogen op de strakke zwartleren bank. Ze lijkt verdiept in een tijdschrift maar Birgit durft te zweren dat ze van onder haar oogleden de hele hal in de gaten houdt. Pas als Birgit vlak voor haar staat en haar naam zegt, kijkt ze op. Birgit trekt haar mondhoeken een fractie omhoog en begroet haar cliënt: 'Fijn dat je er al bent, geef me vijf minuten en kom dan boven. Goed?' Fenja knikt.

Birgit neemt de lift en opent de deur naar haar kamer. Ze loopt door naar de ramen en gooit ze allebei wijd open. Heldere kinderstemmen en een blaffende hond klinken op. Verder weg het geluid van auto's, het rinkelen van een tram en een dreunende bas. Het is allemaal ver genoeg om te kunnen buitensluiten. Ze vreest dat dat voor Fenja anders ligt maar ze wil dit keer wachten met de ramen sluiten tot Fenja er zelf om vraagt. Stipt vijf minuten later wordt er op de deur geklopt. Dat moet ze Fenja nageven, stiptheid is een van haar sterkere kanten. Fenja's glanzend paarse laarsjes vloeken met de blauwe kleur van het tapijt. Zwijgend gaat ze zitten. Birgit zet de gevulde waterkoker aan en neemt het blad met kopjes en theedoos mee naar de lage tafel. Ze neemt plaats in haar leren draaifauteuiltje, tegenover de vrouw.

Fenja is tweeënveertig en ziet eruit of ze aan het eind van haar Latijn is. Donkere wallen in een bleke, bloedeloze huid. Vettige haren hangen in lange losse slierten langs haar gezicht. Haar tengere lijf is vandaag verstopt in een verwassen joggingbroek en een grof gebreid wollen vest waaraan een knoop ontbreekt. Om het geheel te completeren draagt ze witte sportsokken in glimmend nieuwe kunstleren laarsjes. Het lijken slecht, bedroevend slecht gekopieerde Uggs. Birgit kent de zaken in de stad waar ze dit soort schoeisel verkopen van de reclamefolders die ze wekelijks in haar brievenbus vindt. Ze leest de aanbiedingen met een hongerige interesse en rekent graag uit hoeveel geld ze uitgespaard zou hebben als ze al haar kleding en schoenen daar had gekocht in plaats van in haar favoriete designerwinkels. Razendsnel berekent ze voor hoeveel geld ze vandaag zelf aan haar lijf heeft en geniet even van de kwaliteit van de skinny die om haar benen spant. De zachte leren, gevlochten ballerina's die ze draagt, hebben een klein fortuin gekost.

'Thee?' Ze schenkt water in de kopjes en biedt Fenja een piramidevormig gazen theebuiltje aan met de smaak van perzik. Ze kent de smaak van haar cliënten en wil niet dat vreemde vingers in haar zorgvuldig samengestelde theedoos rotzooien. De wanordelijke bende in de woongroep waar ze is opgegroeid, heeft ze rigoureus de rug toegekeerd zodra ze op kamers ging. In haar huis vind je geen stof, rondslingerende spullen of met plakband bevestigde posters en uitgescheurde krantenartikelen.

Fenja giet twee suikerstickjes leeg boven haar thee en begint te roeren. Ze is een halfjaar geleden verlaten door haar man. Na een consult bij haar huisarts, een week of zes terug, had ze zich verstopt in een grote bezemkast in de gang naast de spreekkamer. De dokter was zo aardig tegen haar en had haar aangeraakt zonder de blik van weerzin die ze van haar ex en alle anderen gewend is te krijgen. Toen ze uren later verstijfd was opgestaan, wist ze eigenlijk niet zo goed meer wat ze daar deed. Ze had zich voorgesteld dat de aardige dokter naar huis zou gaan en samen met zijn vrouw een aperitief zou nemen voordat ze samen met de kinderen aan tafel zouden gaan. Fenja was in de kast in huilen uitgebarsten en een tijdje later door een geschrokken schoonmaakster gevonden en naar de receptie gebracht. Daar moest ze wachten tot de dokter zou komen. Toen ze de man zag, herkende ze hem bijna niet zonder zijn witte jas. De huisarts verwees haar naar een psycholoog.

Fenja's probleem is onder andere dat ze een laag, sterk vertekend zelfbeeld heeft. En een slecht behandelde hazenlip. Ze gaat letterlijk met gebogen hoofd door het leven.

Als het roeren stopt, stelt Birgit haar vraag. 'Hoe was de afgelopen week?'

Zwijgend staart Fenja naar haar thee.

'Wil je vertellen hoe je je vandaag voelt?'

Stilte.

'Heb je nog gesolliciteerd?'

Slurpen.

'Heb je nieuwe laarsjes?'

Schouderophalen.

'Ben je misschien je stem verloren?' Birgit realiseert zich dat haar cliënte nog geen enkel woord gesproken heeft, ook niet toen ze haar zonet beneden begroette.

Eindelijk. Fenja schraapt haar keel en begint fluisterend te spreken. 'Ja, ze zijn nieuw. Van de week kwam de benedenbuurvrouw aan de deur. Ze wou dat ik in het vervolg mijn hakken uitdeed omdat haar hondje zo zenuwachtig wordt van dat geklikklak van mij. Ze zei dat dat arme beest alsmaar jankend heen en weer liep, net zolang tot het boven stil was. Daarom heb ik nieuwe schoenen aan. Omdat er van die zachte zolen onder zitten. Ze zijn van de kringloop, zo goed als nieuw, kijk maar. Vier euro vijftig.' Fenja tilt een voet op om Birgit de schoen goed te laten zien. 'Een koopje.'

Birgit knikt. 'Mooi. En hoe is het afgelopen?'

'De volgende dag heb ik bij háár aangebeld om ze te laten zien. Ik wil met niemand ruzie. We hebben koffie gedronken. En dat kleine keffertje van haar lag de hele tijd bij mij op schoot. Ze vroeg of ik hem in noodgevallen een keer uit wilde laten. Zij moet steeds naar het ziekenhuis vanwege suiker en ze heeft het aan haar hart. Ze is ook maar alleen.

Ze is op de dag af twintig jaar ouder dan ik. Tweeënzestig. Maar brutaal als een jonge kerel.' Fenja haalt diep adem en veegt haar hand langs haar voorhoofd. Ze slaat haar ogen neer en zwijgt.

Birgit is benieuwd naar de rest van het verhaal. 'Hoe bedoel je, brutaal als een jonge kerel?'

Fenja gaat verzitten en schopt met haar nieuwe laarsjes tegen de stoelpoten. Dan kijkt ze Birgit onverwacht fel aan. 'Ze zei dat het haar niet zo leuk leek zo'n lip, niet zo makkelijk ook. Met zo'n split.' Hier lacht Fenja haar zure scheve lachje terwijl ze het nog eens herhaalt. 'Een split, zei ze. Alsof het om een kokerrok gaat.' Fenja schudt haar hoofd en snuift verontwaardigd.

Birgit bedenkt dat dit de tweede keer vandaag is dat ze aan die smerige Steven moet denken. Vanochtend toen de boodschapper er was, vanwege de baard. En nu omdat Fenja er zo verwaarloosd uitziet, als een dakloze.

'Hoe was dat voor je, Fenja, zo'n directe opmerking over je mond?'

Na een licht schouderophalen antwoordt Fenja. 'Ach, mensen doen maar. Achteraf vond ik het eigenlijk niet meer zo erg, want op deze manier was het maar gezegd. Anders bleef die lip ook zo in de lucht hangen. En gelukkig was de hond er. Die maakt het niks uit hoe ik eruitzie. Hij kroop direct toen ik binnenkwam bij mij op schoot. En kwam er niet meer weg. Nu denk ik erover om zelf een hond te nemen. Of misschien een kat.'

'Dat lijkt me een goed idee. En, zijn er nog andere dingen die je zou willen bespreken?'

'Waar heb jij die leuke zwarte schoentjes vandaan? Zulke zooltjes zouden precies zacht genoeg zijn om bij mij in huis mee te lopen.'

Birgit strekt haar been om de schoen van alle kanten te kunnen bekijken. 'Van Marktplaats', zegt ze. Dat het Jan Jansens zijn, verzwijgt ze voor het gemak.

'En hoe ziet je komende week eruit, Fenja? Heb je nog nagedacht over vrijwilligerswerk?'

Fenja zwijgt weer. Ze laat haar hoofd op haar borst hangen. Kennelijk is haar portie woorden voor vandaag opgebruikt. Het doel van de eerste acht sessies is vastgesteld op het versterken van het zelfbeeld van de cliënt en om de mogelijkheden voor terugkeer naar de arbeidsmarkt te onderzoeken. Fenja heeft hiermee ingestemd met het zetten van een kinderlijke handtekening.

'Laten we het voor vandaag hierbij laten. Jij gaat op zoek naar bedrijven en banen die je leuk lijken, dan hebben we het daar volgende week over. Ga vooral lekker een keer met die hond wandelen. We zien elkaar volgende week, zelfde dag zelfde tijd. Succes, dag Fenja.'

Fenja knikt alleen nog maar een paar keer en verdwijnt in het trapgat. Ze durft niet in de lift, heeft ze Birgit vorige week verteld. Niet omdat ze bang is vast te komen zitten maar vanwege de spiegelwanden.

Gelukkig hadden de openstaande ramen geen problemen gegeven. De bedompte lucht in de kamer is opgegaan in de geur die Fenja met zich meebracht. Iets zurigs. Birgit laat de deur openstaan om het door te laten waaien. Over een kwartier verwacht ze haar tweede cliënte. Ze kan nog even Fenja's dossier bijwerken. Iemand als Fenja zou niets liever willen dan normaal zijn, dat heeft ze nadrukkelijk gezegd tijdens de intake. Gewoon zijn, dat wil ze, gewoon net als iedereen. Birgit is er met opzet niet op ingegaan, in een volgende sessie wil ze het onderwerp ter sprake brengen. Goed beschouwd kent Birgit zelf maar bar weinig gewone mensen. Hoewel dat natuurlijk afhankelijk is van de definitie. In haar familie, vriendenkring en psychologenpraktijk bewegen zich voornamelijk ongewone mensen. Afwijkingen zijn eerder regel dan uitzondering. Gewone mensen zijn ongewoon. Ze sluit Fenja's map en zet de laptop op stand-by, verzamelt de gebruikte kopjes en checkt het waterpeil in de koker. Er is nog ruim voldoende. Ze loopt naar het keukentje aan het eind van de gang. Daar wast en droogt ze zorgvuldig haar handen.

Met schone kopjes gaat ze terug. Het is stil in de gang, de deuren van de spreekkamers van haar collega's zijn gesloten. Beneden in de hal hoort ze Robin tegen iemand praten. Dat moet Mara zijn. Mara, een mooie naam, vindt ze. Mara komt voor de eerste keer, zonder verwijzing. Ze wil per sessie betalen en wenst de vrijheid om op te zeggen wanneer ze dat wil. Ze heeft een objectieve gesprekspartner nodig en haar keus is op Birgit gevallen, vertelde ze in het telefoongesprek. Ze had Birgits nummer gebeld om de doodeenvoudige reden dat de praktijk in een buurt ligt waar Mara graag komt om te wandelen en een terrasje te pakken. Iets in Mara's manier van praten had Birgit getroffen. Er had iets onverzettelijks gezeten in de toon waarop ze sprak.

Waarschijnlijk is het een manier om onzekerheden te overschreeuwen, denkt Birgit. Ze merkt dat ze nieuwsgierig is. Zodra ze voetstappen de trap op hoort komen, gaat ze in de deuropening staan. Het eerste wat ze ziet van de vrouw die naar boven komt, is de grijze uitgroei in de scheiding van het roodgeverfde haar dat slordig opgestoken bijeengehouden wordt door een speld waar een stokje doorheen steekt. Ze draagt een groen leren jack over een bloemetjesjurk. De hand die ze uitsteekt om zich voor te stellen is versierd met een enorme zilveren zegelring. Mara's stem is scherp en hees tegelijk, een rokersstem. Of een stem die gewend is orders te geven, die geen tegenspraak verwacht. De hangende oogleden zouden wel een liftje kunnen gebruiken. Birgit stelt zich voor en nodigt haar binnen. Mara doet haar jack uit, hangt het over de rug van haar stoel en gaat zitten. Op Birgits vraag wat ze wil drinken, antwoordt ze: 'Rooibosthee, heerlijk.'

'Mara, waarmee kan ik je van dienst zijn?'

'Ik weet niet meer hoe het verder moet.'

'Verder met?'

'Verder met, met hoe het gaat.'

'Hét?'

'Het leven.'

'Dat is wel veel hè, dat is een groot ding.'

'Ik heb genoeg van mijn oude leven.'

'Zou je een nieuw leven willen?'

'Ha, dat zou gemakkelijk zijn. Hopla, hier is een rekje met nieuwe levens, kiest u maar uit. Alsof je een nieuwe jas koopt. Bedoel je zoiets?'

'Nee, neem me niet kwalijk, zo bedoel ik het niet. Je zei daarnet dat je het niet meer wist. Dat impliceert dat je het voorheen wél wist...'

'Ineens was het er en zat ik er middenin, een groot zwart gat.'

'Heb je kinderen? Een partner?'

'Ja, twee, inmiddels wonen ze allebei op kamers. En een man. We zijn getrouwd. Nog wel.'

'Nog wel? Vertel daar eens wat meer over?'

'Ik overweeg polygamie.'

'Dat klinkt als een volstrekt ander jasje.'

'Mijn man weet hier natuurlijk nog niets van.'

'Eh, hoezo natúúrlijk?'

'Omdat het om een buitenlander gaat. Een Afrikaan om precies te zijn.'

'Mag ik vragen of je misschien op vakantie bent geweest?'

'Naar Kenia.'

'En je bent verliefd geworden?'

'Behoorlijk, ja.'

'En nu denk je erover alle schepen achter je te verbranden en de roep van je hart te volgen?'

'Zoiets. Misschien wel.'

'Dit is wellicht een rare vraag, maar wát wordt er precies geroepen, Mara?'

'Laat eigenlijk maar, Birgit. Ik vrees, ik geloof dat dit niks wordt. Ik kom er wel uit. Stuur maar een rekening.' Mara staat op, pakt haar tas en jack van de stoel en loopt naar de deur. Halverwege blijft ze staan en draait zich om.

Ze kijkt Birgit fronsend aan. 'Weet je, Birgit, het lijkt alsof alles een zekere urgentie krijgt als je eenmaal de vijftig bent gepasseerd. Ik heb voortdurend het onrustige gevoel me te moeten haasten. Alsof ik opnieuw moet beginnen. Nog één keer. Maar dan anders. Omdat die rothormonen de baas over me zijn.' Zuchtend trekt ze haar jack aan en veegt een loshangende pluk haar achter een oor. 'Ik kan me voorstellen dat je daar geen snars van snapt, Birgit. Jij bent nog zo jong, hoe oud ben je? Begin dertig? Ook al ben je psycholoog, hoe zou je me kunnen begrijpen?' Ze stopt haar handen diep in de jaszakken en begint te lachen. 'Hoewel, je hebt hoogstwaarschijnlijk zelf een moeder van mijn leeftijd. In de overgang. Of niet?'

'Inderdaad, Mara, mijn moeder is tweeënvijftig en ook behoorlijk in de war. Momenteel ligt ze op een Afrikaans strand. In Gambia, om precies te zijn, samen met haar jonge, zwarte minnaar. Net zoiets als jij, dus.'

Mara slikt zichtbaar, aarzelt, komt terug de kamer in en blijft achter haar stoel staan. Ze legt beide handen op de rugleuning alsof ze steun zoekt om zich staande te houden. Birgit heeft verschrikkelijk spijt van haar onbezonnen reactie en staat haastig op om zich een houding te geven. Ze sluit de ramen. Zet ze direct daarna toch maar weer open.

Als ze zich omdraait, ziet ze dat Mara's wangen een hoogrode kleur hebben gekregen. Een diepe frons ligt tussen haar ogen. Ze spreekt afgemeten. 'Hoor ik je zeggen: óók in de war? Insinueer jij dat ik verslingerd ben geraakt aan een jonge, zwarte man? Luister, jongedame, ondanks de verhalen die de ronde doen over middelbare vrouwen en hun honger naar seks, is niet iedere minnaar van zo'n vrouw jong en zwart! Ik ben juist hier, bij een psychologe, gekomen om een fatsoenlijk gesprek te hebben. Zonder het risico te lopen onmiddellijk in een hokje geplaatst te worden. En zeker niet in het kippenhok dat bevolkt wordt door een stel taaie oude hennen die vechten om de gunsten van die ene mooie jonge haan! Zie ik er soms uit alsof ik afgeschreven ben? Alsof ik mijn heil in het omgekeerde sekstoerisme moet zoeken omdat ik niets beters kan krijgen? Wat denk je wel!'

Birgit transpireert hevig en voelt dat ze minstens zo rood is geworden als Mara. 'Het spijt me verschrikkelijk, dat had ik nooit mogen zeggen. Zo onprofessioneel van me, nogmaals, zo bedoelde ik het natuurlijk niet. Ik weet niet wat me bezielde. Misschien maak ik me een beetje zorgen over mijn moeder, sorry.' Haar excuus hangt tussen hen in terwijl ze zwijgend tegenover elkaar staan. Dit is zo'n situatie die ze tijdens haar studie in rollenspellen hebben geoefend maar ze heeft geen idee hoe dit verder moet.

Mara kijkt op. 'Je lijkt op mijn dochter, dat is ook zo'n flapuit.' Alle scherpte is uit de stem verdwenen, er schemert zelfs een glimlachje rond haar mond terwijl ze spreekt. 'Ik mis haar. Ze studeert rechten, hemelsbreed woont ze nog geen kilometer van ons vandaan, maar ik zie haar weinig. Jij lijkt op haar, ik bedoel niet zozeer qua uiterlijk, maar je houding. Jullie zijn allemaal zo verdomd zeker van jezelf. Een eigen praktijk in een chique buurt, dure kleren, mooie meubels. Wij wonen ook mooi, maar wat heb je eraan de hele dag in je eentje op een designstoel te zitten? Niet dat ik veel thuis ben. Ik heb een drukke baan als coördinator bij een grote vrijwilligersorganisatie.'

Nu is het zaak de juiste vraag te stellen, denkt Birgit, opgelucht dat haar cliënte tenminste weer in haar stoel is gaan zitten. Ze kiest ervoor terug te komen op het telefoontje van vorige week, dat lijkt haar het veiligst en het geeft haar even tijd op adem te komen. Maar eerst biedt ze Mara nog een kopje rooibos aan.

Ze bedankt. 'Nee, anders loop ik eindeloos heen en weer naar het toilet. Ook zo'n vervelend overgangsding.'

Birgit glimlacht. 'Is dat de reden waarom je hier bent? De overgang?'

Mara aarzelt even voordat ze antwoordt. 'Ik wil nadenken over of ik hier nog een keer terugkom. Misschien zijn wij wel niet zo'n goede combinatie. In de loop van de week laat ik iets van me horen.' Ze staat op. 'Stuur maar een rekening', voegt ze eraan toe terwijl ze de deur opent en in de gang verdwijnt.

Geschrokken staat Birgit in de deuropening en wacht tot het hoofd met de streep grijze uitgroei verdwenen is. Ze sluit de deur. Ze hoopt vurig dat Mara terugkomt. Als ze besluit weg te blijven, gaat ze misschien rondvertellen dat Birgit onbetrouwbaar is en niet in staat is privé en werk gescheiden te houden. Als ze wel voor een tweede sessie komt, kan Birgit tenminste nog een poging doen zich van haar beste kant te laten zien. Ze denkt dat ze een kans maakt doordat ze Mara aan haar dochter doet denken. Birgit zou een tijdje een plaatsvervangende rol kunnen spelen. Ze opent haar laptop en maakt een nieuwe map voor Mara. Hoewel ze zeker weet dat ze niets van deze sessie zal vergeten, noteert ze uit gewoonte enkele eerste indrukken van de cliënt en iets over de inhoud van het gesprek. Over Mara's uiterlijk is ze kort: *Leren jack. Uitgroei. Bloemetjes.*

Over het gesprek noteert ze: *Lege Nest Syndroom. Midlifecrisis. Vakantieliefde Kenia. Man. Dochter. Overgang. Domme vergelijking met mama.* Dom, dom, dom. Met een klap sluit ze de laptop, morgen werkt ze dit wel verder uit.

Ze verlangt naar vanavond, verheugt zich op haar afspraak met Lisa. Bij haar kan ze zonder enige terughoudendheid dit verschrikkelijk mislukte gesprek uit de doeken doen. Ze stelt zich voor hoe ze erom zullen lachen. Lisa zal haar weten op te monteren, dat lukt haar altijd.

'En jij? Glij jij op zwart? Je moeder zou eens naar de Bijlmer moeten gaan. Ze zijn echt geweldig in bed. Cliché cliché, *I know,* maar evengoed hartstikke waar. Rosa is toch ouderwets katholiek opgevoed? Nou, dan kun je het plaatje uittekenen. Melkdoppen, zilverpapier en oud papier ophalen voor de missie. Eens in de zoveel tijd een zondagspreek van een jonge pater, zongebruind en vérs uit Afrika. Fantaseren bij het woord *missie.* Habijten en sluiers, blote kindjes hand in hand met een witte pater. Plaatjes met heel veel zwart bloot. Alles wat hier streng verboden is, is daar voorhanden, ver weg in dat gevaarlijke, onbeschaafde werelddeel. Oh, dat stiekeme gluren naar opwaaiende lendendoekjes, naar billen en borsten. Geen wonder dat je dan later zelf naar de missie wil. Arme Afrikaantjes helpen. Tweedehandskleding inzamelen om dat schandelijke naakt te bedekken. Het liefst eigenhandig. Al dat zondig zwart, zo onbetamelijk bloot, zo onbeschaamd tentoongespreid. Zonde! En 's nachts in bed maar liggen zweten. En stel je voor, hoe moesten die blanke paters die als jongen naar Afrika gestuurd werden in hemelsnaam hun kuisheidsgelofte houden? Tussen dat vreemde, exotische natuurgeweld? Geen wonder toch, al dat misbruik. Zie je het voor je? Overal naakte borsten en nauwelijks bedekte billen. Al die kinderen op die katholieke scholen die zijn opgegroeid met dit soort plaatjes. Snap je, je moeder kan daar haar hart ophalen. En jij? Wil jij misschien stiekem ook? Of zit ik er vierkant naast?'

Lisa onderbreekt haar felle monoloog omdat Birgit de slappe lach heeft gekregen. Ze schuift haar stoel naar achteren en klapt proestend dubbel. Boven haar glas witte wijn kijkt Lisa haar gespeeld verbaasd aan. Haar ogen hebben de lichtjes die Birgit zo graag ziet. Met een papieren servet veegt Birgit de tranen uit haar ogen. 'Gadverdamme Lisa, je had naar de toneelschool moeten gaan. Waar haal je het vandaan? Die uitdrukking! Glij jij op zwart... mag je dat tegenwoordig nog zeggen?'

Lisa neemt een flinke slok, haalt haar schouders op en snuift. 'Wat maakt het uit. Weet je, jij moet naar Gambia. Herstel, wíj moeten naar Gambia. We gaan je moeder een bezoekje brengen. Ik ga met je mee. Om op je te passen.'

'Om me voor uitglijers te behoeden bedoel je.'

'Nee serieus, waarom niet. Ik heb genoeg overuren. Bovendien wil ik het weleens met eigen ogen zien gebeuren.

Ik ben zo nieuwsgierig naar hoe het daar toegaat.' Ze zet haar meisjesachtig onschuldige glimlach op, houdt haar hoofdje schattig schuin.

De ober stopt bij hun tafeltje. 'De heren aan de bar bieden jullie een drankje aan. Wat mag het zijn, dames?' Als Lisa en Birgit zich naar de bar draaien, steken de mannen tegelijk hun hand op. Lisa's stem tortelt omhoog naar de ober. 'Twee martini's graag. En bedank de heren. Vertel ze maar dat we zullen genieten van onze drankjes en het daar graag bij laten.'

Uit hun ooghoeken zien ze de jonge ober teruglopen. Terwijl hij met een doek twee glazen opwrijft, praat hij tegen de mannen. Birgit kreunt dat ze morgen een zware dag heeft en niet nog meer drank wil. Ze zwijgen tot de gevulde glazen voor ze worden neergezet. Het hoofd van de jonge ober buigt zich tussen hen in. Hij fluistert dat de dames, als ze prijs stellen op kwaliteitsgezelschap – volgens de blozende jongen zijn dit de heren hun allereigenste woorden – ze alleen maar een seintje hoeven geven. De heren zouden het zeer waarderen.

Als hij is uitgesproken, snelt hij met zichtbare opluchting terug naar de bar.

De dames kijken strak naar hun glas. Stoïcijns roeren ze de groene olijf door de heldere vloeistof. Ze weten dat wanneer ze elkaar nu aankijken ze in een onstuitbare lachbui zullen uitbarsten. Dus staren ze naar hun glas tot de kriebelende giechelaandrang voorbij is.

Birgit was dol geweest op Rosa's verhalen over haar nonnenschool. De romantiek van gesluierde vrouwen en ruisende habijten. De zondagse rituelen met wierook en kaarsen, de gregoriaanse gezangen, Birgit vond het onweerstaanbaar aantrekkelijk klinken. Als klein meisje droomde ze van een witte jurk met pofmouwtjes en een krans van lelietjes-van-dalen in haar haar. Ze fantaseerde over hoe het zou zijn in de biechtstoel. Ze heeft wel duizend keer gevraagd welke zonden mama biechtte. En hoe het ging met het verzamelen van zilveren melkdoppen en schoenen voor de arme kindertjes in Afrika. Nu is Rosa live in Afrika. Om zelf geholpen te worden.

Ineens ligt Lisa's hand op haar arm. Birgit heeft niet kunnen verstaan wat ze zei. Ze schudt de gedachte aan haar moeder van zich af, glimlacht en neemt een slokje.

'Wat vind je, Birgit? Zal ik de heren uitnodigen? Heb je zin in een avontuurtje?'

Ze aarzelt. Nadat Eelco en zij een halfjaar geleden besloten hadden hun relatie na anderhalf jaar te beëindigen, heeft ze nog geen enkele behoefte gehad aan een nieuwe man in haar leven. Niet zozeer vanwege verdriet om wat voorbij is. Het had haar gewoon verstandig geleken een relatiesabbatical te nemen. Tot haar verrassing mist ze Eelco nauwelijks. Seks met Eelco heeft ze simpelweg vervangen door haar eigen hand en wat leuke hulpmiddeltjes.

Eelco is in hun appartement blijven wonen en Birgit heeft een nieuw appartementje gehuurd aan de andere kant van de stad. Het alleen-zijn valt haar niet tegen. Wel merkt ze dat er iets wonderlijks gebeurde in haar relatie met haar moeder. Op de een of andere manier is Birgit zich nog meer gaan bemoeien met wat Rosa doet. Of ze heeft er meer aandacht voor. Of vindt ze het toch vervelender single te zijn dan ze aan zichzelf toegeeft?

'Ik ga naar huis. Voor mij geen nachtwerk. Zie ik je volgende week?' Ze kust Lisa gedag.

'Goed lieverd, *take care*. Ik neem de honneurs waar.' Lisa lacht en kust haar stevig en warm op beide wangen. Birgit schenkt de mannen aan de bar een neutrale glimlach en loopt naar buiten.

Ze hoeft niet lang te wachten op de bus. Ze gaat schuin tegenover een groepje lawaaiige mannen zitten. Ze praten luid in een taal die Birgit onbekend voorkomt. Het lijkt het meest op Russisch. Om de haverklap barsten ze uit in een vrolijke lach waaraan hun hele lichaam meedoet. Alles aan hen beweegt. De bus stopt vlak bij haar huis en als ze langs de mannen naar de uitgang loopt, voelt ze hun ogen op haar huid. Ook al verstaat ze niet wat er gezegd wordt, ze merkt de bedoeling van de bewonderende blikken heel goed op. Ze verlangt ineens hevig naar de beslotenheid van haar huis en legt het laatste eindje rennend af. Hijgend steekt ze de sleutel in het slot en snelt naar binnen. Ze doet overal de lichten aan.

Pas als ze terug de gang inloopt om haar jas op te hangen, ziet ze het papier dat onder de deur is geschoven. Het is een hoogglanzend kleurig plaatje van een baardige christusfiguur met een halo rond zijn hoofd. De rechterhand is zegenend omhooggestoken met de palm naar voren. Op de plaats van zijn hart schijnt een stralend licht. Birgit draait het kaartje om. Er staan enkele handgeschreven zinnen op.

Vreest niet zuster, er wordt voor u gebeden. Vanaf nu bent u niet meer alleen. Hij wijst ons de weg.

Geschrokken gooit ze de boodschap in de prullenbak. Wat denkt die gast?

Met een kop thee gaat ze naar bed. Stel je voor dat ze met Lisa het strand op zou komen lopen waar Rosa met een jonge zwarte knul aan haar voeten ligt! Wat zou ze zeggen? Zou ze boos zijn? Zouden er onmiddellijk andere jongens verschijnen, voor de twee nieuwe blanke toeristen? Het lijkt een vorm van seksueel misbruik, het gebruik van minderjarigen, eigenlijk is het niet anders dan uitbuiting. Of is dat weer te westers gedacht, vanuit angst voor onze geschiedenis vol koloniaal gedrag? Maar als die jongens het nu zelf willen, en het wél een kwestie van aantrekking is? Als beide partijen er beter van worden? Morgen moest ze maar eens wat googelen over Gambia en sekstoerisme. En vluchten bekijken. Misschien moet ze zonder Lisa gaan. Al met al is het een belachelijk idee. Natuurlijk gaat ze niet! Slapen!

En dat kaartje dat de baardaap onder haar deur door heeft gestoken. Alsof ze geen brievenbus heeft. Soms wilde ze dat ze een bovenhuis had gehuurd. Nu ligt ze zo dicht bij de straat en voelt het of ze buiten is. Feitelijk is het slechts een enkele dunne muur die haar scheidt van de straat. Ook al is haar slaapkamer aan de achterkant en is de deur in de schutting afgesloten, ze voelt zich ineens erg zichtbaar.

Ze staat op en verzekert zich ervan dat de lamellen achter de gordijnen helemaal dicht zijn. In de woonkamer gluurt ze door een kiertje naar de straat. Afgezien van iemand die staat te roken terwijl een hondje rond een lantaarnpaal loopt, is er niets te zien. Ze sluit ook hier de luxaflex en de overgordijnen zorgvuldig en vervloekt zichzelf om haar angst. Als ze weer in bed ligt, stelt ze zich voor hoe de man zich over haar heen zou buigen en zijn baard langs haar huid zou strelen. Hoe ze hem haar borsten zou aanbieden. Hoe ze Gods boodschapper zou verleiden. Hoe ze zijn zekerheden zou laten wankelen door haar vlees, haar lichaam. Ze zou hem in haar lichaam toelaten, in de wetenschap hem daarmee te straffen met schuldgevoelens en spijt. Hij verdient straf voor zijn zogenaamde zekerheid. Het zogenaamde weten dat alleen voor gelovigen is weggelegd. Mensen die geloof verwarren met zeker weten zijn gevaarlijk.

Als ze haar ogen opent, kan ze aan het licht in de kamer afleiden dat de zon schijnt. De droom waarin ze omringd werd door een zich steeds dichter sluitende kring van springbokken ijlt na in haar maagstreek. Het is een tintelend gevoel van angst alsof ze zojuist een stoot adrenaline heeft aangemaakt. De scherpe horens waren op haar buik gericht en ze had zich uiteindelijk in een luide smeekbede om hulp tot de Here gericht. Haar roep bleef onbeantwoord en toen de eerste horens in het zachte vlees van haar buik prikten, was ze wakker geschrokken. Bezweet en met bonzend hart zit ze rechtop in bed. Over één minuut zou de wekker afgaan. Onder haar blote voeten zijn de tegels van de badkamer ijskoud en ze doucht snel met een harde straal heet water. De droombeelden zijn van het indringende soort die een dag lang kunnen blijven naijlen. Een vaag gevoel van urgentie, van haastige onrust, drijft haar onder de douche vandaan. Ze doet de radio aan en neuriet mee met een bekende melodie. Een oude zomerhit waarvan de titel haar ontschoten is maar waarvan de woorden vanzelf komen. Ze maakt een kop koffie, de vertrouwde geur verdrijft de scherpte van de droom.

Rosa hield een dromendagboek bij en volgde cursussen over droomduiding. Als kind vertelde Birgit iedere ochtend aan de ontbijttafel wat ze die nacht gedroomd had. Ook Rosa deed verslag van haar nachtelijke avonturen aan de ontbijttafel. Ze waren natuurlijk nooit alleen. De woongroep telde negen mensen. Birgit was pas zes toen haar ouders besloten te scheiden, Inger nog maar vier. Aanvankelijk bleven ze met Rosa in het ouderlijk huis wonen en vertrok Wander naar een flatje. Na een jaar verhuisden ze naar een alternatieve woonvorm aan de rand van de stad. Het had een hele tijd geduurd voordat beide zusjes hun draai hadden gevonden. De weekenden bij papa waren eilandjes van rust en overzicht waar Birgit en Inger zich konden ontspannen. Na verloop van tijd wenden ze aan de drukte en de voortdurende aanwezigheid van anderen. Mama floreerde, ze genoot van alle levendigheid.

Op een van die hectische ochtenden in de gemeenschappelijke keuken vertelde ze dat ze over een grote brand gedroomd had. Terwijl de vlammen uit het dak sloegen en een zwarte roetwolk hórizontaal – dat soort details beklemtoonde ze graag omdat deze het verhaal betekenisvoller maakten – over de gevluchte bewoners heen dreef, had er plotseling een donderende stem geklonken. Mama zei dat het was alsof de Schepper zélf uit de donkere wolk weerklonk. *Zij die met vuur speelt, moet hitte verduren.* Birgit herinnerde zich nog goed hoe Rosa was opgestaan van de ontbijttafel om de donderende woorden kracht bij te zetten. Ze had haar vuist opgeheven en haar gezicht was akelig scheef getrokken. Inger was achter haar kom muesli in huilen uitgebarsten, maar de grote mensen waren juist lachend opgestaan en hieven hun armen omhoog terwijl ze in koor de zin uit Rosa's droom scandeerden. Niemand lette op Inger en Birgit. Het leek wel carnaval, ze deden nog net geen polonaise. Birgit was gek geworden van de idiotie van de volwassenen en van het lawaai. Boos liep ze naar buiten. Het was zielig voor Inger maar mama moest maar voor haar zorgen. Achter in de tuin was ze op een omgekeerde kruiwagen gaan zitten. Terwijl ze naar de achterkant van het huis keek, overwoog ze de hele boel in de fik te steken. Dan hadden ze een goede reden bij papa te gaan wonen. Mama kon wel ergens anders een huisje vinden, die had vrienden genoeg die haar wilden helpen.

Het was Birgit veel te druk in de woongroep. Hoewel ze het soms ook wel gezellig vond dat er altijd iets te doen was. Lange Jaap speelde gitaar en hij organiseerde avondjes met andere muzikanten. Birgit mocht als ze zin had om een beetje te tokkelen, zijn oude gitaar gewoon pakken. En Jeannette die op zolder woonde, bakte waanzinnig lekkere appeltaarten. Aan korte Jaap en Marie had ze een hekel. Die woonden in de middelste grote kamer beneden, waar het naar kattenpis en zweet stonk. Ze hadden buiten een sauna gemaakt van takken en oude dekens op de open plek naast de kleine boomgaard. Daar wasten ze zich. In een zweethut. De moderne mens vonden ze smerig met hun chemische zeep die alle gezonde bacteriën wegwaste. Birgit vond dat zij zelf een uur in de wind stonken. Met schoolvriendinnetjes verzonnen ze rijmpjes. Op zweethut rijmde het lekker makkelijk. Lange Jaap was timmerman en had een werkplaats in de schuur waar het wél aangenaam rook, naar vers hout en verf. En dan had je nog Ara, de oudste bewoner, en Aafje. Aafje was een beetje zielig volgens Rosa. Omdat ze niet zo goed voor zichzelf kon zorgen, hoefde ze nooit te koken of boodschappen te doen.

In de woongroep zette ieder zijn of haar gegeven talent in. Als je kon timmeren, maakte je boekenkasten en een hok voor de geit. Kon je goed koken, dan bakte je taarten. Kon je, zoals mama, handlezen, dromen duiden en de huisvergaderingen voorzitten, dan deed je dat. Birgit was er nog niet precies achter wat haar eigen, unieke, persoonlijke gave was, maar ze had een neus voor klusjes waaraan ze een hekel had. Ze kon dan ook erg goed verdwijnen en wist altijd precies op tijd weer tevoorschijn te komen.

Er was altijd wel iemand thuis als Birgit en Inger uit school kwamen. Mama werkte op een kantoor in de stad, zodat ze drie ochtenden per week samen op konden fietsen. Daarom haatte Birgit het als er weer een man in mama's leven was. Dan versliep ze zich steeds of kwam ze 's middags niet naar huis. Dat vond Rosa zo ideaal aan het gemeenschappelijk wonen, dat de kinderen altijd in hun eigen omgeving waren. Met mensen om ze heen met wie ze vertrouwd waren. Birgit wist dat ze niet te veel tegen papa moesten klagen over mama's vriendjes, dan kregen ze geheid weer ruzie.

Toen ze, zonder brand gesticht te hebben, terugkwam in de keuken, had Inger bij mama op schoot gezeten. Mama schreef iets op. Toen ze klaar was, hield ze een wit blaadje omhoog waarop de zin stond die ze in haar droom over de brand had gehoord. Ze vroeg aan iedereen haar te helpen de boodschap te duiden. Ze zette Inger naast zich op de grond en stond op van tafel. Met een van de magneetjes waarmee de koelkastdeur bezaaid was, zette ze het papier daarop vast. Daarom had Birgit de zin zo goed onthouden, het briefje had er maanden gehangen. *Zij die met vuur speelt, moet hitte verduren.* Rosa had Inger bij de hand genomen en Birgit toegeroepen dat ze voort moesten maken. Toen ze hun eigen woongedeelte binnen gingen, zuchtte ze diep en overdreven luidruchtig. 'Kom meisjes, kom, de wereld wacht op ons.' Dat zei ze vaak. En altijd voorafgegaan door zo'n zucht. Birgit wist nooit precies wat ze moest doen om de wereld niet te laten wachten. Het leek haar eigenlijk ook niet zo'n probleem. Er was toch tijd genoeg? En de wereld was zo groot.

Het lijkt erop dat Rosa nooit zal vinden wat ze zoekt. Ze zoekt buiten zichzelf. Geen van haar dromen noch de duiding ervan hebben haar rust kunnen brengen.

Aan de droom met de springbokken moet Birgit ook maar niet te veel betekenis toedichten. Hoewel de associatie met de Afrikaanse savanne en seksuele agressie natuurlijk voor de hand ligt.

Denk je aan Aya's negende verjaardag? Zondagmiddag! Een sms van Inger doet Birgit opschrikken. Ze is het heus niet vergeten. Er ligt al een cadeautje klaar.

Terwijl ze koffie drinkt en een zacht wit kadetje met oude kaas eet, wist ze oude sms-berichten. Dan belt Lisa. 'Goedemorgen schoonheid, ben je veilig thuis gekomen?'

'Ja, ik wel. En jíj?'

'Het is een prijzig avondje geworden. Eén dame en twéé heren.'

'Vertel.'

'Allebei.'

'Nee! Wie wat waar wanneer en waarom?

'Op die laatste vraag ga ik echt niet in lieverd, je bent mijn therapeut niet. Het antwoord op "wie" ken je, je hebt ze zelf gezien. Tja, wát... dat vertel ik je liever live. Ik heb maar een paar uurtjes geslapen. Je hebt iets gemist.'

'Slettenbak. Kom op, alvast één dingetje?'

'Oké. Scheerzeep.'

'Gaap.'

'Hallo! Toch een tikkeltje spijt?'

'Misschien. Nee, echt niet.'

'Over ons tripje naar Gambia. Zal ik vandaag wat dingetjes uitzoeken? Voordat je moeder daar weer vertrokken is.'

'Eerlijk gezegd, Lisa, weet ik niet zeker of het wel zo'n goed idee is...'

'Tuurlijk is het een goed idee. Vakantie is altijd goed. Nu niet gaan spelbreken. Wanneer kun je vrij nemen?'

'Gun me even tijd. Ik ben net wakker. Jij zit nog vol adrenaline.'

'Haha. Inderdaad. Je hoort vanmiddag van me. Sms straks even wanneer je vrij kunt nemen.'

'Ik moet er even over nadenken. Je hoort het wel. Dag.'

Birgit checkt in gedachten haar agenda. Vandaag staan er vier cliënten ingepland. Ze zitten alle vier in een re-integratietraject en voor ieder van hen is het maar zeer de vraag of er een plek op de arbeidsmarkt is. Sinds kort biedt Birgit presentatie- en sollicitatietrainingen aan, een gat in de markt want enkele sociale diensten zijn al een overeenkomst met haar aangegaan. De training die ze heeft ontwikkeld om werkzoekenden vaardigheden aan te leren die ze moeten helpen zichzelf in de markt te zetten, blijkt een succes. Hoewel Birgit gruwt van de uitdrukking 'in de markt zetten' heeft ze deze toch opgenomen in de brochure waarin ze haar trainingen aanbiedt. Het is zeer bevredigend te zien hoe de deelnemers steviger in hun schoenen staan na de bijeenkomsten en ze is overtuigd van de meerwaarde van professioneel begeleide groepsprocessen.

Ze heeft zin in de dag, de onrust die ze voelde, is na Lisa's telefoontje verdwenen. Hoewel er nog wel iets aan de rand van haar bewustzijn krabt: de boodschap van de baardman. Ze heeft niets aan Lisa verteld, niet over het bezoek van gisterochtend of het kaartje. Uit schaamte dat zij zo iemand binnen heeft gelaten. Het zou lijken alsof ze geen weerstand kan bieden aan een vasthoudende Jehova's getuige, terwijl zij als psychologe juist over de vaardigheid zou moeten beschikken zo iemand van repliek te dienen en weg te sturen. De waarheid is dat ze helemaal niet het gevoel heeft dat ze over zulke vaardigheden beschikt. Ze kan erg goed aan anderen vertellen hoe ze zoiets moeten doen, ze weet ook precies wat een goede strategie zou zijn. Het lijkt wel alsof alles wat ze geleerd heeft bij haarzelf niet werkt, alsof zij, Birgit Hooimayer, de uitzondering op iedere regel vormt.

Birgit pakt haar tas in. Waarom besloot ze gisteren de deur te openen voor een vreemde man? Goed, ze had verschrikkelijk veel zin in het nieuwe gele jurkje. Maar er is meer aan de hand. Waarom liet ze hem binnen terwijl ze huis-aan-huispredikers haat? Terwijl ze tegen dogma's en religies is? De mens is een wispelturig wezen. Het is niet zo eenvoudig een eenduidige verklaring te geven voor ons gedrag. De hersenen schijnen al opdrachten aan onze spieren te geven vóórdat we ons daarvan bewust zijn. Birgit wordt er onzeker van. Stuurloos, zonder antwoorden, zonder kompas.

Maar kom, ze gaat vandaag weer vrolijk mensen adviseren de juiste keuzes te maken. Of ze helpen in het verleden gemaakte fouten te herstellen. Komaan Birgit, de wereld wacht op je! Ze lacht kort, bijna toegeeflijk.

ROSA

SCHUIMBEKKEND KOLKT DE RIVIER OVER DE ENORME KEIEN die hij stroomafwaarts vindt. In de bochten neemt het water gulzige happen rood zand uit de oevers. Eenmaal vermengd met water kleurt het zand tot een modderbruine brij. Het lawaai overstemt het geschreeuw van de spelende kinderen verderop op de rotsen. Het spel dat ze spelen is gevaarlijk, zeker in de ogen van iemand die in Nederland is opgegroeid. Land van kaarsrecht gegraven sloten, helder water en vredig drijvende zwanen. De afgelopen twee dagen heeft Rano zijn best gedaan me te verleiden tot dit uitstapje naar de rivier. Ook voor deze verleiding ben ik gezwicht.

Dit geweld, het kolken van snel stromend en ondoorzichtig water boezemt me angst in. Wie weet wat hier onder de oppervlakte en in de luwte van de stroming onder de rotsen leeft? Nee, ik zet geen voet in dit water, ondanks de klamme hitte die als een verstikkende deken over me heen ligt. Naast me doet Rano zijn nieuwe sportschoenen uit en zet ze keurig naast elkaar, hoog en droog op een van de enorme keien. Het T-shirt trekt hij uit over zijn hoofd. Een snelle, korte grijns voordat hij in het water stapt. Aan zijn bewegingen zie ik dat de stroom sterk is. Hij bukt zich om houvast te vinden. Achter mijn gesloten oogleden stel ik me voor dat hij onder water verdwijnt. Dat er niemand is die hem ziet gaan. De kinderen zullen mijn roep niet horen en zijn lichaam zal ongezien meegesleurd worden, steeds verder en dieper de wildernis in. Ergens onderweg zal het blijven haken aan een boomtak. De oevers van deze rivier zijn bezaaid met omgevallen bomen. Grotendeels onder water verdwenen, met wortels die als een warrige, puntige kluwen uit de opengebroken aarde steken. Bomen en takken waar waterslangen en ander ongedierte in huizen...

Als ik mijn ogen open, is hij verdwenen, ondergegaan in het water en opgelost in mijn angstvisioen. Ook de kinderen aan de overkant zijn er niet meer. Hoelang heb ik hier staan dromen? Het is vast een geintje, een flauwe kwajongensstreek om mij aan het schrikken te maken. Ze zitten gewoon verstopt achter een van de grote stenen of in een van de ondiepe poelen aan de overkant. Loerend naar die domme toerist die het water niet in durft. Als ik zijn naam roep, komt er nauwelijks geluid uit mijn keel. Wat zal ik er belachelijk uitzien, radeloos rondkijkend naar hulp die er niet is en ingespannen turend naar het water. Ik besef dat het niet bepaald verstandig is dat ik geen bericht in het hotel heb achtergelaten. Behalve de taxichauffeur die ons hier naartoe heeft gebracht, weet niemand waar ik ben. Ach, wat een onzin! Zo meteen komt dat prachtige zwarte hoofd triomfantelijk tevoorschijn, natuurlijk. Adem rustig in en uit, Rosa, helemaal tot onder in je buik. Ik hoor het Alphons zeggen. Met mijn aandacht half bij het ademen, mijn ogen over het water scherend, voel ik hoe een tinteling vanaf mijn stuitje omhoog langs mijn ruggengraat schiet. Verdorie, nu is het niet leuk meer. Een grote hap lucht en schreeuwen maar. Dit keer komt het geluid ongehinderd uit mijn keel. Aan de overkant ontstaat beweging. Een voor een duiken de jongetjes op, druipend, en net zo handig als de aapjes in de bomen en op het dak van het hotel klauteren ze omhoog langs de rots.

Het felle wit van de sportschoenen die ik Rano gisteren cadeau heb gegeven en die nu naast me staan, doet pijn aan mijn ogen. Er staat een bekende merknaam op maar iedereen weet dat het namaak is. Hier doet dat er niet toe. Bij mijn dochters zou ik er niet mee aan hoeven komen, Birgit haat imitaties en zelfs Inger zou deze schoenen verafschuwen, maar Rano is er blij mee. Blij als een kind.

Ik zal de blik die hij me toewierp toen ik betaalde nooit vergeten. Een blijk van waardering die vleugels geeft. Maar het randje trotse minachting dat ik langs zijn mond meende te bespeuren, voedde mijn op de loer liggende onzekerheid. Het besmeurde gevoel een rijke westerling te zijn die een oude schuld afkoopt. De schoenen kwamen me plots te wit voor. Ook meende ik iets triomfantelijks in zijn ogen te bespeuren. Trots als een haan, borst en kin opgeheven, stapte hij naast me over de markt. Toen ik naar hem keek, wilde hij zijn hand op mijn schouder leggen, ik veegde hem met een felle beweging weg. Geschrokken en verbaasd, en misschien ook wel beschaamd, keken we elkaar aan. Toen grijnsde hij en wees op zijn schoenen. Ineens was hij weg, rende zigzaggend tussen de kraampjes door bij me vandaan. Ik was alleen, verloren. Het hete zand brandde dwars door de dunne zolen van mijn slippers. In no time was ik omringd door een groepje jongens die me in soms moeilijk verstaanbaar Engels toeriepen. Het waren er te veel, ze leken allemaal op elkaar en ze stonden veel te dichtbij.

Ik had het gevoel gehad dat ik voer was. Voer voor een school hongerige vissen die van alle kanten kwamen aangezwommen. Zoals vroeger, als Wander de kleurige schilfers droogvoer in het water van het aquarium strooide. Samen met de meisjes stond hij te kijken hoe de visjes op de zinkende deeltjes afstoven en snel heen en weer flitsend het voedsel verzwolgen. Zelden had het voer de bodem kunnen bereiken. Wander, niemand anders dan hij, mister Wander himself, mocht de vissen voeren. Hij vond dat het welzijn van de vissen zijn verantwoordelijkheid was. Toen op een dag het dekseltje los op het voerbusje had gezeten en de dode vissenlijfjes even later, met hun bleke buikje boven, aan de oppervlakte dreven, had hij het aquarium opgepakt en dwars door de kamer gesmeten. Birgit en Inger waren niet ouder dan vijf en drie. Nog steeds, hoewel het meer dan vijfentwintig jaar geleden is, kan ik hun angstige gegil horen als ik eraan denk.

Midden op de drukke Afrikaanse markt had ik ook de neiging te gillen. De jongens bewogen snel, ze trappelden met hun voeten en duwden elkaar weg om dichter bij mij te kunnen zijn. Uitgestoken handen met vingers vol goud en zilver. Houten beelden en trommels. Schapenvachten en met schoensmeer ingewreven zogenaamde echt ebbenhouten maskers werden me voorgehouden. Een enkeling raakte me aan, vingertoppen tegen mijn arm. Dikke druppels gleden uit mijn haar langs de slapen naar beneden. '*Go away, all of you.*' De bijbehorende scheldwoorden hield ik met grote moeite binnen. Met breed uitwaaierende armen spurtte ik zonder nog op of om te kijken naar de veilige beslotenheid van het hotel.

Woedend was ik, op mezelf en de op profijt beluste groep jongens. God, wat verachtte ik mezelf om mijn, in feite schamele, gift aan Rano. Om het randje laatdunkende minachting in zijn blik. Ik haatte mezelf om de angst die ik voelde tussen de jongens op de markt. Om mijn groeiende wanhoop onder de vrolijke blikken van de vrouwen naast hun kleurig gestapelde torens van uien, pepers en wortelen.

Waar is Rano? Is hij nu alweer zomaar verdwenen? Waarom sta ik hier moederziel alleen aan een enge rivier, ver van de bewoonde wereld, zonder drinkwater, zonder telefoon? Dom. Drie keer dom. Ik zou voor Rano wel honderd, wel duizend paar schoenen kunnen kopen. Ik zou hem een ander leven kunnen geven, ik heb geld genoeg om hem te laten studeren en zijn onderhoud te betalen. Zo veel zal dat hier niet zijn. Maar dan? Hij heeft broers, zusjes, ouders, tantes en ooms en een eindeloze schare behoeftige neefjes en nichtjes.

Ik verlang naar een koude douche, in de beslotenheid van mijn hotelkamer. Het water over mijn huid voelen stromen. Niet hier in de rivier tussen het ongedierte en de krokodillen. Waar Rano nu ergens is.

Denk ik in mijn blinde verliefdheid dat Rano mij wil om wie ik ben? Zie ik niet dat niet ikzelf, maar mijn rijkdom Rano's doel is? Vindt hij de ruil niet eerlijk? Moet ik meer geven, beter betalen voor het genot dat hij me die éne keer is komen brengen? Nee, natuurlijk niet. In dat geval had hij nooit zijn schoenen achtergelaten. Hij is er overduidelijk niet voorgoed vandoor. Waar is hij?

Boven het geluid van het water uit hoor ik mijn naam. Eindelijk.

De keien handig ontwijkend slalomt hij over de stenige oever naar me toe. Zijn beide handen houdt hij dicht bij elkaar voor zijn buik. Langs de woede en de opluchting sijpelt opwinding mee, de herinnering aan die platte harde buik tegen mijn buik aan, zijn dijen tussen de mijne.

De druipende broekspijpen van de verschoten rode short plakken aan zijn dijen. Opgelucht snel ik hem tegemoet. De lach die zijn gezicht splijt, is zo kinderlijk uitbundig dat ik de verleiding moet weerstaan hem aan mijn borst te drukken. Hij bukt zich, schudt als een hond het water uit zijn haar. Glinsterende druppels schieten alle kanten op.

Dan staat hij glanzend en rechtop voor me. Hij steekt zijn armen uit en biedt me zijn gesloten handen aan. Ik aarzel, wie weet zit er een of ander insect in. Of, erger nog, een oester – leven er oesters in rivieren? – die ik geacht word levend en wel te eten. Opnieuw trekt er een rilling omhoog over mijn rug. De wetenschap een vreemde te zijn, een naïeve bezoeker, treft me met kracht. Ik voel me als het kind op het fietsje met het draaiende wiel boven de afgrond.

De enorme lege koepel van de wolkeloze hemel boven ons omsluit het landschap. Drie gieren cirkelen boven de bomen. Ik knijp mijn ogen dicht tegen het felle licht, zie de rivier met het snel stromende water, het rode zand onder Rano's blote voeten. Hij heeft grote voeten, met wijd uitstaande tenen waar de nagels parelmoerig glanzend op liggen. De nagelriemen steken donker af. Het doet me denken aan Jessica's mond waar een smalle donkere rand omheen is gepenseeld.

'Please, for you. From my heart.' Hij brengt zijn handen naar zijn hartstreek en steekt ze daarna opnieuw naar me uit. Snelle knikjes met zijn hoofd, om me aan te moedigen. De klank van zijn stem verdrijft de vervreemding en ik heradem. Ook goed, dan is het maar iets smerigs. Ik kan het ding onmiddellijk laten vallen en eventueel, als het echt moet, mijn handen wassen in de rivier. Met een snelle beweging steek ik mijn rechterhand uit en bied hem de open palm aan. Als hij de gesloten kom van zijn handen opent, valt er een zilveren kettinkje uit. Rano begint schaterend te lachen, slaat zich op zijn dijen en maakt een paar idiote kikkersprongen. Van de weeromstuit, en opluchting, lach ik met hem mee. Aan de dunne schakeltjes bungelt een

hartje. Mijn naam staat er in gegraveerd. Vier minuscule krullerige letters. Rosa.

'Fish? You think it's a fish? No no. For you. A present.'

Ik heb de kraampjes gezien waar ze dit soort prullaria aanbieden. Niet dat ik neerkijk op nep en namaak, hier in een Afrikaans land al helemaal niet, maar het is allemaal zo gemakkelijk, zo gekopieerd. Er komt geen creativiteit aan te pas. Wat dat betreft had ik net zo lief een oester gehad, of een steen of zoiets. Iets echts, iets waar zijn eigenheid uit sprak. Maar misschien is die neiging persoonlijk en creatief te zijn typisch Nederlands. Ik lach gul, dankbaar, althans ik doe mijn best en slaak een kreetje dat moet duiden op verrassing en blijdschap. Het gaat me niet erg goed af maar het lijkt Rano niet op te vallen. Hij slaat zijn armen om me heen en ik zie de jongetjes vanaf de rotsen in het water naar ons kijken.

Onwillekeurig schiet ik in de lach bij het zien van de capriolen die ze uithalen. Een voor een duiken ze het water in, met gespreide armen, achterovervallend en salto's makend. Ik duw Rano van me af. Met verbaasd opengesperde ogen doet hij een stap terug.

'Are you not happy? Don't you like it?' Met koele vingers maakt hij het sluitinkje vast in mijn hals. Onwillekeurig huiver ik, draai me om, onderdruk de neiging zijn prachtige mond te kussen. Hij wijst op zijn schoenen en dan naar mijn hals waar het zilver koud op mijn huid ligt. Ik begrijp dat hij mij terugbetaald heeft. Tussen ons zijn er geen schulden meer. Of is er nu juist iets bevestigd? Wil hij met het kettinkje laten zien dat we nu een relatie hebben? Of is

dit simpelweg een ruil? Zoek ik er veel te veel achter? In ieder geval versterkt het mijn besluit het absoluut bij die ene keer seks te laten.

Hij neemt zijn schoenen in de hand, en ik tast met mijn vingers naar het ongewone om mijn hals, als we teruglopen naar de auto. Hij ruikt naar de rivier, een metaalachtige geur, met een opwindend vleugje verrotting. We zwijgen. Ik denk aan hoe we vroeger schoenen verzamelden voor de arme kinderen in Afrika.

Op zolder van de school was een aparte hoek ingericht voor oude schoenen. Het stonk er naar zweetvoeten, en een bepaald soort modder. Ik herinner me dat ik ooit mijn lievelingsschoenen naar de hoek heb moeten brengen. Ook al waren ze veel te klein geworden, ik had ze zo graag willen houden. Om naar te kijken, omdat ze zo weinig gedragen waren, zagen ze eruit als nieuw. Zwarte lakschoentjes. Van de nonnen had ik een offertje moeten brengen voor de arme kindertjes in Afrika. Omdat ik immers al zo veel bezat. God zou het zien en blij zijn met mij, zijn dappere dienaresje. Ik zou dankbaar moeten zijn, zeiden zowel moeder als de nonnen, dat ik iets goeds kon doen voor de armen. Ik had de betekenis van het begrip rechtvaardigheid leren kennen.

Inmiddels begrijp ik de waarde van begrippen als eerlijkheid en rechtvaardigheid beter. Ook heb ik geleerd dat de mens naar believen speelt met waarden en normen. Ik ben me zeer bewust van de verwarring die mijn gevoelens voor deze jonge, zwarte man met zich meebrengen. Ik doe mijn uiterste best de confronterende vragen die opkomen te negeren. Liever wil ik genieten van het moment. Van het landschap, de mensen en de vogels. Maar ik heb me in de nesten weten te werken door in een sentimentele bui seks te hebben met deze vasthoudende jongen. Sindsdien ben ik in de war, voel me schuldig. Ook al rouw ik wonderlijk weinig om Alphons, toch is rouw en erotiek een verwarrende combinatie. Er is veel om me schuldig over te voelen.

Rano's vreugde over de nieuwe schoenen heeft de onduidelijkheid en onzekerheid gewekt die ik zo goed ken van vroeger. Een offer brengen maakt dat je je machtig voelt. Het maakt je superieur, alsof je een beter mens wordt. Tegelijkertijd vraagt God je nederig te zijn. Maar hoe zou je nederig kunnen zijn als je je liefste bezit hebt weggegeven en daarmee de goedkeuring hebt verdiend van zowel je moeder als van God zelf én juf. Drie vliegen in één klap. Je status groeide zienderogen door te offeren. Wie geeft die krijgt. En mag ongestraft nemen. Er is immers, in zekere zin, al vooruitbetaald? Aan Rano heb ik niet bepaald hoeven offeren omdat er simpelweg genoeg geld op mijn rekening staat. Bovendien heb ik de laatste jaren goed verdiend als interim-manager. En aan het katholieke geloof heb ik geen boodschap meer, dat heb ik na de lagere school en de nonnen achter me gelaten.

Onder het strakke vel van Rano's dijen glijden de spieren zichtbaar heen en weer. Hij heeft zijn shirt weer aangedaan en de verbleekte short is alweer gedroogd aan zijn lijf. Aan de manier waarop hij loopt, lees ik af dat hij zich thuis voelt. In tegenstelling tot mijn tred loopt hij snel en trefzeker. Ik heb mijn ogen voortdurend op de grond voor me gericht, beducht voor slangen en onverwachte gaten in de zandweg. De bomenrand langs de rivier heeft plaatsgemaakt voor een verdorde grasvlakte. Her en der staan stekelige lage struikjes waartussen lichtgekleurde schurftige honden scharrelen. We lopen naar de vriend met de taxi die ons vanochtend vroeg naar de rivier heeft gebracht en ons nu staat op te wachten.

Rano wijst. *'There.'*

Als hij zijn arm optilt en naar rechts wijst, ruik ik zijn geur. Ik wil mijn neus in zijn oksel duwen om zijn geur diep, heel diep op te snuiven, om te voelen hoe die geur mijn lust opwekt. Lust die veel te lang in een soort winterslaap heeft gelegen. Ik verlang ernaar ingeklemd te zitten tussen zijn dijen. Mijn handen door zijn haar te halen en zijn hoofd naar beneden te duwen om eerst zijn gladde tong te voelen, zijn vingers en dan eindelijk dat harde geslacht. Ik moet mijn ogen sluiten voor de opwindende intensiteit van de herinnering.

Als ik struikel, gaan mijn ogen open. Door de ogen van de jonge man die ruggelings tegen de stoffige auto aan geleund staat, zie ik mezelf. Een blanke vrouw die de moeder zou kunnen zijn van de lange schitterende jonge man naast haar. Uit angst een wandelend cliché te zijn houd ik me voor dat wij anders zijn.

Twee dagen geleden brachten we samen de nacht door. 's Ochtends kwam zijn verzoek te mogen blijven, om samen te ontbijten. Ik hield het af met het excuus dat ik, hoewel ik een tweepersoonskamer heb, slechts betaal voor één persoon.

'You are ashamed of me, aren't you?'

'No no Rano, of course not.' Verder dan dat kwam ik niet, verward als ik was door de kater en de ingewikkelde kwestie die hij aansneed. Hij verdween geruisloos uit mijn kamer vlak voor het licht werd.

Ik heb de indruk dat hij zich door mijn weigering niet uit het veld heeft laten slaan. De komende dagen zal ik hem uit de weg moeten gaan. Er zijn een aantal interessante vogelexcursies, en ik wil een dag naar de stad.

Rano spurt vooruit naar zijn vriend. Even later staan ze ontspannen naast elkaar te kijken hoe ik aan kom lopen. Ik ben me scherp bewust van mijn bleekheid, van de stroefheid waarmee mijn plakkerige dijen langs elkaar schuren. Van mijn borsten in de verwassen beha onder het korte katoenen jurkje dat ik draag. Maar de mannen knikken en lachen vrolijk en goedkeurend. Ik hef mijn hoofd omhoog, trek beide schouders naar achteren. Het slotje van het kettinkje prikt gemeen in mijn nek.

's Avonds hang ik, zoals alle voorgaande avonden, met Jessica en Simone in de ligstoelen op het terras in de tuin. Het is pas tien uur maar er zijn al heel wat flessen bier doorheen gegaan. De kleine glaasjes waarin de lokale sterke drank geserveerd wordt, worden voortdurend bijgevuld.

Jessica ligt met opgetrokken benen in de ligstoel, een kanten randje van een hemelsblauwe slip is zichtbaar van onder haar hoog opgeschoven rok. Als de ober zich bukt om de lege fles naast Jessica's stoel op te rapen, zie ik dat hij onverholen naar haar naakte dijen staart. Ze legt haar hand op de onderarm van de jongen en bedankt hem glimlachend. Met haar andere hand trekt ze haar rok een eindje omlaag. Haar bruine benen glimmen van de lotion. Ook Simone heeft zich na een lange dag zonnen ingesmeerd met een dikke laag crème, zij is licht verbrand. De alcohol versterkt de blos op haar wangen. Na iedere douchebeurt is het voor ons allemaal smeren, smeren en nog eens smeren geblazen. Uitdroging en nog meer rimpels liggen op de loer. Om Jessica's enkel glinstert een zilveren kettinkje. En bungelt daar niet een piepklein zilveren hartje aan een van de schakeltjes? Ik kan mijn nieuwsgierigheid niet bedwingen. Mijn eigen kettinkje ligt in een van de vuurtjes langs de weg te smelten. 'Wat een schattig dingetje, waar heb je dat gekocht?'

Jessica strekt haar been, het zilver steekt glanzend af tegen haar bruine huid. 'Een cadeautje. Mooi of niet?' Ze wrijft met duim en wijsvinger over het hartje. 'Eerlijk gezegd had ik dat stomme bedeltje eraf willen trekken, maar ach.' De punt van haar sigaret gloeit felrood op. Heel even kaatsen haar ogen het licht terug. Kattenogen heeft ze, groot en belust op prooi.

'Toch niet van een Gambiaan? Als je zoiets aanneemt, weet je zeker dat dat verwachtingen wekt. Sterker nog, dat dat verplichtingen schept!' Simone zakt hoofdschuddend om zo veel naïviteit verder achterover in haar stoel. Boven ons hangt een slinger gekleurde peertjes waarvan er enkele kapot zijn. Daarboven ligt een sikkelmaan lui op zijn rug.

'Geen verlichting zonder verplichting.' Ik neem een flinke slok van het ijskoude bier in de ijdele hoop met deze grap mijn onzekerheid weg te kunnen lachen. Aangeschoten gehinnik is wat ik krijg.

'Hihi, die Rosa, ad rem als altijd. Het zou me niet verbazen als jij je verlichting al stiekem geregeld hebt. Je weet het hè, je kunt je vakantievriendinnen alles vertellen.' Jessica trekt met een ruk het zilverkleurig hartje van het enkelbandje. 'Zo, dat is beter.' Ze strekt haar lange, gespierde benen en beweegt de tenen in de hooggehakte zilveren schoentjes. Ze zwaait het hartje heen en weer voor haar ogen alsof ze zichzelf in trance brengt. 'Bij ons in het dorp woont een vrouw die een slaaf houdt. Ze heeft een paardenfokkerij en een zwarte slaaf. Een Ghanees, geloof ik. Die jongen komt het erf niet af. Geen studie, geen sociale contacten, niks. Strontjutten in een manege, dat is zijn nieuwe baan in het beloofde land. Ik ben benieuwd met welke beloftes ze hem naar Nederland gelokt heeft. En of hij nu beter af is dan in zijn eigen land.'

'Misschien is het echte liefde. Dat weet je toch niet. Het kan. Echte liefde komt voor. Misschien stuurt hij zijn familie geld, onderhoudt hij er een hele groep mensen mee.' Ik denk aan nieuwe sportschoenen en stel me voor hoe broers, vader, ooms, neven en buurjongens naar de schoenen van Rano komen kijken en hem uithoren over de blanke toerist van wie je zoiets kunt krijgen. Wat er tegenover staat.

'Alles doen voor economische vooruitgang is een typisch westerse gedachte. Materieel gewin voor alles. Het is een schande.' Simone spuwt de woorden richting Jessica.

Jessica sneert terug. 'Schande?! Wat zou jij doen als je arm was en geen vooruitzichten had? Als je een man was zonder baan terwijl je je familie moet zien te onderhouden? Zou jij niet ingaan op de verlokkingen van geld? Ook al moest je het halen bij een blanke vrouw van je moeders leeftijd?'

Simone gaat met een ruk rechtop zitten. 'Ik wil alleen maar zeggen dat dit vraagstuk zo veel kanten heeft. Mensen hebben hun mening zo snel klaar, ze denken veel te gemakkelijk, veel te zwart-wit. Je kunt op zijn minst proberen er genuanceerd over te zijn...' Ze laat haar ogen over het terras dwalen, buigt zich dan naar ons toe. Ze praat zacht nu. 'Dat betekent niet, hoe zal ik het zeggen, dat ik er niet aan denk. Dat ik niet fantaseer over hoe het zou zijn...'

Plagend vraag ik: 'Droom je over de toy-boy van de Deense?'

Ze schudt haar hoofd. 'Om eerlijk te zijn, Rosa, heb ik vanavond de zonsondergang gezien met die jongen met wie ik jou ook weleens gezien heb. Rano. Ik moet zeggen dat het geen straf was naast hem op het strand te lopen. Hij is intelligent, we hadden echt een leuk gesprek. En hij heeft humor, ik heb me in tijden niet zo vermaakt met een jo... een man.'

Ook al is het behoorlijk donker, toch heb ik de indruk dat Simones wangen zo mogelijk nog roder worden dan de mijne. Simone en Rano. Dat is snel.

Jessica geeft me even respijt met haar verbaasde reactie. 'Simone lieverd, echt waar? Zo, dus is er toch iets verleidelijks aan zwart-wit? Nee sorry, grapje. Hij heeft je vast heel interessante dingen verteld. Je wordt hopelijk niet verliefd.'

Simone glimlacht, zwijgend, verlegen. Het is voor het eerst dat ik dat van haar zie. We pakken alle drie tegelijk ons glas op. Behalve de geluiden van de krekels in de bosjes om ons heen hoor ik alleen het vrolijke lachen van de obers bij de bar.

Aan het eind van ons tripje naar de rivier, vanochtend, heb ik Rano duidelijk te kennen gegeven dat dit wat mij betreft onze laatste keer was. Hij reageerde bozig en verbaasd, hoewel ik de indruk kreeg dat er een hoop theater bij kwam kijken. Hij is behoorlijk goed in gekke bekken trekken en typetjes neerzetten. Ik heb geregeld in een lachstuip gelegen als ik bij hem was. Na mijn mededeling zweeg hij en vertrok toen zijn gezicht in dat van een verongelijkte puber. Alsof hij zijn zinnen ergens op had gezet en dat nu aan zijn neus voorbij zag gaan. Dus hield ik het kort. We stonden in de brandende zon op straat, nadat zijn vriend ons weer bij de taxistandplaats vlak bij het hotel had afgezet. Het zilveren kettinkje lag op mijn open uitgestoken hand terwijl ik uitlegde dat hij zijn schoenen kon houden maar dat ik zijn cadeau niet wilde. Hij schudde zijn hoofd, boog mijn vingertoppen en sloot ze om het sieraad heen. Met twee handen hield hij de mijne vast. Er volgde een dramatische monoloog van zijn kant. Eens gegeven blijft gegeven, begon hij. Een teken van vriendschap, zo zou ik het moeten zien. Of vond ik misschien dat hij geen goede man was? Was hij niet lief en aardig voor me geweest? Wat was er mis met hem, waarom was hij niet goed genoeg voor mij? Schaamde ik me soms voor hem? Hij eindigde met me te vragen wanneer ik vertrok en wenste me een *happy stay* in Gambia.

Voor ik het besefte, had hij mijn hand losgelaten en stond ik alleen bij de taxi's. Zijn prachtige lichaam half verborgen in de wijde zwembroek en het vale shirt deinde verder en verder weg van mij. Ik vocht tegen de neiging hem achterna te rennen. De verwarring en schaamte die zijn vragen bij me hadden opgeroepen, de tranen die ik met moeite binnenhield, alles stolde als een zoute klont in mijn keel. Een eindje verderop stond zijn vriend met een bezorgde blik naar me te kijken. '*Don't worry, be happy miss Rosa. This is the smiling coast!*' Ik sloeg zijn aanbod af om me te vergezellen en iets te drinken. Toen ik van hem wegliep, riep hij me na. Ik reageerde niet tot ik zijn rennende voetstappen vlak achter me hoorde. Hij overhandigde me zijn kaartje, voor als ik een taxi nodig had. Ik beloofde hem niets maar alles wat ik zei, leek door hem wel zo te worden uitgelegd. Vooral de vraag: '*Why don't you support my business?*' schoot me in het verkeerde keelgat. Alsof ik persoonlijk verantwoordelijk werd gehouden voor zijn inkomsten en die van alle Gambianen. Ik bedankte en draaide me om.

Overal waar ik langs kwam, stonden en hingen mannen in groepjes. Overal werd gelachen en herhaaldelijk werd ik aangesproken of aangespoord thee te komen drinken. En de koopwaar te bekijken. De geur van het brandende hout in de zelfgefabriceerde kacheltjes en vuurtjes aan de kant van de weg begeleidde me naar het hotel. Het laatste stuk legde ik bijna rennend af met mijn handen half voor mijn gezicht geslagen.

'Laten we nog even gezellig doen. Jullie ook nog een biertje?' Ik wacht het antwoord van Simone en Jessica niet af en steek mijn hand op om de aandacht van een van de obers te trekken. Een van hen steekt drie vingers op. Heftig knikkend maak ik hetzelfde gebaar ter bevestiging van de bestelling.

In het halfduister kijk ik hoe Simone op haar nagels bijt. Ik ben dus dezelfde dag al ingeruild. Rano is nu wel het laatste onderwerp van gesprek wat mij betreft.

'Laatst hoorde ik een verhaal van een neef van mijn schoondochter. Die vent haalt via internet Afrikaanse vrouwen naar Nederland. Toen een van die vrouwen ziek werd, kon ze als illegaal natuurlijk niet in het ziekenhuis terecht. Toen heeft die vent haar in een auto naar België laten brengen. Vlak over de grens werd ze zo ziek dat hij een ambulance moest bellen, toen die arriveerde is hij ervandoor gegaan. Hij heeft nooit meer iets van haar gehoord. Zij durfde natuurlijk niets te vertellen omdat ze geen papieren had. Al haar spullen waren nog bij hem in huis. Daarna heeft hij nog twee vrouwen naar Nederland gehaald. Die zijn ook ergens spoorloos verdwenen. Zodra hij genoeg van ze heeft, zet hij ze de deur uit, zonder paspoort. Die vrouwen verdwijnen in de illegaliteit. Niemand weet waar ze blijven. Niemand weet precies hoe hij ze het land in krijgt. Lang leve internet. Zijn familie zwijgt zijn gedrag dood. Ze durven hem niet aan te geven, of willen dat niet, omdat hij familie is. Omdat hij een zonderling is, negeren ze hem liever.' Ik vertel het zo gejaagd dat ik naar adem hap.

'Wat een eikel, dat verzin je toch niet! En wat een fijne familie. Nou ja,' schampert Jessica, 'familie, daar kun je maar beter niet te veel van hebben. Trouwens, Rosa, hoe kom jij ineens aan een schóóndochter? Heb je ook nog een zoon?'

'Inger is lesbisch. Zij woont samen met haar vriendin en ze hebben een dochtertje, Aya, ze is van de week negen geworden. Ja, ik ben al oma. Je klinkt alsof je het niet erg getroffen hebt met je familie, Jessica.'

'Ja Rosa, dát is een gezellig onderwerp. Laten we een toost uitbrengen op onze ontmoeting.'

De ober zet drie flesjes en een schaaltje pinda's op het tafeltje. Ik ben ineens heel erg moe. Simone zit zwijgend naar de donkere lucht te staren.

Meestal zijn de gesprekken die we voeren fijn. We herkennen onszelf in het verhaal van de ander. Die herkenning is bevredigend en verontrustend tegelijk. Maar vanavond lijken we elkaar niet echt te bereiken. Na een plezierig uurtje met elkaar steekt ergens toch weer de gedachte aan concurrentie de kop op. Altijd even kijken hoeveel de anderen drinken, wie er erger verbrand is dan jij, of je nog wel de dunste bent. Vreemd eigenlijk dat dat zelfs hier gebeurt, met vrouwen die elkaar niet kennen. Vermoeiend, en jammer. Drinken we daarom alle drie zo veel meer dan nodig? Iedere avond gaat er veel te veel drank doorheen.

Ik kan me niet voorstellen dat Rano Simone werkelijk... Laat ze ook. Ik ben tevreden met mijn verstandige besluit.

Komende dagen geen gedoe meer maar lekker vogelen en zwemmen. Straks zal ik in het internetcafé in de lobby een mailtje naar Inger en Birgit sturen.

We heffen het glas en toosten op onze vakantievriendschap. Na enkele slokken houd ik het voor gezien en maak aanstalten te vertrekken. Als ik eenmaal rechtop sta, blijk ik helemaal niet te wiebelen. Kaarsrecht en stevig neem ik afscheid. Onder mijn blote voeten is de warmte van de zon nog te voelen in de tegels.

Onderweg naar de lobby besluit ik nog even naar de zee te gaan kijken. Het ruisen van de branding klinkt op deze windstille avond werkelijk als ruisen. Bij het bankje onder de bomen stop ik om wat zand uit mijn schoenen te schudden. Hier verzamelt zich aan het eind van de middag altijd het groepje apen dat in de hoteltuin bivakkeert. Het is nog warm genoeg om zonder vest te kunnen. Ik ben helemaal niet bang in mijn eentje in het donker. Dat is thuis wel anders. Er loopt een meer dan manshoge muur rondom het hotel, en om de zoveel meter zit een gewapende bewaker. Ik wandel verder over het slingerende pad en ga het stenen trapje op. Links van me licht het water van de beachpool op. Het water wordt met spotjes in de bodem van onderaf verlicht. Ik steek het verlaten terras van de beachbar over naar de reling waarachter het strand en de zee het licht van de sikkelmaan weerkaatsen. De grootsheid van het beeld overvalt me. Ik trek mijn vestje aan en sla mijn armen stevig om me heen. De branding trekt smalle strepen op het donkere water. Schuim verschijnt en verdwijnt.

Ik sleep een terrasstoel naar de strandopgang en ga zo zitten dat ik ononderbroken zicht heb op zand en zee. Ik hoef mijn ogen niet eens te sluiten om de stem van Alphons te horen. Horen, Rosa, niet luisteren. Luisteren is betekenis geven, luisteren is willen begrijpen. Horen is waarnemen zonder interpretaties. Laat iedere opkomende gedachte vrij, laat voorbijgaan en verdwijnen. Probeer mee te bewegen.

Mama was wel in staat mee te bewegen. Zij kon wat ik hartstochtelijk probeerde te leren, en wat Alphons me probeerde bij te brengen. Mama was als het spreekwoordelijke riet in de wind. Zij had het talent om tevreden te zijn met wat ze had.

Kort voor haar dood had ik een telefoongesprek met haar dat ik me woord voor woord herinner. Het was vlak na een van mijn vele confrontaties met Wander. Hoe hield zij het huwelijk met een moeilijke man als mijn vader vol?

'Ja, maar mam, je had toch een keuze?'

'Dat is makkelijk gezegd, Rosa. Toentertijd was dat niet zo eenvoudig. En nu de tijd veranderd is, kan ík het niet meer.'

'Ruk je gewoon los. In één keer, als een pleister van een harig been.'

'Ik ben bang dat ik de koude lucht tegen de wond niet zal kunnen verdragen, kind.'

'Ook al ben je ongelukkig?'

'Gelukkig, ongelukkig... Een mens doet er beter aan niet te veel tegen te stribbelen. Meebewegen is verreweg de beste optie.'

'Er bestaat ook zoiets als tegen de stroom in zwemmen, hoor.'

'Of gewoon wachten, tot het tij keert.'

'Wat je huwelijk betreft is het tij niet bepaald gekeerd. En toch kies jij er nog steeds voor je willoos mee te laten drijven?'

'Willoos? Wat is willoos? Wacht maar, kind. Op de lange duur is het verstandiger te leren willen wat je krijgt, in tegenstelling tot koste wat kost proberen te krijgen wat je wilt... Begrijp je?'

Ikzelf daarentegen had bedacht dat ik opstandig moest zijn, dat het nodig was te vechten om te krijgen wat ik wilde. Als ik niet van Wander was gescheiden, hadden we vast wel een manier gevonden om samen te blijven. Als ik toen de tijd had genomen verder te kijken dan mijn neus lang was, had ik tijdig kunnen inzien dat ik het probleem was. Wanders woede werd door mijzelf opgewekt. Het was mijn eigen onvrede die ik uitte in kritiek op hem, op wat hij deed en wat hij zei. Het leek soms wel of ik het erom deed, of ik zijn woede opzocht om die te voeden en aan te sporen. Om na het oplaaien ervan triomfantelijk en zielig te kunnen zeggen: 'Zie je wel wat een eikel je bent.' Bij tijd en wijle werd ik zelfs echt gemeen. Ook waar de meisjes bij waren.

Birgit heeft me toen ze al psychologie studeerde eens voor de voeten gegooid dat ik een van die mensen ben die het kennelijk niet in zich hebben om emotioneel volwassen te worden. Venijnig beet ze me toe: 'Zolang jij jezelf niet op waarde schat, zul je steeds andere mannen nodig hebben. Je zult ze gebruiken en als ze je niet de bevestiging geven die jij nodig hebt, keer je je van ze af. Jij gebruikt mannen zoals je wegwerpservies gebruikt op een feestje.'

Laatdunkend deed ik haar uitspraken af als die van een amateuristische studente huis-tuin-en-keukenpsychologie. Toen ik dat tegen haar zei, was de blik in haar ogen zo intens verdrietig dat ik vreselijke spijt kreeg. Maar het was gezegd.

Met wat geluk, hoopte ik, zou ze het in de loop der jaren vergeten. Maar Birgit heeft een geheugen als van een olifant. Tijdens de feestelijke opening van haar nieuwe kantoorpand herinnerde ze me er fijntjes aan, nadat ik haar had verteld hoe trots ik was dat ze zeven jaar na haar afstuderen deze stap maakte. Ze keek me peinzend aan toen we een toost op de toekomst van de nieuwe praktijk uitbrachten. Toen kwam het.

Of ik tegenwoordig niet meer bang was voor huis-tuin-en-keukenfröbelarij, vroeg ze me. Of ik haar nu wel serieus nam?

Haar gesloten gezicht was plotseling opgeklaard. Zonder mijn antwoord af te wachten draaide ze zich om en liet ze me met een 'sorry mam' staan. Lachend rende ze van me weg, om zich in de armen van haar vader te laten vallen. De enorme bos rode rozen die hij voor haar had meegebracht, kleurde schitterend bij haar glanzende donkere haar. Met een schok herkende ik iets in Wanders blik, zo had hij in het begin van onze relatie naar mij gekeken.

Met het kille gevoel buitenstaander te zijn in mijn eigen gezin, éx-gezin, heb ik me een tijdje opgesloten in het toilet. Toen mijn tranen opgedroogd waren en ik weer een beetje toonbaar was, ging ik op zoek. Ik realiseerde me heel goed dat ik mezelf buitenspel had gezet. Al het succes dat ik had in mijn managementfuncties, viel in het niet bij het falen in mijn privéleven. Datgene waar ik zo om geprezen werd in mijn cursussen voor leidinggevenden, ontbrak in mijn eigen leven: inlevingsvermogen. Ik was typisch de docent die doceert wat hij zelf het meest te leren heeft.

In de spreekkamers en tussen de mensen op de trap zocht ik Wander. Ik vond hem beneden, in de hal. Hij leunde tegen de balie met een folder in zijn ene en een biertje in de andere hand.

'Wander.' Mijn stem klonk nog wat onvast.

'Rosa. Je was ineens verdwenen. Ik dacht dat je al weg was.' Hij rolde de folder op en stopte deze in de binnenzak van zijn colbert.

'Ik voelde me ineens niet zo lekker. Ze heeft het goed voor elkaar, hè?'

'Zeker. Is Alphons er niet?'

'Nee, hij kon niet.' Dat ik geen zin had gehad om Alphons mee te nemen naar dit feestje, verzweeg ik. Zonder hem kon ik tenminste, niet gestoord door zijn afkeurende blik, lekker aan de wijn. Feestjes waren aan hem niet echt besteed.

We namen de tijd om rond te kijken. Omhoog, naar de cirkel van lege melkflessen die een moderne kroonluchter vormde. Naar de drukbezette zithoek met de felgekleurde leren stoeltjes. Op het tafeltje stonden glazen wijn en bier van de stuk voor stuk goed geklede gasten die lawaaiig met elkaar praatten. Ik probeerde me voor te stellen hoe hier door de week nerveuze cliënten zouden zitten wachten tot ze opgehaald werden voor hun afspraak. De vloer was van zachtroze linoleum, sfeervol en rustgevend. Wander droeg nog net niet helemaal afgetrapte sportschoenen onder een staalgrijze spijkerbroek. Het overhemd onder zijn leren colbert was van zachtgroen linnen. Ik verwachtte half en half dat, als ik verder omhoog zou kijken, hij naar me zou kijken met die speciale blik. Maar aan zijn mond zag ik dat hij in de neutraalstand stond. Welwillend en vriendelijk keek hij naar me. En ik voelde de teleurstelling steken.

'Hoeveel rozen waren dat wel niet? Vijftig of zo? Vind je dat niet een beetje overdreven, het is geen bruiloft.' De toon in mijn stem was overduidelijk. Zelf had ik Birgit een kleine maar goede verrekijker gegeven, met de opmerking dat het haar zou helpen de dingen scherp te zien en afstand te bewaren tot cliënten. Verrast had ze het cadeau uitgepakt en me omhelsd, om me direct daarna op mijn plaats te zetten met de pijnlijke herinnering aan mijn opmerking van jaren geleden. Tegenover me trok een schaduw over Wanders gezicht. Zijn mondhoeken zakten en hij kneep zijn ogen samen.

'Arme Rosa, dat je zelfs over een bos rozen kleinerend weet te doen. Rozen voor je eigen dochter nota bene. Ik had ze aan jou moeten geven, nietwaar? Hoewel, dan waren het er waarschijnlijk ineens te weinig geweest.' Hij tilde zijn glas op. 'Proost.' In een lange teug dronk hij het leeg, draaide zich om en liep hoofdschuddend naar de uitgang. Om mijn tranen te verbergen vluchtte ik opnieuw naar het toilet. Tijd voor een psychologisch consult, leek me.

‘Wie is daar?’ Ik weet niet helemaal zeker of ik de woorden hardop zeg. Mijn hart bonkt in mijn keel. Dat heb je ervan, een slecht geweten maakt angstig.

Er is geen mens te zien, het terras is leeg. Wel is er een windje opgestoken en op de grond ligt een kartonnen verpakking waarop overdag snacks geserveerd worden. De wind moet het ding over de stenen geblazen hebben. De sikkelmaan lijkt een eindje te zijn opgeschoven. Als ik opsta van de strandstoel om terug te gaan naar de hotellobby, heb ik dorst en zijn mijn schouders pijnlijk stijf. Een stevige massage zou zeer welkom zijn.

De rood opgloeiende punt van een sigaret verraadt de bewaker die in de verste hoek onder de overkapping van de bar zit. Hij groet me met een loom zwaaiende arm en een zware stem. Deze man hoort de hele nacht het geluid van de branding, zou dat geluid in zijn stem gaan zitten? In het midden van het zwembad drijft een opblaasband, maar er is niemand om te redden. Zielig voor die band. Bijna loop ik de standaard met het bordje ‘Verboden te zwemmen na 19.00 uur’ omver. Ik concentreer me op het pad.

Verderop in de tuin zijn de strengen gekleurde lichtjes zichtbaar en het geroezemoes van muziek en stemmen drijft in flarden mijn kant op. Alphons was van mening dat je het best op tijd naar bed kon gaan. Een uitgerust lichaam herbergt een heldere geest, vond hij. Bovendien kon een uitgeslapen mens bergen verzetten. Vroeg uit de veren en de dag beginnen met gerichte lichaamsoefeningen om de sapstroom een zetje te geven. Zomers en ’s winters, voor het wijd open raam. Zuurstof, Rosa, zuurstof is alles. Altijd langer uitademen dan dat je inademt.

Wat was het aantrekkelijk, in het begin, met iemand te leven die precies wist wat goed voor je was, die zich gedisciplineerd overgaf aan zijn overtuigingen. Mijn eerste ontmoeting met hem was tijdens yogales. Bij een ingewikkeld standje verloor ik mijn evenwicht en er ontsnapte een luide vloek uit mijn mond. Ik had de kleine kalende man niet eens gezien totdat hij me hielp opstaan en me met een hand in mijn onderrug ondersteunde. Zo kon ik de stand op één been beter volhouden. Dankbaar sprak ik hem na de les aan en tot mijn verrassing nodigde hij me uit voor een kopje thee. Aan de blank geschuurde houten tafel in de sapbar van de yogaschool deed Alphons uit de doeken hoe hij het leven zag. Op een papiertje tekende hij een cirkel en zette er een rijtje woorden naast. Toen kreeg ik huiswerk, thuis moest ik maar eens nadenken over de verdeling van de verschillende begrippen. Als de cirkel mijn leven was, hoe verdeelde ik dan mijn tijd en aandacht over deze onderwerpen?

In het nieuwe huis, waar we na het vertrek uit de woongroep woonden, dacht ik na en verdeelde de cirkel in taartpunten. Werk nam de meeste ruimte in. Familie een veel kleinere, ik had op dat moment immers geen zorg meer voor de meisjes. Birgit was al op kamers, Inger kwam alleen nog thuis om te slapen. En mijn moeder was al jaren dood. Het vak 'Vrije tijd' had dezelfde omvang als 'Lichaam' en 'Spiritualiteit'. 'Liefdesrelaties' kwam er helemaal bekaaid af. Een zo smal strookje taart dat zelfs iemand die op dieet was, beledigd zou zijn als hij dit voorgezet zou krijgen.

Dat is dus het aspect in jouw leven waar je het minst aandacht voor hebt, legde Alphons me een week later uit. Hij kauwde langdurig op ieder hapje van een meergranenkoek en dronk zijn eigen meegebrachte thee uit een thermosfles. Hij straalde vitaliteit uit, zelf was ik nog lichtelijk katerig na een avond doorzakken in het congreshotel waar ik een cursus had verzorgd voor ambitieuze jonge managementtrainees. Ik dronk al een tijdje iedere avond net iets te veel en ging slordig om met maaltijden. Als het zo uitkwam, deelde ik het hotelbed met een aantrekkelijke cursist of ik hing tot laat in de hotelbar. Eigenlijk was ik alleen. Ik had behoefte aan rust, aandacht en een partner.

Alphons leek in mijn behoefte te voorzien. Ik had gedacht dat zijn granenkoeken en thee met laffe hooismaak op den duur wel plaats zouden maken voor een wijntje en een nootje. Maar tot meer dan een biologisch groentesapje en een olijf heb ik hem niet kunnen verleiden. Sinds hij er niet meer is, ben ik in mijn oude gewoonte van te veel drinken en snacken teruggevallen.

Het moet rond twaalven zijn en ik twijfel of ik nog een afzakkertje zal nemen met Simone en Jessica. Ze zijn er niet meer.

Op onze plek zitten nu de twee bleke mannen die we dagelijks tegenkomen met twee bloedmooie zwarte meisjes. Alle vier zijn ze druk met hun mobiel, de meisjes hangen verveeld onderuit zonder enige interesse in hun omgeving.

Het is moeilijk te zeggen hoe oud ze zijn maar ik schat ze beslist niet ouder dan zestien. Het tricot van de ultrakorte mouwloze jurkjes spant hoog om hun dijen en aan hun voeten glimmen felgekleurde sandaaltjes met naaldhakken. Lange nagels tikken in een razend tempo over de toetsenbordjes. Het langste meisje kauwt ritmisch en ononderbroken. Ineens blaast ze een enorme roze bal, als deze knapt, haalt ze het kleverige vlies met soepele bewegingen van haar tong en lippen naar binnen. Tussen hen in, op de tafel, staan grote glazen bier en enkele flesjes frisdrank. De mannen bellen in het Engels, ze hebben een accent dat ik niet kan thuisbrengen. Hun dikke buiken puilen over hun knielange afritsbroeken. De overhemden hebben een Afrikaanse print, je ziet ze in rijen hangen in bijna iedere winkel. Uitgeschopte teenslippers liggen slordig onder hun stoel. Een vlag op een modderschuit, dat is precies de juiste uitdrukking voor de combinatie van mannen en meisjes rond de tafel. De meisjes aantrekkelijk als een prachtig opgemaakte schaal glanzend vers fruit naast de mannen, lelijk als de resten van een kaalgeplukt buffet. Al die keren dat ik ze gezien heb, bij het zwembad, op het strand, aan de bar, bij het ontbijt, heb ik ze nooit met elkaar zien praten. Wel heb ik een van de mannen eens in zijn telefoon horen zeggen: *'Take a taxi. Be in the hotel at seven. Dress nice!'* Dat was op het zwembadterras waar hij en zijn maat lagen uit te buiken op een stretcher.

Morgenochtend boek ik een vogelexcursie.

De lobby grenst aan de hotelbar, op de hoge krukken zitten enkele gasten. Hun ogen zijn gericht op een televisiescherm. Even blijf ik staan om te kijken naar een vuurspuwende vulkaan en de troosteloosheid van een landschap bedekt met as. Als grijze rijp kleeft de as aan ieder oppervlak. Onder in het scherm krijgen we doorlopend informatie over de laatste ontwikkelingen in oorlog, natuurgeweld en financiële crisis. Ik draai die grote verre wereld mijn rug toe.

Er is niemand in de internethoek, alle pc's zijn vrij. Als ik heb ingelogd met mijn tijdelijke password, open ik mijn mailbox. Er is geen reactie van Birgit, wel een mail van Inger en Aya. Ze vragen wanneer ik terugkom, Aya heeft, schrijft ze, een beetje heimwee naar oma.

Heimwee naar mij. De hartverwarmende boodschap duikt rechtstreeks mijn hart in. De simpele huiselijkheid van Ingers mails doet me goed. Ze vormen een buffer tegen het cynisme van haar zus.

Birgit mailt zelden snel terug. Toch is het geruststellend op deze manier contact te hebben, om dichtbij te zijn. Mailen is prettig omdat ik de kritische blik van Birgit niet hoef te trotseren. Misschien was die grap over het maagdelijk witte strand en de inheemse man toch niet zo'n goed idee. Zij neemt het natuurlijk heel serieus, wedden dat ze Inger erover heeft gebeld? Dat de grap deels werkelijkheid is geworden, houd ik voor mezelf. Birgit heeft zo'n onrealistisch beeld van wat een goede moeder is. Alsof ik geen fouten mag maken. Alsof een leven lang dezelfde partner hebben voor kinderen het ticket naar geluk is.

Omdat zij mij blijft afwijzen, blijf ik haar vertellen waar ik ben, wat ik doe en wat ik beleef. In de hoop op een dag haar begrip te winnen. Of op zijn minst haar acceptatie. Ze zou, als psycholoog, toch beter moeten weten? Dat ze mij puberaal gedrag verwijt, is niets meer dan een projectie van haar eigen oude pijn. Het is de klacht van het gekwetste kind. Maar ze is al zo lang volwassen, dus ik stuur haar mails en kaarten. En ik blijf weigeren op haar kinderlijke woede in te gaan. Als ik zou ophouden met van me te laten horen, zou het misschien erg stil worden tussen Birgit en mij. Dat is mijn grootste angst.

Ik zal Inger vragen naar Birgits reactie. En ik laat nog even in het midden wanneer ik terugkom. Oma Afrika noemt Aya me. Godzijdank heeft Inger een kind. Ook al is Aya geadopteerd, Petra en Inger zijn al wel drie jaar haar moeder. Daardoor begrijpt Inger mij wellicht beter dan Birgit. Met haar is alles zo veel ingewikkelder. Hoe heb ik ooit twee zulke verschillende dochters kunnen krijgen?

Vluchtig neem ik de rest van mijn mailtjes door, belangstellende mails van mensen die naar me informeren. Ze denken stuk voor stuk dat ik op reis ben om te rouwen. Om in afzondering mijn wonden te likken. Er zijn twee nieuwe vragen van opdrachtgevers die ik met enkele zinnen beantwoord. Er zijn geen rampberichten.

In de lobby is het erg druk geworden met een buslading verse gasten die zojuist gearriveerd zijn. Met hun bleke, verkreukelde gezichten bevolken ze de banken en stoelen. De kruiers sjouwen met zware koffers en tassen tussen de massa. Ze werken hard en snel om zo veel mogelijk gasten naar hun kamer te begeleiden, waar hopelijk een fikse fooi wacht.

Mijn kamer is in een van de achterste appartementen op het terrein. Een vriendelijk slingerend tegelpad tussen de bomen door voert me langs Simones kamer, het is er donker. Ook bij Jessica brandt geen licht. Opgelucht besef ik dat de spanning die Rano met zich meebracht, hoe opwindend ook, van me af gevallen is. Laat hem maar bij Simone zijn, ik hoef niet meer, het is veel te ingewikkeld.

Mijn kamer is op de eerste verdieping en te bereiken via een buitentrap. Ik schrik niet meer van de nachtwaker die zich zoals gewoonlijk tegen de muur onder de trap heeft geposteerd. Het is een veilig idee dat hij er is. '*Good night.*' Ik groet terug, ga de trap op en steek het balkon van het hoekappartement over. Het is nog steeds niet bezet, dus dat is prettig rustig.

Op de balkontafel heb ik een patroon gelegd met schelpen. De zachte kleuren lijken licht te geven. Ik verschuif er een paar zodat een nieuwe vorm ontstaat. Tevreden open ik de deur. Binnen is het schoon en opgeruimd, maar de chemische geur van insectenbestrijdingsmiddelen slaat op mijn keel. Met de deur wijd open en alle lichten uit om geen insecten aan te trekken laat ik me op bed vallen. Even drijf ik gedachteloos mee op het geluid van cicaden en de branding. Een briesje aait ritselend door de bladeren van de boomkruin die haast tot op mijn balkon reikt.

In gedachten maak ik lijstjes. Ik zet mijn verrichtingen op een rijtje: mijn werk en studies, alles wat ik heb geleerd en gepresteerd. Dan de manier waarop ik mijn rollen heb vervuld: als moeder, dochter, zus, partner, vriendin, docent, adviseur. Ik ben tweeënvijftig. Stel dat ik binnenkort te horen zou krijgen dat ik nog twee maanden te leven had, zoiets is mogelijk, wat ga ik dan doen? Wat wil ik nog? Wat is van belang?

Natuurlijk heb ik deze lijstjes vaker gemaakt, samen met cursisten of in de dagboeken die ik, soms met tussenpozen van een jaar, bijhoud. Ongemerkt geef je toch sociaal wenselijke antwoorden. Ook al stel je de vragen aan jezelf. Erbij willen horen is een sterke behoefte, niet alleen van mij maar van de mens in het algemeen. Geaccepteerd worden is van levensbelang, in feite zullen mensen er alles aan doen om uitsluiting uit de groep te voorkomen.

Ergens vlakbij verschuift iets. Een stoot adrenaline alarmeert mijn hart en het bloed pompt kloppend door mijn aderen. In minder dan een halve tel kom ik overeind. Het geluid komt van het balkon. Dan wordt de deuropening gevuld met het grote lichaam van een man. '*Excuse me, just checking. You better close the door at night, madam. For safety reasons. Animals, you see.*'

Hij salueert, doet een stap terug en sloft weg over het balkon naar de trap. Trillend sta ik op van mijn bed om onmiddellijk gehoor te geven aan zijn advies. Gehaast draai ik de deur op slot en sluit de gordijnen zorgvuldig. In het stikdonker loop ik op de tast naar het nachtkastje om het kleinste lampje dat er is aan te doen. Hijgend drink ik grote slokken water uit de fles naast mijn bed. Mijn handpalmen zijn vochtig en ook al rook ik al jaren niet meer, de behoefte aan een sigaret is bijna niet te harden. Wat doet die kerel op het balkon? Hoelang heeft hij naar me staan kijken? Morgen dien ik een klacht in. Een borrel, en een sigaret, nú. Als ik nog twee maanden had, rende ik nu naar de bar. In plaats daarvan controleer ik nog een keer of de ramen dicht zijn en de deur werkelijk op slot is. Bij het schijnsel van het weinige licht dat uit de kamer in de badkamer valt, neem ik een lauwe douche. Langzaam spoelt de schrik weg uit mijn lichaam. Ik heradem.

Als ik de kraan dichtdraai, me heb afgedroogd en de zwak verlichte kamer binnenga, meen ik mijn eigen naam te horen. Ik schud mijn hoofd en bevries, ja, ik heb me niet vergist. Daar is het weer. Op dringende toon en enkele malen achtereen wordt mijn naam gefluisterd. Het komt van buiten, van het balkon of uit de tuin. Dwars door de schrik heen voel ik tot mijn verbazing een spoortje opwinding. Waar is de bewaker nu? Nee, niet kijken, ook niet door een kier.

Denkend aan smeltend zilver in een blauw oranje gloeiend houtvuur stap ik in bed. Als het licht uit is, lig ik met wijd open ogen in het donker te luisteren. Het fluisterend roepen krijgt iets smekends, ik moet de neiging uit bed te springen onderdrukken. Dan dringt het beeld van het jongetje op het fietsje zich voor de tweede keer vandaag op. Mijn hart breekt bij de gedachte aan de hulpeloze uitdrukking op het omhooggeheven gezichtje. Verbaasd, alsof het wacht op een teken, redding van boven. Het beeld van die onmetelijke ruimte waarin het kind alleen is, dat loze draaien van het voorwiel.

Hier lig ik. Kan ik, wil ik, de roep van buiten weerstaan? Kan ik, wil ik, het verlangen dat Rano in mijn lichaam wekt, negeren?

Met een ruk trek ik het dekbed over mijn hoofd om de beelden en de stem buiten te sluiten. Eindelijk is het stil. Maar niet in mij. Nog niet.

Geslapen heb ik nog niet als ik weer opsta om bij het licht van de zaklantaarn het schrift van Alphons te pakken. Buiten is alleen nog het geluid van krekels te horen. Ik kijk nog eens naar het vraagteken boven het radeloze jongetje.

Mag dat wel, niet of nauwelijks rouwen na het overlijden van een aardige echtgenoot? Mag je opluchting voelen na de dood van je partner? Ik vermoed dat dit wellicht een van de laatste taboes is. Ikzelf durf er in ieder geval niet voor uit te komen. Daarom heb ik Jessica en Simone niet eens verteld van het overlijden van Alphons. Ook al is het pas elf weken geleden.

Ik kruip terug in bed en sla het schrift open op de pagina waar ik was gebleven. Opnieuw raakt het zien van het bekende handschrift me onverwacht.

WETEN

In de verte klinkt het ruisen van een kalme vleugelslag.

Een engel komt voorbij.

Een vleugje van iets wat sterk lijkt op oma's geur kriebelt in zijn neus. Het kind niest en opent zijn ogen.

De reus kijkt naar hem. De inktzwarte pupillen drijven als donkere eilandjes in een zee van groen. Het is heel stil in die ogen.

Als de reus knipoogt en zijn hand terugtrekt, heeft het kind het gevoel dat het opstijgt. Dat zijn voeten los van de grond komen.

Zwevend volgt hij de reuzenrug door de open hal, de hoek om een gang in, opnieuw tussen muren van flarden mist.

Bijna botst hij tegen de billen van de reus die onverhoeds stilhoudt en zich naar de jongen toe draait. En opnieuw is daar die naar spinazie geurende ademwind als de reus spreekt. 'Dit is je kamer. Je mag de hele nacht blijven zolang je wilt. Je bent de enige gast, voor zover ik weet. Maar ja, wat is weten? Wat is weten?'

Hoofdschuddend draait de reus zich om en lost op in de mist.

Wat is weten, denkt de jongen. Wat een rare vraag.

Wat wil je eten? Die vraag had hij liever gehad.

Weten, denkt hij, weten is wanneer je iets kent. Je kent iets als je het hebt meegemaakt. Als je het hebt gedaan, of hebt gezien of geroken.

Omdat hij, bijvoorbeeld, de smaak van spinazie kent, weet hij dat de adem van de reus naar spinazie ruikt. Logisch, makkelijk zat. Dus weten is kennen. Neem nou deze toestand waarin hij verzeild is geraakt: hij heeft vaak genoeg reus en ridder gespeeld, of in kastelen gewoond. Ook heeft hij vaak door mist gereden, en heeft hij een oom die hem de hele dag aanstaart.

Hoe dan ook, het maakt niet uit of iets een droom is of echt.

Als je erin zit, zit je erin en moet je zien dat je er uitkomt.

Je moet de dingen leren kennen. Je moet er doorheen, iets anders zit er niet op.

De jongen bestudeert de deur waar hij voor staat. De draagriem van zijn rugzak trekt aan zijn schouders en hij moet ineens verschrikkelijk nodig plassen.

Met een ruk aan de deurkruk opent hij de lichtgele houten deur. De koude deurkruk heeft de vorm van het liggende cijfer 1.

In de kamer is het schemerig. Door een bemoste doorzichtige koepel in het plafond valt drassig groen licht.

Links van hem, tegen de muur, torent een stapelbed met een twee drie vier vijf zes zeven, zéven etages. De touwladder die vanaf het bovenste bed naar beneden hangt, ziet er nieuw uit. Op de vloer liggen dezelfde houten planken als die van de startbaan buiten, alleen sluiten de planken hier naadloos aan. Haastig laat de jongen zijn rugzak op het onderste bed vallen en opent een kleine deur in de rechterwand. Zo snel hij kan, knoopt hij zijn broek los en gaat wijdbeens boven het eerste het beste gat staan dat hij ziet. Hij is net op tijd.

Als het klateren afneemt en de kramp in zijn onderbuik is verdwenen, kijkt hij opgelucht om zich heen. Het gat bevindt zich in een draaiend plateautje. Dit plateau staat precies in het midden van een kleine vierkante kamer. Naast het gat staat een grappig koperen wastafeltje en aan een dik touw dat uit een gat in het plafond komt, hangt een afgebladderd ladekastje te draaien. Achter een van de deurtjes vindt hij een stapeltje papiertjes en een stukje zeep.

In iedere wand zit een deur, ze zijn identiek en gesloten. Waar is hij naar binnen gekomen? Welke is de deur naar zijn kamer?

De reus had op dezelfde manier naar hem gekeken als oma soms deed. En papa. Hij herinnert zich papa's ogen niet precies, toch weet hij zeker dat die ook zo kon kijken. Een blik waardoor je een fijn gevoel in je buik kreeg en gloeiende warmte in je borst. Mama kan het ook, maar dan kijkt ze meestal richting oom Durk.

Mama zegt dat ze zeker weet dat papa op een dag terug zal komen, dat weet ze omdat papa's laatste woorden 'tot ziens' waren.

Wat is weten? Hoe kan mama weten dat papa heus wel terugkomt? Als dat zo is, als ze dat zeker zou weten, waarom heeft ze oom Durk dan in huis gehaald? Het kind bedenkt dat geloven dat je iets weet net zomin waar hoeft te zijn als denken dat je het weet. Het zijn allebei maar aannames. Ahum en amen. Hij grinnikt om zijn eigen ingewikkelde redenering en trekt de superstrakke super-you-man-broek eerst omhoog en daaroverheen zijn favoriete spijkerbroek.

Ben vouwt de landkaart open op zijn knieën. De straten van Serekunda zijn vol stof, kleur en beweging. Slalommend rijdt ons taxibusje door de drukte. De kleurrijke mensenmassa steekt de straat over zodra er een gaatje in de onophoudelijke stroom auto's valt. De stank van uitlaatgassen en het stof komt door de open ramen naar binnen.

Bens dij perst zich tegen de mijne. Ik zit in het midden, vastgeklemd tussen Simone en Ben. Op het bankje voor ons zitten Jessica, Klaas en een vrouw die zich voorstelde als Tineke. Voor in het busje inhaleren de gids en de chauffeur de rook van hun sigaretten alsof hun leven ervan afhangt. Reggae-deuntjes klinken uit de radio, af en toe draait de gids zich naar ons om een bezienswaardigheid aan te wijzen. Ik hou me stevig vast aan mijn rugzakje op mijn schoot om het hotsen en botsen op te vangen. Bang om mijn hoofd nogmaals tegen het dak te stoten zit ik licht voorovergebogen. De verse bult op mijn kruin klopt.

Op de strook aangestampt zand tussen de weg en de winkels zitten de mensen met hun handeltjes. We passeren torens tomaten en wortels, wonderlijke bouwsels op karretjes met wielen, vol sloffen en losse pakjes sigaretten. Je kunt er zelfs een enkele sigaret kopen, vertelt de chauffeur. Er zijn kranten. Schoenen. Ondergoed. Huishoudelijke middelen. Ik zie fluitketels van felgekleurd plastic die men gebruikt om water mee te halen. Dat lijkt me iets voor de rijkere Gambiaan. Bezems. IJzerwaren. Een garage met gestripte auto's en onderdelen. Stapels en nog meer stapels gebruikte autobanden. Uien. Prei. Babykleertjes. Een kleermaker. Uitgestalde bankstellen. Prachtig bewerkte houten ledikanten. Een tafeltje met een stapel platte broden. Spreien met kanten stroken. Vis. Heel veel vis. En mensen. Een krioelende massa mensen. Kinderen in schooluniformpjes, op blote voeten of slippers. Grotere kinderen hand in hand met een kleintje. Een slordige groep geiten. Een kind in een T-shirtje maar zonder onderbroek drijft met een zweepje de geiten voort. En vrouwen. Prachtige vrouwen in kleren van de mooiste stoffen. Schoon en gestreken. Hoe doen ze dat in een hutje zonder water en elektriciteit? Overal zitten, hangen en staan groepjes mannen. De schoonheid en de bedrijvigheid van de mensen zijn adembenemend tussen de stoffige viezigheid op straat. In de goten ligt het vol met plastic. In alle kleuren van de regenboog ligt het plastic afval op de grond.

Ineens zijn we aan de rand van de stad. In de bomen links van ons hangen geslachte geiten. Op lage tafeltjes liggen afgehakte koppen en stukken vlees. Magere, gevlekte geiten lopen her en der tussen de verkopers. Erboven cirkelen gieren. Verderop stapels maïs. Een kaal terrein met slordig geparkeerde bussen, verroest, zonder wielen en ramen. En mensen, overal lopen mensen, veel vrouwen dragen een platte schaal met groente op hun hoofd, of een teil waarvan ik geen idee heb wat erin zit. Nergens zie ik een man met een last op zijn hoofd.

Ons busje rijdt nu sneller. De uitlaat van de auto voor ons spuwt loodgrijze rook. Ik verheug me op de vogels die we gaan zien.

'We gaan hier zo naar links.' Naast me bestudeert Ben nogmaals de kaart van het gebied waar we naartoe gaan. 'Hebben jullie vanochtend die drie hamerkoppen gezien? Prachtig mooi op een rijtje, midden op het dak van de keuken naast de eetzaal. Geweldige vogels. Niemand? Wacht even...'

Hij bladert in een beduimelde vogelgids, ik voel zijn elleboog hard tegen mijn bovenarm omdat we abrupt stoppen en linksaf een zandpad in draaien. Aan weerszijden staan slordig neergezette hutjes. We rijden stapvoets en bonken door kuilen en over stenen. Het is onmogelijk om nu iets op te zoeken. Ben klapt het boek dicht.

We passeren een groepje vrouwen en kinderen rond een betonnen bak met een kraan. Plastic emmers en teilen staan klaar om te worden gevuld. Onze gids zwaait naar het groepje, de vrouwen lachen en enkele zwaaien enthousiast terug. De kinderen komen ons schreeuwend achterna. Ze roepen om geld en snoep, *money sweetie*. Dan wordt het allemaal minder schattig. Ze rennen met ons mee en steken hun handen door de ramen naar binnen. Ze klemmen zich vast aan de raamstijlen. Ik hou mijn hart vast, ik zie die blote voeten zo onder de wielen van het busje terechtkomen. Nu ben ik blij met mijn plek in het midden. Nijdig blaft de gids hun toe dat ze weg moeten gaan. *Now!* Als de chauffeur een flinke dot gas geeft, laten ze los en kijken ons na.

De kinderen zijn zo brutaal geworden door de toeristen die met zakken vol snoep door de dorpjes rijden, vertelt de gids. De kraan is de enige waterplaats in het dorp, het is de plek waar iedereen automatisch samenkomt. Deze weg is de enige weg die naar het vogelgebied voert, dus er komen veel auto's langs de waterplaats. De meeste kinderen hangen de hele dag wat rond of verkopen iets langs de weg. Ze gaan niet naar school omdat er geen geld voor is. Er zijn een paar scholen in de stad die worden gesponsord door buitenlanders maar voor de meeste scholen is een ouderbijdrage verplicht. En die is er vaak niet.

De zolder van mijn oude school waar we het zilverpapier en kleren en schoenen spaarden voor de arme kindjes in Afrika was een indrukwekkende plek. Om de schoolzolder in je eentje te betreden was moed nodig maar het was een sensatie om er te zijn. Op de planken langs de wanden stond een verzameling glazen flessen en potten met bleekroze, blauwige en grijze dingen. Zwevend in doorzichtige vloeistof bezorgden ze je het aangename soort kippenvel. Sterk water was het, hadden de nonnen gezegd. De kinderen dachten dat het water wel heel erg sterk moest zijn om al die zware dingen te kunnen dragen. Alles bleef keurig in het midden drijven. Een bloot varkensembryo, dat van een kat, een Siamese kalfjestweeling, een inktvis, een hondje. Griezelend en heel voorzichtig durfde ik een enkele keer met een vingertop het glas van zo'n pot aan te raken. Stilstaan bij de potten was verboden, aanraken en vastpakken helemaal. Ik dacht dat de dode dieren levend zouden worden als de pot bewoog.

Als er een windvlaag langs het dak joeg, kraakten de balken vervaarlijk. Op de enorme zolder hoorde je de geluiden van de kinderen in de klassen helemaal niet. Je was alleen met de wind en het kraken van de grote balken. De weekopbrengst zilveren melkdoppen moest in de verzamelkist en als je dat gedaan had, moest je onmiddellijk terug naar de klas. Alles op zolder was voor de arme mensen in Afrika. De nonnen hadden de zolder ingedeeld in vakken. Kleding. Zilverpapier. Oud papier. Speelgoed. Gereedschap. Spijkers en schroeven. Lappen.

Op de planken aan de wanden stonden afgeschreven en in onbruik geraakte onderwijsmaterialen. De missiepater zou ze de volgende keer meenemen voor de Afrikaanse kinderen. Zodat die ook zouden leren wat beschaving was. Jezus zou ze redden en het zilverpapier zou hem daarbij helpen. Ergens tussen de boeken op een van de planken lag een boek met plaatjes. Enkele bladzijden in het boek waren verkreukeld van de vele vingers, daar zag je foto's. Zwarte vrouwen met onbedekte borsten en mannen met enkel een rieten schortje aan. Je zag bijna alles. De kinderen waren poedelnaakt. Het was overduidelijk dat de arme Afrikaantjes zo snel mogelijk gered moesten worden.

De schoolzolder was een kippenvelplek. Van het goeie soort. Het soort die je steeds weer op wilde zoeken.

'Hier, kijk eens. De hamerkop.' Ben heeft kans gezien de juiste bladzijde te vinden en houdt de gids met de afbeelding van de markante vogel omhoog.

Ik heb vanochtend een hele tijd staan kijken naar de drie vogels op het dak. Ik had geen idee dat er zulke vogels bestonden, ze deden me denken aan Egyptische beelden, met dat typische lange achterhoofd. In mijn vogelgids las ik dat ze enorme nesten bouwen die meestal door andere vogels worden ingepikt. Dus beginnen ze noodgedwongen telkens opnieuw. Soms bouwen ze wel drie of vier nesten voordat het lukt eieren te leggen en daarmee het nest te bezetten. Ik heb mijn gidsje expres thuis gelaten omdat ik zin heb alleen maar te genieten van de levende vogels. Ik ben moe, denk te veel en vind het hier in Afrika knap ingewikkeld. Ik voel me voortdurend verantwoordelijk, schuldig en rijk.

'Wat een vreemde vogel met dat rare hoofd. O, ik dacht dat je die naam zelf had verzonnen, hamerkop. Zeg, ik ken een leuk spel. Je kunt het natuurlijk met alles spelen, maar stel, als ik een vogel was, welke zou ik dan zijn? Wat vind je?' Jessica draait zich om en geeft Ben de gids terug. Lachend kijkt ze hem aan en geeft mij een knipoogje.

Ben lacht terug. 'Tja, dan zou ik moeten beginnen met het determineren van uiterlijke kenmerken, dat doe ik altijd hardop. Ik weet niet of je dat op prijs zou stellen. Daarna zou ik je gedrag beschrijven. Dat, genomen bij de omgeving waar ik je gespot heb, je biotoop zeg maar...'

Jessica onderbreekt hem. 'Laat maar eigenlijk, het is nog een beetje vroeg voor een spelletje. Iemand een snoepje?' Uit haar tas haalt ze een zak snoep. 'Ik durfde ze niet aan de kinderen te geven, ik dacht die slaan elkaar halfdood om een snoepje.'

De auto bonkt zo hard door een gat in de weg dat we allemaal van onze stoel getild worden. Opnieuw slaat mijn hoofd tegen het dak, dit keer gelukkig minder hard omdat ik er aldoor rekening mee houd. In een fontein van kleuren vliegen de in cellofaan verpakte zuurtjes door de auto.

'Ik heb verdorie zelf een hamerkop,' mopper ik chagrijnig, 'ik hoop dat we er bijna zijn.'

'Een hamerkop, nee, van jou zou ik dat niet snel zeggen, Rosa.' Ben grijnst en vist enkele snoepjes tussen de plooien van zijn broek vandaan. Het cellofaan kraakt.

'O,' Jessica draait zich weer om, 'en wat zou je wél van Rosa zeggen?'

'Mag ik daar later op terugkomen?'

'Daar hou ik je aan.' Kennelijk tevreden kijkt Jessica weer voor zich.

'Papegaaiduiker', mompelt Ben heel zacht naar mij terwijl hij met een hoofdbeweging naar Jessica knikt. Ik schiet in de lach en spuug per ongeluk een knalgeel zuurtje uit mijn mond tegen de nek van Klaas. Het snoepje rolt in de kraag van zijn overhemd en blijft daar plakken.

'Sorry Klaas, een ongelukje.' Ik trek het plakkerige snoepje van de katoenen kraag en gooi het uit het raam.

Klaas trekt zonder op of om te kijken zijn schouders op. 'Als het daar maar bij blijft.'

Op een open plek tussen de palmbomen stoppen we en stappen uit. We vormen een bont gezelschap tussen al het groen om ons heen.

'Van het geld dat wij besteed hebben aan onze uitrusting, zou hier een heel dorp gemakkelijk een jaar lang naar school kunnen. Misschien wel twee jaar.' Tineke kijkt naar de buiken waarop kijkers en fototoestellen hangen, naar onze schoenen en broeken. Ze heeft vast gelijk. Zelf heeft ze een groot mouwloos vest aan met uitpuilende zakken en een mooi kijkertje aan een koord. 'Mijn man zou zo graag zijn meegegaan. Hij is de vogelaar van ons tweeën, ik doe maar alsof. De arme lieverd, ik hoop dat zijn darmen tot rust zijn gekomen als ik vanmiddag terugkom. Anders is toch je vakantie verpest.'

'Nou, van het geld dat ik voor deze excursie betaal, kunnen anders ook heel wat kinderen naar school.' Ik ben verrast dat Simone iets zegt, vanaf het ontbijt vanochtend is ze al ongewoon stil. We hebben het onderwerp Rano niet meer aangeroerd, ook al heb ik ze samen op het strand zien zitten. Ze zaten een heel eind van het hotelstrand vandaan, vlak bij het stuk strand waar altijd zo veel schelpen liggen. Ik voelde me zo ongemakkelijk toen ik ze zag dat ik me direct omdraaide in de hoop dat ze mij niet zouden opmerken.

We kunnen onze tassen in de auto laten, de chauffeur blijft om op te letten. Jessica is de enige die haar tas op de bank zet. De rest van ons heeft handige rugzakjes, en laat zijn portemonnee waarschijnlijk liever niet achter. Jessica is ook de enige die voortdurend grapjes maakt met de chauffeur; ze zegt hem dat ze haar spullen graag aan hem toevertrouwt. Sinds het woord papegaaiduiker is gevallen, bekijk ik haar omlijnde mond anders, en kan ik niets anders zien dan een snavel. Ik grinnik zachtjes in mezelf en strik de veters van mijn wandelschoenen opnieuw. Toch sneu dat je zoiets doet om indruk te maken op mannen en dan zo'n reactie krijgt. Nou ja, ieder zijn smaak, natuurlijk. We lopen in een rij achter de gids aan.

'Optillen die voeten, jongens, bijtmieren!'

De boodschap wordt snel naar achteren doorgegeven. We zijn in een soort poldertje, eromheen ligt een dijk waarop het paadje loopt dat we volgen. De ijsvogel die ik zonet zag, heb ik voor mezelf gehouden. Ik heb even geen zin in geklets en ik probeer zo ver mogelijk bij iedereen uit de buurt te blijven. Voor me springt Klaas met dat grote lichaam van hem met een malle sprong omhoog. Een golvende stroom zwarte mieren steekt in colonne het paadje over. Ondanks dat ik mijn voeten belachelijk hoog optil en de stap die ik eroverheen zet groot is, zien enkele mieren toch kans mijn broekspijp in te lopen. Onmiddellijk voel ik ze bijten.

'Broek uit, Rosa. Je moet ze kwijtraken, snel je broek en sokken uit.' Klaas is naar me toe gekomen, kennelijk hoorde hij mijn uitroep van schrik. Hij bukt zich om mijn broekspijpen te controleren en met vlakke hand enkele mieren van mijn broek te vegen. Ik aarzel geen seconde en trek met een ruk de elastieken boord van mijn joggingbroek naar beneden. Een mier rent langs mijn kuit naar boven en vliegt even later door de lucht, weggeveegd door een enorme mannenhand van Klaas. 'Je sokken.'

Ik hijs mijn broek weer omhoog en trek mijn sokken op. Ik gebruik mijn vingers als een soort katapult om de overgebleven mieren op mijn sokken weg te schieten. Nog een snelle controle van de binnenkant van mijn broek en de rest van mijn lijf.

'Draai je eens om.' Klaas controleert mijn achterkant. 'Nu maar hopen dat je niet te veel last krijgt. Hier, voor als het te erg gaat steken.' Hij geeft me een anti-jeukstick.

'Dat was de eerste keer in mijn leven dat ik het bevel heb gekregen mijn broek naar beneden te doen. En dat ik het nog deed ook. Dankjewel.'

'Al goed. Ga jij voor?' Zijn arm wijst uitnodigend naar het pad waar de rest van de groep op ons staat te wachten.

'Ja, wie weet moet je me nog eens redden.' Ik begin te lopen, meer dan een lichte tinteling op mijn been op de plekken waar ik gebeten ben, voel ik niet.

De gids heeft ook een ijsvogel gespot, midden in het meertje op een bladerloze tak. Een prachtexemplaar. Door mijn kijker haal ik de vogel zo dichtbij dat ik ieder veertje afzonderlijk kan zien. Zo kon ik ook naar Birgit en Inger kijken toen ze klein waren. Hun zachte velletje, de ronding van een vetkussentje op een handje, de fijn gevormde wenkbrauwen. Ieder detail bracht een golf van verrukking in me teweeg. Een pure, warme vreugde over zo veel perfectie. Dat is ook precies wat het kijken door de verrekijker met me doet. Het brengt de schoonheid dichterbij. Het is de intimiteit die het kijken door het ronde kader met zich meebrengt, die zo rustgevend is.

Ben is druk in de weer met een opschrijfboekje, hij wisselt razendsnel tussen kijken, bladeren in zijn gids en noteren. De andere dames hebben elkaar gevonden in een gesprek over het broeikaseffect en recepten met eieren. Dat is wat ik zo nu en dan opvang als we stilstaan. Zelfs Simone doet enthousiast mee. Ik blijf steeds een beetje achter, niet alleen om aan mijn jeukende been te krabben, ook om zo veel mogelijk met mijn aandacht bij de omgeving te zijn.

'...Nee hoor. Mijn dochter belt iedere dag, nu even niet natuurlijk want dat wordt een beetje te gek qua kosten. Maar thuis wel, elke dag, we zijn gewoon vriendinnen. We weten alles van mekaar. Ik van haar en zij van mij. Zo hoort het ook, toch...' Tineke praat te veel en te luid. Ik heb zin om haar de mond te snoeren maar Ben is me voor.

'Vind je het erg om voor de duur van deze vogelexcursie op fluistertoon te praten? Of even te wachten tot we terug in het hotel zijn? Dank je.'

Tineke kijkt geschrokken om zich heen. Ik kan Ben wel omhelzen voor deze interventie.

Zwijgend vervolgen we onze weg langs schitterende waadvogels en talloze zangers. Ik kijk mijn ogen uit en vraag me af waarom ik ooit het geloof in een schepper heb verloren. Zo veel verscheidenheid in schoonheid kan toch niet puur uit evolutionair oogpunt zijn ontstaan.

Je dochter als je vriendin, zei Tineke. Dat heb ik altijd een vreemde gedachte gevonden. Op de een of andere manier heeft het iets incestueus, juist omdat je met vriendinnen de meest intieme onderwerpen rond bijvoorbeeld je relatie kunt bespreken. Dat zou ik niet met mijn dochter willen. Het klopt ook niet, denk ik. Vriendschappelijk omgaan met je kind is prachtig, maar vriendinnengedrag met je dochter, nee. Met mijn eigen moeder heb ik dat ook nooit gehad. We stonden dicht bij elkaar, maar we bewaarden beiden ook een gepaste afstand. Op die manier voelde ik ruimte om me los te maken van haar en mijn vader.

Zou Birgit weten dat ik allang uitgekeken was op Alphons, neemt ze me kwalijk dat ik niet voldoende rouw?

'Gaat het, Rosa?' Klaas komt naast me lopen. Zijn ogen hebben zoiets vriendelijks. Of komt het door zijn enorme lijf dat ik vertederd ben. Sommige vrouwen zouden een man met zo'n uiterlijk een teddybeer vinden.

'Het jeukt, maar het gaat wel. Al deze schoonheid om me heen is het niet moeilijk lichamelijk ongemak te vergeten. En jij, zie je veel nieuwe vogels?'

'Ze zijn elke keer anders, ook al heb ik de meeste eerder gezien. Het is de lichtval. En natuurlijk je eigen toestand. Vanbinnen bedoel ik.' Hij klopt op zijn hartstreek. 'Maar het is een mooi tochtje. Jammer van die kakelende tante, maar goed.'

Ik waag een gokje. 'Houd je vrouw niet van vogelen? Ik bedoel omdat jullie zo veel samen reizen. Jij en Ben.'

'Ben en ik zijn zwagers. Als de zussen hun jaarlijkse zussenweek hebben trekken wij er samen op uit, dat is zo gegroeid. Verder zien we elkaar niet zo vaak, op verjaardagen en zo wel, natuurlijk. En nee, mijn vrouw houdt niet van vogels. Pauwen, die vindt ze wel mooi. Die zijn mij te protserig. En jouw man?'

'Mijn man is dood.' Het klinkt harder dan ik bedoelde. Ik heb behoefte er iets aan toe te voegen, te nuanceren, maar ik zou dat alleen maar doen om zachter over te komen. 'Hij is tweeënhalve maand geleden overleden.' En dat vind ik niet zo erg hoor, voeg ik er in gedachten aan toe.

'O. Sorry.'

'Geeft niet. Het is fijn om even helemaal weg te zijn.' Dat is wel helemaal waar.

'O.' Hij veegt met zijn hand langs zijn voorhoofd alsof het zweet hem uitbreekt.

Zwijgend sluiten we ons aan bij de groep aan de oever van het meertje. Over de dichte vegetatie op het water loopt een Afrikaanse jacana. Sierlijk wandelt het dier over drijvende bladeren. Vol verbazing kijk ik naar de wonderlijk gevormde tenen en de grappige manier van voortbewegen. Alphons had ook van die rare lange tenen. En magere, in- en inwitte voeten waar de blauwe aderen hoog op lagen. Hij was niet zo lang, één meter vijfenzeventig, maar pezig met gespierde benen en armen. In de kist droeg hij zijn Tibetaanse sloffen, het geborduurde leer stak exotisch af tegen het pitjeskatoen waarmee de kartonnen kist bekleed was. Een dooskist, had Inger gegrapt. Ik begreep niet wat er grappig aan was tot ze het woord voor me spelde. Alphons praatte veel over de dood. Over het leven na de dood, voor dít leven en tussen de levens. Daarom had hij weinig behoefte om te reizen. 'Ik reis in de geest, Rosa, waarom zou ik in overvolle bussen en treinen gaan zitten om iets te kunnen zien? Waarom zou ik meehelpen de CO_2-uitstoot te vergroten als ik veilig en schoon de mooiste reizen kan maken?' Alphons in de volkstuin, op zijn knieën tussen de groentebedden. Op zielenreis of anderszins mediterend, naast de bloemkolen die hij teelde.

Soms fietste ik op een mooie zomeravond naar het tuinencomplex aan de rand van de stad. Dan kreeg ik een kopje thee uit zijn thermosfles en afhankelijk van de tijd van het jaar een vers getrokken wortel of een handje aardbeien. Turend naar het leven in de composthoop kon hij een minutendurende monoloog over vergankelijkheid afsteken. Ik moet toegeven dat zijn tuin er prachtig bij lag. Ook het gereedschap, glimmend en keurig op rij in een zelf getimmerd houten schuurtje. Het was er stil, en Alphons werkte zwijgend door, totdat de stilte die aanvankelijk weldadig aandeed en me tot rust bracht me op mijn zenuwen begon te werken. Dan verlangde ik naar een flesje wijn in een koeler en hapjes en gesprekken. Ongedurig stapte ik al snel weer op mijn fiets om een vriendin te bellen en een terrasje op te zoeken. Ik had leven om me heen nodig, afwisseling en actie. Zijn rust activeerde juist mijn onrust. Waar hij genoeg had aan zichzelf en zijn groente, zocht ik vergetelheid in te veel wijn en mijn werk. Steeds vaker liet ik me inhuren voor meerdaagse opleidingen in een congrescentrum of een hotel. Steeds gemakkelijker knoopte ik er een onnodig extra nachtje aan vast. Als ik thuiskwam, was het precies zo stil als ik gevreesd had.

Alphons was docent wiskunde aan een middelbare school. Ik vrees dat hij niet de leukste docent was, zo serieus en plichtsgetrouw. De precisie waarmee hij zijn yogaoefeningen deed, was dezelfde als die waarmee hij het huiswerk van zijn leerlingen nakeek en zijn tuin verzorgde. En stofzuigde. En boodschappen in de kasten zette. En mij liefhad. Je zou hopen dat hij naast de yoga ook de tantraseks beoefende, dat leek me dan wel weer interessant. Maar de moderne opvatting van tantra, volgens Alphons, was verworden tot een typisch verwesterde verbastering van het oorspronkelijk Indiase concept.

Hij bedreef de liefde met lange pauzes om de uitwisseling van energie tussen ons bewust te ervaren. Alsof het een wiskundige formule betrof die voorschreef hoelang en hoe diep. Hoeveel graden naar links en naar beneden en in welk tempo. Ik werd er gek van. Maar hij was een tevreden mens. Ik daarentegen was een vat vol onrust, in mij dreigde voortdurend explosiegevaar. Dat hoofdschudden van hem wanneer hij mijn woedeaanvallen onderging, was olie op het vuur. De gelaten uitdrukking op zijn gezicht ontketende een woede in mij die in geen verhouding tot de aanleiding stond. Een hele bus kikkererwten kon ik met genoegen voor zijn voeten werpen als we in de keuken stonden ruzie te maken omdat ik in de stad wilde eten en hij geen cent wilde uitgeven aan tweederangs koks met derderangs producten. 'Als jij je te goed voelt voor deze wereld, waarom ga je dan niet gezellig in je biologische eentje zitten knikkeren!?' Klaterend stroomden de erwten uit de bus, kletterden op de plavuizen en zochten een goed heenkomen onder kastjes en in spleten waar ik ze weken later nog terugvond. Zijn reactie was steevast dat bijna onmerkbare hoofdschudden en die softe vergevende blik. Meermalen zocht ik buitenshuis troost bij een goed glas.

De jacanda verdwijnt achter een van de struiken aan de oever en wij hervatten onze wandeling. Verderop onder de bomen zie ik het busje alweer staan. Alphons leek eigenlijk erg veel op de jacanda. Behoedzaam en toch zeker van zichzelf ging hij zijn weg.

Simone lijkt expres te treuzelen tot ik haar wel moet inhalen en naast haar loop. Ze neemt een slok water en biedt mij de fles aan. Ik bedank vriendelijk.

'Mooi, hè? Zo echt helemaal Afrika.' Ze wijst naar een bukkende man en vrouw die naast elkaar een stukje land bewerken. De oranje jurk steekt helder af tegen de achtergrond van water en laag struikgewas. De vrouw staat gebukt zoals geen blanke ooit echt zal kunnen. Met kaarsrechte rug, gestrekte benen en de billen hoog. Op haar rug heeft ze een doek geknoopt met daarin haar baby. Tegen de stam van een hoge palmboom staat een oude damesfiets geparkeerd. De man en de vrouw werken zonder op te kijken door.

Ik herinner me slechts één ding van de kleuterschool. Een soort spel. Thuis had moeder een gebatikte doek met mijn pop erin over mijn schouder gedrapeerd en op mijn buik aan mijn kleren vastgespeld. Het was zomer en het was opwindend, want wij gingen Afrika spelen. Ik kan nog voelen hoe het gewicht van de pop tegen mijn rug drukte. Langs de hoge witte muur van het klooster liep ik, met mijn kind in een draagzak op mijn rug, door de kloostertuin naar school. Ik hoopte dat iedereen mij kon zien en ik deed mijn best om heel Afrikaans te lopen. Ik kan de fijne opwinding van toen terughalen in slechts enkele beelden. Het tuinpad langs de muur. De geur van bloeiende rozen. De zon. De steentjes onder mijn schoenen. Het gevoel van verwachting. Van dat ik bijzonder was. Het gewicht van mijn baby. De exotische gebatikte doek. En de zoete prikkeling van de middag die komen ging.

'Je vindt het toch wel leuk?' De bezorgdheid is duidelijk hoorbaar in Simones stem.

'Ja, het is geweldig, al die vogels. Vermaak jij je ook?'

'Volgende week om deze tijd zit ik weer op kantoor. Ik moet er niet aan denken.' Zuchtend veegt ze het zweet van haar bovenlip. 'Ben je erg gebeten?'

Ik was de jeuk op mijn benen vergeten, nu Simone erover begint, voel ik die onmiddellijk weer. 'Valt mee.' Ik doe mijn best de jeuk te negeren.

'Vanavond heb ik afgesproken met die jongen, Rano. Ik neem hem mee uit eten. In een restaurantje in het dorp. Wat denk jij, Rosa, is dat wel slim?'

Haar vraag brengt zijn stem tot leven. Zijn stem die mijn naam roept in het donker vanaf het balkon.

'Geen idee, maar waarom niet? Een lekkere maaltijd is nooit verkeerd.'

'Misschien verplicht ik hem tot iets. Hij heeft geen cent, dus als hij iets terug wil doen dan breng ik hem in de problemen. Weet jij hoe dat werkt?'

Het irriteert me dat ze mij om advies vraagt, ik was zo blij dat ik het hoofdstuk Rano afgesloten had. 'Ik weet het niet, Simone, ik ken de codes niet. Weet je nog dat je zelf zei dat Jessica dat enkelbandje beter niet had kunnen aannemen? Omdat dat verplichtingen zou scheppen. Weet je nog?' Een kleurige beweging boven het water trekt mijn aandacht, snel zet ik de kijker tegen mijn ogen. Een klein vogeltje strijkt neer op een naakte tak van de dode boom in het meertje. Het rood op de vleugels knalt eruit.

'Hij heeft een paar splinternieuwe sportschoenen gekregen, vertelde hij, van een Engelse vrouw. Zouden die jongens zo hun kostje bij elkaar scharrelen? Door toeristen te gebruiken?' Simone praat gewoon door, ondertussen doe ik mijn best mijn verbazing over de kennelijke leugen die hij tegen Simone verteld heeft te verbergen.

Terwijl ik het vogeltje in het vizier houd, probeer ik niet verontwaardigd te klinken. 'Waarschijnlijk wel. Dat is toch een algemeen bekend feit? Kijk naar de Deense in het hotel. Als je het nu eens beschouwt als zijn baan. En jezelf als tijdelijke werkgever. Dan hebben jullie allebei lol.' Dat is eigenlijk helemaal niet zo'n gek advies, al zeg ik het zelf. Een echte win-winsituatie.

'Als je het zo bekijkt. Ja, daar zit wel iets in, dan is er niets mis mee en kan het helemaal geen kwaad.' Er klinkt opluchting door in Simones stem. De vogel lijkt ervan op te schrikken, hoewel we ver uit de buurt zijn, en vliegt in een waaier van rood en geel op.

'Hoewel,' vervolgt ze, 'ik natuurlijk wel de kans loop dat hij steeds meer zal willen.'

Nu heb ik er genoeg van. 'Dan doe je het toch gewoon niet? Uiteindelijk ben je niets aan hem verplicht. Zullen we er nu over ophouden?'

Gedecideerd loop ik bij haar vandaan naar de anderen, die bij het busje op ons staan te wachten.

Uiteindelijk was mijn avontuur in bed met Rano behoorlijk verwarrend. Niet zozeer tijdens de vrijpartij, maar wel nadat ik hem vroeg in de ochtend had weggestuurd en de damp van mijn alcoholroes was opgetrokken. Terwijl ik Rano nog in mij voelde, stelde ik me voor hoe pijnlijk het vrijen voor besneden Gambiaanse meisjes moest zijn. Niet alleen omdat het herinnert aan de verminking zelf, maar een stijve penis die zich tussen vergroeid littekenweefsel naar binnen dringt, moet gruwelijk zijn. De mannen hebben ook geen benul van voorspel, of orgasme van de vrouw. Rano ook niet. Tegenwoordig is het wettelijk geregeld dat meisjes in het ziekenhuis besneden worden. Maar hoeveel ziekenhuizen zijn er in dit land? Nog steeds gebeurt het thuis, in het eigen dorp, door een oudere vrouw met scheermesjes of zelfs met glasscherven... Vaak zijn het de moeders die de besnijdenis willen voor hun dochters, uit angst geen partner voor ze te vinden, of uitgesloten te worden. De gevolgen zijn soms zo dramatisch dat het meisje overlijdt aan haar verwondingen. Ik dacht aan Birgit en Inger, aan Aya. Simone moet het zelf weten. Je zóú het kunnen beschouwen als een vorm van ruilhandel, een paar schoenen of een goeie maaltijd in ruil voor seksuele bevrediging. Maar zo kan ik het niet meer zien.

'Snoepje?' Jessica houdt me de zak voor. 'Mooie wandeling, niet dat ik veel vogels gezien heb zonder verrekijker, maar toch. Prachtig!'

Er verschijnt een jongen met een rijdend winkeltje volgestapeld met blikjes frisdrank. Hij duwt het karretje behendig langs de gaten in de weg en houdt halt bij ons. Ik wil helemaal geen frisdrank, maar als hij tot vervelens toe aandringt – *'Why don't you support my business?'* – ga ik met tegenzin overstag. Natuurlijk wil ik best iets kopen, daar gaat het niet om. Waarom voel ik me voortdurend gedwongen iets aan te schaffen wat ik niet nodig heb en wat ik niet wil? Het antwoord is dat ik me schuldig voel over van alles. Over onze prijzige rugzakjes en dure wandelschoenen. Over de verrekijkers en camera's, over onze merkhoeden en petten en flessen water. Omdat ik als kind geleerd heb dat we de arme zwartjes moeten redden. Daarom. En hoelang geleden het ook is, die ingeprente boodschap blijft zich opdringen.

'Wat een gezeik zeg, ze willen allemaal iets van ons.' Tineke zegt het zonder blikken of blozen. Ze pakt wat kleingeld uit haar broekzak en ruilt dat voor een blikje sap. 'Nooit groot geld of je portemonnee laten zien. Dan kom je nooit meer van ze af.'

'Die jongens hebben waarschijnlijk een hele familie te onderhouden, wat maakt ons dat ene blikje nou uit.' Klaas diept ook wat kleingeld uit een broekzak en neemt twee blikjes. 'Die gaan in mijn kamer in de koelkast.'

'Hallo!' Tussen twee slokken door weet Tineke Klaas te antwoorden. 'Dat ik een fortuin uitgegeven heb aan tickets en het hotel, daar denken ze niet aan. Alsof het geld mij op de rug groeit.' Tineke gaat door. 'Het moet ook eens een keer ophouden hè, ik bedoel, er zijn gewoon te veel mensen hier. Ze zouden eens aan geboortebeperking moeten doen. Net als in China, gewoon, twee kinderen per gezin. Dat zou een hoop schelen. Maar dat zal hier wel niet lukken want die Afrikanen lusten er wel pap van.' Met een grote slok leegt ze haar blikje en frommelt het in elkaar.

'Afvalbakken, daar doen ze hier ook niet aan.' Ze stapt in het busje, stopt het blikje in haar tas en gaat met een stuurse trek om haar mond op ons zitten wachten.

'Ja ja, Gambia is exotisch en prachtig, de natuur en de vogels zó mooi, alleen zo verrekte jammer dat er mensen wonen. Is het beleid in China trouwens niet één kind per gezin?' Ben lacht een ironisch lachje en draait zich om naar het karretje en de verkoper. Er klinkt een vrolijk dansmuziekje uit de draagbare radio die met plakband op het karretje bevestigd is. De eigenaar verdeelt zijn aandacht tussen zijn klanten en onze gids. Ze praten druk met elkaar en schieten herhaaldelijk in de lach.

Ik besluit om ook wat te kopen, in geen geval wil ik als een gierige toerist gezien worden. Ik kies drie blikjes en geef een overdreven fooi. Als ik later in het busje terugreken wat het eigenlijk kostte, realiseer ik me dat ik een nog veel grotere fooi heb gegeven dan ik dacht. Nu begrijp ik de ellenlange dankbetuiging die me ten deel viel. De gids keek me ook al zo goedkeurend aan. Die verheugt zich nu vast ook op het eind van de rit. Op wat er voor hem in het verschiet ligt. Ik zelf ook. Ik verlang naar de stilte van mijn kamer.

Tot mijn verbazing zwelt mijn keel op en prikken er tranen achter mijn ogen. Terwijl we over de weg hobbelen en ik me schrap zet tegen al te grote schommelingen, doe ik mijn uiterste best rustig te ademen en niet te denken. Verwoed staar ik naar de brede schouders van Klaas voor me. Ik mis de kinderen, ik heb heimwee naar huis en naar Alphons. Ineens voel ik wat het jongetje met zijn fietswiel half boven het ravijn moet voelen. Daar is een woord voor. Verloren. Ja, ik voel me verloren. In een taxibusje, met chauffeur en gids en een uitgestippelde route. Haha. Rosa alleen op reis. Ik verberg mijn tranende ogen achter mijn zonnebril.

BIRGIT

'NEGEN JAAR ALWEER, AYA! GEFELICITEERD KIND, EN, WAT wil je later worden?'

De jarige krijgt de vraag voor de derde keer binnen een uur. Haar antwoord is steeds hetzelfde: 'beroemd'. Ze wil een bekende Nederlander worden, dansen of zingen of zo-iets. Wel op tv natuurlijk, anders telt het niet.

Met vier vriendinnetjes zit ze op de bank, ze spelen met vlugge vingers een spelletje op hun telefoon. Als er een nieuwe gast binnenkomt, wordt het spel kort onderbroken om felicitaties en een cadeau in ontvangst te nemen. Aya's lange zwarte haren vallen steil langs haar gezichtje. Ze is ongelofelijk dun en doet Birgit denken aan de beelden van Giacometti, van die spaghettislierterige figuren. Aya's bewegingen zijn watervlug en sierlijk. Birgit vindt haar nichtje prachtig. Om haar pols glanzen de vijf dunne zilveren armbandjes die Birgit bij toeval had gevonden in de etalage van een juwelier. Ze zijn eigenlijk iets te groot voor een kinderpols, maar Birgit was gezwicht voor het geluid waarmee het fijne zilver bij iedere beweging rinkelde. Aya's gezichtje had gestraald toen ze het doosje had geopend. Ze had Birgit bedankt door haar lange armen om haar tante heen te slaan en met warme adem in haar hals een bedankje te fluisteren. Het magere kinderlichaam dat zich tegen haar aan drukte, had broos aangevoeld en Birgit had in de donkere haren de geur van appelshampoo geroken.

De volwassenen zitten rondom de enorme blankhouten eettafel, een klein groepje rokers heeft zich buiten rond de lege vuurkorf verzameld.

Ze drinkt van haar eerste glas rode wijn en luistert met een half oor naar de gesprekken rondom haar. Het valt haar op dat er nauwelijks gesproken wordt over onderwerpen die dagelijks breed worden uitgemeten in de media. Hier geen woord over de bezuinigingen die de kunstensector en de gezondheidszorg treffen. Niets over de geblondeerde politicus die niet zou misstaan in de jaarlijkse klucht van een amateurtheatergezelschap, de problemen met de kinderopvang of het gevaar van afschaffing van de hypotheekrenteaftrek. De gesprekken op Aya's verjaardag gaan over de nieuwe shirts van de voetbalvereniging, de bouw van het nieuwe multifunctionele centrum en het jubileum van de basisschool dat groots gevierd gaat worden met een musical en een reünie. Er wordt veel gelachen en luidruchtig door elkaar heen gepraat. In de keuken staat een biertap en de wijn komt uit een doos met een kraantje. Kleine kinderen kruipen rond tussen stoelpoten en mensenbenen en overal staan schaaltjes met nootjes en chips. Het heeft iets ouderwets, vindt Birgit.

Op de ochtend van haar negende verjaardag was Birgit heel vroeg wakker geworden. Al dagenlang verheugde ze zich op de appeltaart die Jeanette voor iedere jarige in de woongroep bakte. Het huis was in stilte gehuld en het was aardedonker. Toen ze de deur van de keuken opende en het licht aandeed, sloeg de teleurstelling toe. De slingers die ze verwacht had, hingen er niet en ook de grote stoel met de gedraaide houten leuningen was kaal. Met prikkende ogen keek ze de lege keuken in. Ze had zich zo verheugd op de kleurige papieren bloemen en vlaggetjes, de taart, de kriebels in je buik die hoorden bij het verwachtingsvolle verlangen naar de cadeautjes. Mama had geen tijd gehad de keuken te versieren. Dat kwam natuurlijk omdat er in haar slaapkamer een vreemde man lag, iemand die ze de vorige dag mee naar huis had genomen. Eerst had de man de avond verpest met zijn luidruchtige aanwezigheid en nu was de keuken kaal. Mama was haar domweg vergeten. Met ingehouden woede sloop Birgit naar de oven. Achter het donker verkleurde raampje stond de appeltaart die Jeanette gebakken had. Het deeg was glanzend goudbruin en de appelschijfjes lagen gestapeld als dakpannen tussen de ruitvormige vlakjes. Jeanette had wel aan haar gedacht. Hongerig opende ze de ovendeur en schoof de zware taartvorm uit zijn donkere hol. Met een van de grote messen uit de besteklade sneed ze de taart eerst doormidden en daarna in negen punten. Ze schoof het mes onder een appelpunt, wipte hem omhoog en hapte gretig toe. De taart was verrukkelijk, het zoetzuur van de stevige appeltjes mengde zich met het zout en zoet van de knapperige koek. De harde rand was het allerlekkerst.

IJzig trok de kou van de plavuizen op in haar blote voeten en ze besloot dat ze net zo goed in haar warme bed de taart op kon eten. Voetje voor voetje schuifelde ze naar haar slaapkamer. Ze kroop onder de dekens en terwijl haar voeten opwarmden, at ze twee hele punten op. Plus een extra stuk van de knapperige rand. De rest van de taart zette ze naast haar bed op de grond. In het donker onder de dekens bedacht ze dat ze misschien ook wel geen cadeautjes zou krijgen. Boos was ze ingeslapen om niet veel later wakker te worden van gezang voor haar deur. Beneden in de keuken was de ontbijttafel gedekt en hingen de slingers boven de tafel en om de grote stoel. Het raadsel van de verdwenen taart loste ze snel op door haar nachtelijke dwaling gewoon op te biechten. Jeanette moest lachen en mama was zo vrolijk dat ze beloofde een nieuwe taart uit de stad mee te zullen nemen. Naast haar zat de vreemde man te glunderen. Alsof mama jarig was, in plaats van Birgit.

Het stroeve laagje teleurstelling bleef de hele dag. Ook al had Jeanette in de ochtend een nieuwe taart gebakken, met appels én walnoten. Mama was alleen maar zo vrolijk vanwege de nieuwe vriend, niet omdat zij jarig was. Hij was de eerste man die was blijven slapen na Steven met de baard. Ze had die dag de keren geteld dat de man haar moeder aanraakte. Achttien keer. Wat er tijdens de schooluren was gebeurd, rekende ze niet eens mee. Daarentegen had mama Birgit maar vijf keer aangehaald. De nieuwe man had minstens drie stukken taart weggewerkt en deed o zo joviaal tegen iedereen. Birgit had een hengel van hem gekregen. Een hengel! Die had ze aan lange Jaap cadeau gedaan. Hij had er later nog eens een verrotte mannensandaal mee opgevist uit de vaart.

Tussen haar vingers rolt Birgit kruimels van Aya's verjaardagstaart tot een bolletje en neemt een laatste slok. Ze staat op om haar lege glas te vullen onder het minikraantje dat uit de zijkant van de kartonnen doos steekt. Inger komt naast haar staan, ze spoelt enkele glazen om in de gootsteen. Handig en snel, zoals altijd. Zo efficiënt als alleen haar zus de dingen doet.

'Wat heb je Aya een mooi cadeau gegeven, Birgit. Prachtig. Heb je het naar je zin? Of zit mama je nog dwars?'

'Ik denk erover naar Gambia te gaan, ik wil weleens zien wat mama daar nou eigenlijk uitspookt.'

'Naar Gambia? Ben je wel goed bij je hoofd? Je gaat je eigen moeder toch niet controleren, hou op zeg. Mama is een volwassen vrouw, ze is nota bene oma! Als je dan toch zonodig iemand wilt controleren, begin dan bij jezelf. Ander onderwerp. Lust je ook een toastje? Denk er nou maar niet meer aan. Wil jij deze even buiten laten rondgaan?' Inger drukt haar een grote schaal met stukjes worst en kaas en met ham omwikkelde augurkjes in de hand. Puntige houten prikkers steken uit ieder hapje omhoog. Net zo scherp als jij, denkt Birgit, terwijl ze de schaal zwijgend van Inger aanneemt. Van de ouderwetse hapjes krijgt ze enorme trek. Best lekker eigenlijk, simpel ook. Weer eens iets anders dan halal knoflookworst. Of authentiek Siciliaans ingelegde dadels met schimmelende geitenkaas.

Ze wordt enthousiast ontvangen en de schaal is in twee rondes leeg. In een flits overweegt ze weer te gaan roken, het ziet er zo gezellig uit. Deze rokers zijn allemaal zo uitgelaten en joviaal omdat aan hun dwingende nicotinebehoefte is voldaan. In minder dan een halfuur na deze sigaret begint het weer van voren af aan. Ze begint eenvoudigweg niet meer. Die ene sigaret laatst met Lisa niet meegerekend.

'Rook je een sigaartje mee?' Een lange man in een okergele trui is tegenover haar komen staan.

'Nee, dank je. Ik rook niet meer.'

'Je vindt het toch niet erg dat ik er een opsteek? Dag, Cees Grimberg. Jij bent toch Ingers zus? Leuk je te ontmoeten.'

Hij heeft een grappig gezicht als hij praat. Hij vertelt dat hij eigenaar is van het aannemersbedrijf dat het nieuwe MFC in het dorp bouwt, dat het een prachtige klus is en dat ze er wel een jaar zoet mee zijn. Het accent waarmee hij praat, versterkt het plezier waarmee ze naar hem staat te luisteren. De lettergrepen dansen van hoog naar laag. Een van Aya's vriendinnetjes komt naar buiten, ze trekt aan zijn mouw. 'Pap, gaan we nu? We komen nog te laat. Mam wácht op ons, het is al lang vijf uur geweest.'

Verontschuldigend lacht hij naar Birgit, zijn hoofd schuin tussen opgetrokken schouders. Dan pakt hij de blonde paardenstaart van zijn dochter tussen zijn vingers en trekt deze omhoog. 'Goed schatje, we gaan al. Zeg iedereen gedag en bedank Petra en Inger.'

Birgit vindt het jammer dat hij gaat. Het is prettig naar hem te kijken als hij praat. Zijn gezicht is bijzonder beweeglijk en als hij lacht, trekt zijn mond vrolijk scheef. En hij lacht veel. Zijn hand sluit droog en warm om de hare als ze afscheid nemen. 'Tot ziens, leuk je ontmoet te hebben, misschien zie ik je nog eens, hier, op een verjaardag.'

'Ja, wie weet. Leuk.'

Van de anderen neemt hij afscheid door hard op schouders te slaan met lachende, luide uitroepen. Als ze zijn rug in de keuken ziet verdwijnen, wendt ze zich af van de andere gasten en loopt het tuinpaadje naar achteren op. Langs het pad bloeien paarse herfstasters. Metershoge zonnebloemen buigen zwaar voorover. In de donkerbruine bloemharten liggen de zaden in een indrukwekkend perfect patroon.

Een vrouw houdt haar een schaal met nieuwe hapjes voor. Ze moet moeite doen haar evenwicht te bewaren. De hoge hakken van haar laarzen zoeken houvast in het grind en ze moet zich aan Birgit vasthouden om niet te vallen.

'Sorry, ik ben Gabi, de juf van Aya, aangenaam.' Het volle blad helt over als Gabi haar rechterhand vrijmaakt en deze uitsteekt.

'Birgit. Ik ben Ingers zus.'

Met in haar mond de smaak van kruidige worst en zoetzure gegrilde groente, en een taai sliertje dat hinderlijk tussen twee kiezen is vast gaan zitten, staart ze naar de zonnebloemen. Gabi loopt weg om de hapjes door te geven. Ze is alweer terug als Birgit met duim en wijsvinger in haar mond zit om de zeen weg te krijgen.

'Hier, een tandenstoker.' Gabi lacht, een houten prikker in de hand. Terwijl de zeen losschiet, vraagt Gabi Birgit naar haar moeder. 'Heeft je moeder het fijn in Afrika, wat doet ze precies? Aya vertelt het in de klas als ze een kaart heeft gekregen, zo leuk!'

Birgit weet dat Rosa iedereen een eigen kaart stuurt. Aya krijgt vaker een kaart dan Inger en Birgit. Wat zal ze Gabi vertellen? Iets algemeens over Rosa's interesse in andere culturen. Of beter nog haar liefde voor vogels, die haar dit keer naar Gambia heeft gebracht.

'Mijn moeder is dol op vogels, vandaar haar keus voor Gambia. Ze hoopt er nieuwe vogels te spotten.'

Gabi knikt enthousiast. 'Een echt natuurmens dus.'

Birgit schiet in de lach. 'Ja, een echt natuurmens, mijn moeder. En jij, Gabi, waar houd jij van?'

'Van koken. Taarten bakken. Heb je mijn chocolade-notentaart wel geproefd? Die heb ik vanochtend nog gebakken, speciaal voor Aya. Of nou ja, om eerlijk te zijn moet ik zeggen dat ik er meteen maar twee heb gemaakt, ook eentje voor mezelf. Gaat je moeder helemaal naar Gambia voor vogels? Dat hoor je niet vaak. Dat zijn toch meestal mannen, vogelaars? Ben jij zelf ook vogelgek?'

Ineens weet Birgit aan wie Gabi haar doet denken. Aan Mara. Mara heeft nog niet gebeld voor een tweede consult. Dat betekent niet veel goeds, vreest Birgit. Mara heeft eenzelfde soort doelgerichtheid als Gabi. Typisch een eigenschap voor een juf. Met zo'n blik krijg je met gemak een hele klas stil.

'Lust je ook nog een wijntje? Rood, hè?'

Birgit knikt. Gabi's achterwerk schommelt heen en weer als ze naar de keuken loopt. Ze lijkt op een taartje, vol en romig. Dat zou Eelco ook hebben gevonden. Als hij haar had zien lopen, zou hij zin in Birgit hebben gekregen en zij zou dan eerder boos dan gevleid zijn geweest. Omdat niet zijzelf zijn lust had opgewekt. Zo was het vaak gegaan. Als ze thuiskwamen na een feestje, begon hij uitgebreid te evalueren. Soms was hij net een van haar vriendinnen. Hij deed niets liever dan een voor een de vrouwelijke gasten bespreken. Zijn monoloog eindigde steevast in een opsomming van redenen waarom iedereen meer of minder mooi en sexy was dan Birgit. Qua kleding kwam zij sowieso als beste uit de bus omdat de anderen goedkoop en gewoontjes hadden geleken naast haar stijlvolle uitstraling. Hij sprak snel en met een wellustig soort afschuw over ingesnoerde tailles, uitpuilende borsten en koeienkonten. Birgit wist dat hij zichzelf opgeilde door deze observaties zo ordinair mogelijk en op luide toon uit te spreken. Als ze eenmaal in bed lagen, herhaalde hij graag nog eens hoe walgelijk vet die en die eruit had gezien. Dat lillende vlees van die ene met die te korte jurk of dat krappe jackje, had ze dat ook gezien? Vond ze ook niet dat dat gewoonweg verboden moest worden? Dat vrouwen het dragen van ragfijne zwarte kousen moesten overlaten aan schoonheden zoals zij? Dat dikke dijen, zachte, wéke dijen, dat haar dat gelukkig bespaard was gebleven.

Het was Birgit opgevallen dat hij vaak klaarkwam bij het woordje 'weke'.

Bij de vuurkorf is beweging ontstaan, ze ziet hoe de mannen hout uitzoeken en in de korf stapelen. Een van hen steekt het vuur aan. Gabi komt met twee glazen wijn naar buiten. Achter haar aan komen de kinderen naar buiten gerend. Ze verdringen zich met luide stemmen om de korf en prikken zachte gekleurde marshmallows aan de punt van lange takken. Het harde lachen van de mannen vermengt zich met het hoge gegil van de meisjes. Over het grind wankelt Gabi naar Birgit toe. Vanaf de vuurplek wordt geroepen. Of juf ook een stokje met zoet lust? Aya's stem slaat over van enthousiasme. Ook Inger en Petra komen naar buiten. De sluierbewolking die de nazomerse zaterdag in een vaalgeel licht had gezet, is opgelost en het lijkt een heldere avond te worden. De wijn klotst over de rand van het glas als Gabi het aan Birgit overhandigt. 'Sorry. Proost. Op je prachtige jarige nichtje.' De glazen rinkelen aangenaam als ze toosten. Dan roept er iemand in huis dat er telefoon is voor Aya. Telefoon uit Afrika.

De terugreis met de trein voert haar door de avond. Het is laat geworden, later dan ze wilde. Tegen achten was Cees onverwacht opnieuw verschenen. Hij had zijn dochter bij zijn ex gebracht en dacht dat er misschien nog wel een taartje over was. Lachend stond hij in de deuropening terwijl Birgit in de keuken met Inger en Petra stond te praten. Ze hadden net de berg afwas met zijn drieën weggewerkt. Hij had koffie gewild en haar gevraagd of ze nog een kopje meedronk. Inger had naar Petra geknipoogd nadat Cees zich had omgedraaid. Even later hoorde ze hem in de woonkamer praten met Aya. Birgit had de knipoog wel gezien. Terwijl ze wachtten op de koffie, vertelde Inger dat Cees zo'n sociaal dier was dat niets liever deed dan alle feesten en partijen aflopen. Dat je hem overal voor kon vragen en dat hij hun badkamer had verbouwd. Niet hijzelf natuurlijk maar hij had goede mensen in dienst. Volgens Inger viel hij op Birgit. Ze had er opnieuw bij geknipoogd, nu rechtstreeks naar Birgit, en haar op de man af gevraagd of zij Cees ook zag zitten. Birgit was onnodig fel uitgevallen door te sissen dat dit een impertinente vraag was. Wat Inger in hemelsnaam wel niet dacht? Dacht ze soms dat ze op zoek was? En dat ze uitgerekend in dit gat waar Inger woonde een interessante vent zou vinden? Misschien moest Inger mama en Cees maar eens tegelijk uitnodigen, Rosa zou er wel weg mee weten. Dat was immers ook veel verstandiger dan dat gedoe met die Afrikanen. Wat had mama trouwens aan Aya verteld, zonet?

Inger had zich omgedraaid met een druipend vaatdoekje als een slaphangende vredesvlag in haar hand. Haar toon verraadde ingehouden woede. Ze vroeg waarom ze ruzie stonden te maken op Aya's feestje. En of Birgit ooit nog van plan was mama als volwassen te beschouwen en haar los te laten. Het sarcasme droop van haar woorden. Birgit gedroeg zich alsof mama haar kind was! De rollen leken verdorie omgedraaid in hun familie. Inger had Birgit de rug toegekeerd en eindelijk de druppende doek boven de gootsteen uitgewrongen. Op de vloer tussen hun voeten lag een plasje water. Zwijgend had Inger koffie ingeschonken en twee volle kopjes op het aanrecht gezet. Toen ze opkeek waren haar ogen nat. Ze schudde haar hoofd en zei dat ze het zo pijnlijk vond altijd te moeten horen hoe Birgit over mama sprak. Zo denigrerend. Op de toon van een kind dat eeuwig tekortkomt. Daarom was Eelco bij haar weggegaan. Wie zou het uit kunnen houden bij iemand die nooit genoeg had? Bij een bodemloze put... Resoluut was Petra tussen ze in komen staan. 'Zo is het wel genoeg, meisjes. Ophouden nu.'

Birgit slikte haar tranen weg. Inger excuseerde zich met een enkel 'sorry'. Ze hadden elkaar vastgepakt en omhelsd. Birgit mompelde in Ingers hals. 'Misschien overdrijf ik een beetje, sorry.' Voordat ze met twee koppen koffie de keuken verliet, bleef ze even staan. Ze haalde een paar keer diep adem. Ze stelde zich voor hoe Eelco dit beeld met smaak zou terughalen en van commentaar zou voorzien. Ze hoorde zijn stem in haar hoofd. 'Twee mooie vrouwen tegen elkaar. Was het lekker, schatje? Dat doet ze ook met Petra, hè? Tegen andere borsten schuiven. Ja ja, en maar janken, en ondertussen tegen elkaar schuren. Dat doen ze het liefst, de hele dag.' Met een woeste beweging van haar hoofd schudde ze de nare beelden van zich af. Het dienblad trilde in haar handen. Het was maar goed dat het afgelopen was tussen haar en Eelco.

Binnen zaten Cees en Aya naast elkaar op de bank. De vriendinnetjes waren naar huis. Birgit gaf een kop koffie aan Cees en was dicht naast Aya gaan zitten. Het kind had haar hoofd tegen Birgits bovenarm gelegd. 'Oma neemt een héél mooi cadeau voor me mee. Maar dat duurt misschien nog héél lang. Mag ik nog een bakje chips?'

In de weerspiegeling van het donkere raam van de treincoupé ziet Birgit zichzelf. Haar gezicht is een bleke vlek. Ze buigt zich voorover tot haar neus het koude glas raakt. Haar beide handen vormt ze tot een kommetje en legt ze tussen haar slapen en het raam om het binnenvallende licht buiten te sluiten. De trein mindert vaart, het biedt haar gelegenheid iets langer binnen te kijken in de huizen die hier dicht aan het spoor staan. Achter een van de ramen staat een man in een wit hemd. Zijn armen gaan omhoog de lucht in. Een enorme vetkwab hangt ver over zijn broekband. Enkele huizen verderop zit een poes in de vensterbank. Achter een bovenraam onttrekt een tenger figuurtje zich aan het gezicht door de gordijnen dicht te rukken. Overal zijn oplichtende schermen van tv's en computers. De trein is vrijwel tot stilstand gekomen. De gezichten van de wachtende reizigers op het perron zijn nu dicht bij het hare. Ze opent haar handen en wrijft kort maar stevig over haar oogleden. De punt van haar neus is ijskoud geworden, ze trekt de sjaal van zachte fleecestof omhoog en koestert zich in haar eigen warme adem.

Wat hadden Inger en Petra overdreven gezamenlijk in de keuken gestaan. Sommige stellen doen dat, die laten de buitenwereld voortdurend weten hoezeer zij het getroffen hebben met elkaar. Kijk eens hoe goed wij samen zijn! Zie je wel hoe perfect wij matchen? Als single word je automatisch buitengesloten door dat nadrukkelijk vertoon van gezamenlijk geluk. Inger wil de wereld tonen hoe goed gelukt zij is. Door dat klitterige gedrag met Petra – ha, geestige woordspeling, die moet ze onthouden voor Lisa – showt ze haar succes. Zij is geslaagd waar moeder en grote zus mislukt zijn. Dat is de boodschap die Inger uitdraagt. Wat had ze precies gezegd over Eelco? Dat niemand, zelfs hij niet, een bodemloos vat als Birgit zou kunnen vullen. Herstel: pút. Geen vat, nee, Inger moest er nog een schepje bovenop doen. Rosa had ze weleens meegenomen naar een pretpark waar een echoput was. Wat je ook riep, op een zeker moment was er steevast een echo geweest, er kwam altijd iets terug. Ook al was de betekenis van de woorden veranderd, er was altijd een weerklank.

Luisterend naar de bonkende cadans van de trein die haar naar huis voert, sluimert ze de rest van de reis.

Als ze de sleutel in het slot van de voordeur steekt, verstomt het geluid van de voetstappen die haar al vanaf de bushalte volgen. Ze kijkt om. Midden op het trottoir staat de evangelist. Hij steekt een hand op, precies zoals de Jezusfiguur op het bidprentje dat ze vorige week in de gang aantrof. Haar adem stokt. De binnenkant van haar handpalmen wordt vochtig. 'Wat doe jij hier?' Ze hoort de agressie in haar eigen stem, de geknepen klank die veroorzaakt wordt door het aanspannen van haar keelspieren.

'Ach, ik kom eigenlijk zomaar even langs want ik was toch aan de wandel. Nee, ik kom niet voor jou, maar ik zag je de bus uit stappen en ik dacht ach, ik kan net zo goed even vragen hoe het met je gaat. Timmie, kom hier.' Een klein mormel met een krullerige vacht komt aangedribbeld en gaat aan zijn voeten zitten. De boodschapper bukt zich en maakt de riem, die al die tijd langs zijn broekspijp hing, aan de halsband van de hond vast.

'Ik moet naar binnen.' Birgit is nauwelijks verstaanbaar terwijl ze zich omdraait en de sleutel nogmaals in het slot steekt. Als de deur achter haar dichtvalt, sluit ze het zware gordijn dat ze tegen de tocht heeft opgehangen. Bewegingloos staat ze in de gang. In haar eigen gang nota bene, precies op de plek waar ze het bidprentje laatst heeft gevonden. Ze doet een stap opzij en sluipt door het donker naar de woonkamer. Daar draait ze de lamellen dicht. Pas als ze weer een minuut heeft gewacht, gluurt ze langs de zijkant naar buiten. Afgezien van een groepje fietsers is de straat leeg.

Zuchtend start ze de computer op. Er is een mail van Rosa. Nog voordat ze de mail aangeklikt heeft, voelt ze dat de nauwelijks weggeëbde spanning in volle hevigheid terug in haar spieren stroomt. De laatste mail van Rosa heeft haar afkeer van haar moeder flink aangewakkerd. Toen ze las hoe gelukkig ze is met een of andere inheemse boy, wist Birgit niet goed of ze moest lachen of schreeuwen. Hetzelfde bericht was ook naar Inger verzonden. Birgit kan niet uitstaan dat Inger de situatie met het grootste gemak van tafel veegt in plaats van met haar mee te huilen. Zowel Rosa als Inger vindt dat Birgit moet leren loslaten. Maar daarom is ze geen psychologie gaan studeren. Ze wilde analyseren, leren begrijpen en inzicht krijgen in menselijk gedrag. Ze is afgestudeerd met hoge cijfers maar het is haar niet gelukt de relatie met haar moeder in de juiste proporties en in het juiste perspectief te zien. Vooral dat laatste vindt ze razend moeilijk. Ze blijft met kinderogen naar haar moeder kijken. Ze weet het, en ze kan niet anders. Afwijzing, verlangen en liefde zijn in de relatie met Rosa volkomen verstrengeld.

Ze begint te lezen. Intussen blijft haar antenne geluiden van buiten opvangen. Is de boodschapper doorgelopen of sluipt hij nog om haar huis?

> *Lieve Birgit, ik verwacht niet dat je me begrijpt, laat staan dat ik je goedkeuring verlang. Je zult me niet begrijpen, dat weet ik want ik ken je immers al zo lang. Toch blijf ik je vertellen wat ik wil. Omdat eerlijkheid nog steeds boven alles gaat. Het leven hier is de hemel op aarde. Ik leef van de wind en de vruchten van de zee. En de liefde. De eenvoud waarmee het leven zich hier voltrekt, is onvergelijkbaar met het leven daar in Nederland. Alles gaat hier vanzelf. De mensen leven met de dag. Het wordt me steeds duidelijker dat we in het westen een groot probleem hebben. De haast en de stress om aan alle eisen te voldoen eisen hun tol. Hier is men ontspannen. Mijn zwarte lief is weergaloos in zijn haast kinderlijke onschuld. Ik kan beter zeggen: ongereptheid. Voor zover dat mogelijk is bij mensen. Ik weet dat je er niets van moet hebben lieverd, maar geloof me, je zou het ook eens moeten proberen. Het zou je goed doen. Je zou ervan ontspannen. De wereld wacht op je, je hoeft er alleen maar in te stappen.*

Woedend draait Birgit zich van de computer af en loopt stampvoetend naar de keuken. Rosa is het grootste cliché dat op deze aarde rondloopt. Gadver, ze gebruikt een Afrikaan voor haar eigen bevrediging en praat ondertussen doodleuk over onschuld. Lekker makkelijk ook, in een all-innresort. Zou de inheemse man inbegrepen zijn? Moeder praat over hem als over een kind! Snuivend loopt Birgit opnieuw naar het raam aan de voorkant. Door de smalle spleet tussen het kozijn en het gordijn speurt ze langs de verlaten straat. Op haar armen en in haar nek komen de haartjes overeind. Er is niets bijzonders te zien, toch heeft ze het gevoel bespied te worden. Daarin moet ze moeder gelijk geven, ze zou wat meer moeten ontspannen. Ze sluit de computer af, neemt een douche en gaat naar bed.

Als Birgit de volgende ochtend wakker wordt, is de spanning uit haar lijf verdwenen. Ze herleest de mail uit Afrika en tikt met kracht op de delete-toets. Vandaag laat ze de gordijnen in de woonkamer dicht. De gedachte aan een pottenkijkende evangelist bezorgt haar rillingen.

Voor achten is ze al op haar werk. Bij de receptie vindt ze een briefje in haar postvak met de vraag of er vandaag ruimte is voor een afspraak met Mara. Dat is goed nieuws. Birgit zal Robin zo even vragen om Mara terug te bellen. Opgelucht dat ze een tweede kans krijgt, danst ze de trap op. In haar kamer zet ze de ramen open. Ze schrijft enkele nota's en belt de opdrachtgever om het re-integratietraject te evalueren. Hij is zeer tevreden met het behaalde resultaat. Drie deelnemers hebben inmiddels een contract met een werkgever. Die sollicitaties zijn met Birgit voorbereid en geoefend. Of ze ruimte heeft voor meer opdrachten?

Als ze het gesprek heeft beëindigd, loopt ze naar het raam. Om haar mond speelt een glimlach. Ze legt haar handen op de vensterbank en buigt ver voorover. Op de balkons van de benedenhuizen hangt de was uit. Vannacht slaapt men hier onder beddengoed dat in de zon gedroogd is. Pal aan de overkant brengt een jonge vrouw in een elegante jurk haar armen omhoog om een kledingstuk aan een rekje te bevestigen. De grond tussen de huizenblokken is in ongelijke rechthoeken verdeeld door heggen en groen uitgeslagen houten schuttingen. Appels hangen aan de takken van enkele kromgegroeide fruitbomen. Verderop bloeit een struik herfstasters. Speelgoed slingert rond en er staan dure fietsen. Birgit geniet van de zichtbare kwaliteit van de buurt. Ze is blij dat er geen schotelantennes zijn die het uitzicht bederven zoals in andere buurten van de stad. Hoewel de zon schijnt, hangt er een nevel in de lucht die onmiskenbaar verwijst naar de op handen zijnde winter. Birgit vindt de maandag een soort tussendag. Alsof je je nog eens helemaal goed moet uitrekken om de laatste restjes loomheid van het nietsdoen te verdrijven. De vrouw die beneden haar onkruid uit de tuin staat te trekken, doet haar aan Mara denken. Hetzelfde roodgeverfde haar met een vale uitgroei in de scheiding. Hopelijk lukt het Mara vandaag langs te komen. Birgit besluit zich niet te laten verleiden tot het nogmaals maken van excuses.

Ze laat het raam openstaan en loopt naar beneden. Het trappenhuis en de hal lijken verlaten, achter de balie voert Robin op zangerige toon een telefoongesprek. Op de lage tafel in de wachtruimte ligt een kleurig stapeltje tijdschriften. Terwijl ze wacht tot Robin klaar is met telefoneren, bladert ze door de dikke glossy die bovenop ligt. Een fotoreportage over kinderen en hun hobby's. Op een van de foto's staart een meisje van zes triomfantelijk en geconcentreerd in de camera. Op haar hoofd ligt een reptiel. Tegen de zachte blonde haren van het kind steken de staartschubben scherp af. Het onderschrift vermeldt dat het meisje Demi heet en de leguaan Kwizzel. Het dier slaapt het liefst de hele dag op haar haren. Op de pagina ernaast staat een jongen van tien naast een groot aquarium. Ook dit kind heeft dezelfde overgave in zijn blik. Net als de tweeling van negen met hun dwerghangbuikzwijnen op de volgende pagina.

Toen Birgit klein was, hadden ze een aquarium. Ze herinnert zich vooral de felle kleuren van heel kleine visjes. Het leken kerstlichtjes zoals ze zwommen. En sluierstaarten, ach ja, daar heeft ze lang niet aan gedacht. Met Inger fantaseerde ze dat ze later zouden trouwen in een jurk met net zo'n lange sluier. Zachtroze zijde en wapperend. Maar toen ze twee jaar geleden trouwden, droeg Inger een grijs broekpak en Petra een korte rode jurk. Het was Aya die de gedroomde bruidsmeisjesjurk droeg.

Hun aquarium werd tijdens een afschuwelijke ruzie door Wander vernield. Iemand had zijn vissen gevoerd met veel te veel voer, de dode vissen dreven met hun buikjes naar boven op het water. Wander rukte het aquarium van de tafel en smeet het zomaar op de vloer. Zij gilden, water spetterde in het rond en overal lagen dode visjes op de vloer. Ze weet nog dat ze wilden kijken, maar mama had haar handen voor hun ogen gelegd en ze allebei meegenomen naar de keuken. In de woonkamer had papa de vissen van de grond geraapt. Met een handvol vissenlijkjes verscheen hij even later in de deuropening. Hij had zijn excuses gemaakt en ze gevraagd hem te helpen. Mama was zuchtend langs hem heen de kamer in gelopen en Birgit en Inger hadden een oude krant uit de bijkeuken gehaald om de glibberige lijfjes in te doen. Het was wonderlijk hoe klein de vissen in werkelijkheid waren.

Uiteindelijk had papa het dichtgevouwen pakketje meegenomen naar buiten. Mama bleef maar roepen dat ze blij was dat de vissen niet meer gevangen zaten in háár huis. Ze was fel tegen het gekooid houden van dieren en tegen laboratoria die proefdieren gebruikten. Ze was van mening dat dieren evenveel rechten hadden als de mens. Een aquarium was in haar ogen een gevangenis. Het was de laatste ruzie over papa's hobby geweest. Na tot vervelens toe herhaalde uitroepen over dierenmishandeling en haar openlijk geuite blijdschap over zijn actie was mama stilgevallen. Ze zweeg op een andere manier dan gewoonlijk wanneer ze ruzie hadden gehad. Dit nieuwe zwijgen was zwaarder, dichter, zoals een mist plotseling ondoordringbaar kan worden.

Waar het aquarium had gestaan, verscheen enige tijd later een gouden beeld van een zittende man. Op een luier na was hij bloot. Zijn benen zaten op een ingewikkelde manier in elkaar gekruist. Mama plaatste aan weerszijden rijtjes waxinelichtjes en precies in het midden, vlak voor de mollige voeten, een schaaltje met een verse bloem. De man lachte heel grappig en hij had lange, uitgerekte oorlellen. Aanvankelijk was het beeld een bron van vermaak voor Inger en Birgit. Ze versierden de plek rond het beeld met kralen en My Little Pony's. Toen begonnen de zitsessies. Met gesloten ogen en in dezelfde zithouding als de man met de lange lellen zat Rosa op een kussentje voor het beeld. Birgit en Inger hoefden niet stil te zijn, nee, ze mochten zoveel lawaai maken en rennen als ze maar wilden. Rosa kon iedere afleiding om haar heen gebruiken als oefenmateriaal, verklaarde ze. In het begin was het grappig om te proberen haar aan het lachen te krijgen, tot de kinderen doorkregen dat ze niet meer reageerde. Toen werd het zelfs vervelend want ze zat best vaak zo stil midden in de kamer. Ook als ze honger hadden of als papa thuiskwam van zijn werk.

Niet veel later volgde de scheiding en kwam papa nooit meer thuis. Wel gingen ze om de week een weekend bij hem logeren. Hij had een nieuw aquarium gekocht met andere, nog glanzender vissen. Het was altijd gezellig, ze hoefden nooit moeite te doen papa's aandacht te krijgen. Hij was gewoon de hele tijd met ze bezig. Ze deden spelletjes, gingen naar de dierentuin en aten een patatje op de zaterdagse markt. Hij praatte nooit over mama. Hij vroeg alleen hoe het met haar ging en dan werd het onderwerp verder niet meer aangeroerd. Nadat ze met Rosa naar de woongroep waren verhuisd, werden de tweewekelijkse weekenden in de stad nog belangrijker voor Birgit. Een oase van stilte. Birgit had het gevoel dat hun papa-weekenden door Inger heel anders werden beleefd. Zij leek niet zo'n last te hebben van de hectiek in de woongroep. Maar Birgit was niet zo'n onverstoorbaar kind als Inger. Hoewel Rosa het altijd heeft ontkend, verdenkt Birgit haar stiekem nog altijd van de moord op de vissen.

Birgit schrikt op als Robin haar naam roept. Haar schouders schokken en met een hand op haar borst draait ze zich om. Robin glimlacht verontschuldigend en wenkt Birgit. Terwijl ze naar de balie loopt, rolt ze de glossy op tot een strakke koker. Robin houdt haar armen afwerend voor haar gezicht. 'Je gaat me toch niet slaan, hoop ik?' De koker verdwijnt onmiddellijk achter Birgits rug. 'Mara heeft gebeld, zonder tegenbericht komt ze om elf uur. Ze zou haar best doen op tijd te zijn. Is dat goed?'

'Prima, laat haar maar komen.'

Als Birgit terug is in haar werkkamer is, ziet ze op haar mobiel dat ze een oproep gemist heeft. Een onbekend nummer en er is niets ingesproken. Ze besluit niet terug te bellen. In het keukentje vult ze de waterkoker.

Wat zou Rosa nu aan het doen zijn? Het is kwart voor elf, het tijdsverschil zal een of twee uur zijn. Vroeger? Later? Ze kan het maar niet onthouden. Rosa zal ongetwijfeld vroeg opstaan om bij zonsopkomst de zonnegroet te kunnen doen. Daarna een stevige wandeling op het strand en een uurtje mediteren. Onder een boom in de tuin. Waarvoor ze natuurlijk eerst toestemming heeft gevraagd. In een intakegesprek met de boom. Birgit kan een snuivend lachje nauwelijks onderdrukken. Ze weet wel dat Rosa dit soort dingen al lang niet meer doet, maar ze plaagt haar er graag mee. Rosa is zo impulsief. Neem de tas vol potloden en schriftjes die ze heeft meegenomen. Gelukkig had Inger opgemerkt dat in het geval van potloden puntenslijpers ook wel handig zouden zijn. En nu zit mama ergens aan een strand, vol van een nieuwe liefde. Een typisch geval van een wanhopige vijftigplusser. Birgit is boos als ze denkt aan haar moeder als een van die rijke blanke vrouwen die zich laven aan wat ze in eigen land niet meer kunnen krijgen. Birgit ziet ze dagelijks in de stad, in de bus en tram, de grijzende stellen waarvan de mannen zich kwijlend tegoed doen aan haar. Ze vindt het sneu voor de echtgenotes. Zelden reageert Birgit op zo'n blik. Vaker heeft ze de neiging het hoofd van de man naar de vrouw naast hem te draaien.

Ze denkt dat bij Rosa en Alphons het omgekeerde het geval was. Mama die naast Alphons zat en haar blik op de buitenwereld richtte, wég van Alphons. Ze begrijpt niet hoe hij het volhield met iemand als Rosa. Als hij niet zo onverstoorbaar geweest was, én als hij zijn volkstuin niet had gehad, waren ze vast al lang geleden uit elkaar gegaan.

Met een volgeladen dienblad loopt ze terug naar haar kamer. Beneden in de hal klinkt de donkere stem van Mara. Even later staat ze in de deuropening in iets wat je een hedendaagse wapenuitrusting zou kunnen noemen. Donkergrijs leren jack met koperbeslag op de mouwen en revers. Op haar roodgeverfde haar met grijze vlekken een retro-koptelefoon, half achter haar oren geschoven. Om haar forse benen spant een zwarte jeans waarvan de pijpen in zilverkleurige enkellaarsjes verdwijnen. Om haar hals prijkt een band die een volwassen vechthond niet zou misstaan.

Birgit probeert haar verbazing te verbergen, ze glimlacht en doet alsof het normaal is dat er een stripfiguur in de deuropening van haar praktijk staat. Voordat ze iets kan zeggen, dendert Mara de kamer in, ploft neer in gelukkig wel de juiste stoel en ritst met een akelig krassend geluid het jack open. Vervolgens staat ze weer op en haalt haar armen uit de mouwen. Ze legt de stijve jas over de stoelleuning en laat zich achterovervallen. Ondertussen heeft Birgit de waterkoker aangezet. Mara veegt met een mouw langs haar voorhoofd en blaast zichzelf koelte toe.

'Zo, daar ben ik weer. Had je me verwacht?'

Birgit weet niet zeker wat ze antwoorden moet. 'Fijn dat je er bent, Mara. Wil je een glas water, thee of koffie?' Dit voldoet als antwoord op beide mogelijkheden en klinkt uitnodigend, denkt Birgit.

'Lees jij dat soort bladen? Wat haalt een psycholoog daar zoal uit?' Mara wijst naar het tijdschrift dat opgekruld naast haar laptop op het bureautje ligt. Om de vier vingers van haar rechterhand glanzen zilveren ringen, in een ervan is een lichtblauwe, geslepen edelsteen gezet. De ringen vallen uit de toon bij het grove halssieraad dat ze draagt. De indigoblauwe blouse die tevoorschijn is gekomen toen ze haar jas uitdeed, heeft een ragfijn ingeweven streepje. Mara heeft de knoopjes tot een diep decolleté geopend, de dunne bandjes van de populaire lingerie waarmee tegenwoordig iedere vrouw te koop loopt, zijn goed zichtbaar. Birgit heeft ook een aantal setjes van Marlies Dekkers maar nu Jan en alleman erin loopt, vindt ze het niet meer leuk. Op de Albert Cuyp stikt het van het nagemaakte spul.

Mara doopt een zakje rooibosthee in een kop heet water. Als het water donkerrood gekleurd is, laat ze het zakje uitdruipen.

'Wat vind je ervan als we opnieuw zouden beginnen. Laten we vorige keer als een valse start beschouwen. Hoewel,' terwijl ze dat zegt, legt ze het dieprode, gezwollen buideltje op een schoteltje, 'hoewel ik bij nader inzien zeker geïnteresseerd ben in je moeders verhaal. En van jouw visie op dit gebeuren. Als volwassen dochter bedoel ik.'

Birgit merkt dat ze zich ongemakkelijk voelt door Mara's vraag. Er had nadruk gelegen op het woord volwassen, alsof het cynisch bedoeld was. En Mara's interesse in de avonturen van Rosa komt haar slecht uit. Had ze haar mond maar gehouden de vorige keer.

'Dat lijkt me fijn, een herkansing. Goed. Laat ik dan nogmaals beginnen met de vraag wat je hier brengt? Wat verwacht je van de gesprekken en tot welk resultaat zouden die moeten leiden?' Tevreden met deze professionele insteek leunt Birgit achterover. Ze is werkelijk benieuwd naar Mara's verhaal. Even ziet ze zichzelf door de ogen van de vrouw tegenover haar: een slanke brunette, halflang loshangend haar, de pony perfect op lengte, de oogleden boven de bruine ogen bescheiden ingekleurd met een matgroene schaduw. Mascara strak, zonder klonteren, op de lange wimpers en een zachte kleur lippenstift. Alles bescheiden en eenvoudig, maar duur. Het jurkje dat ze vandaag draagt, heeft bijna tweehonderd euro gekost, hoewel het welbeschouwd weinig meer is dan een lap stof met een paar gaten. Het leren ceintuurtje dat haar heupen accentueert, heeft ze op Marktplaats gevonden. Met genoegen strekt ze heel even een been, haar huid is overal smetteloos en strak. De mosgroene, hooggehakte schoenen zijn kunstig opengewerkt. Vanavond, naar haar afspraak met Lisa, doet ze het bijpassende nieuwe suède jasje aan. In haar tas heeft ze een paar panty's gestopt voor als het koud wordt. Ze houdt helemaal niet van kousen en stelt het dragen ervan liefst zo lang mogelijk uit.

Ze richt haar aandacht op Mara. Vanonder haar hangende oogleden kijkt Mara Birgit aan.

'Wat denk je eigenlijk van mij? Kijk, dat ik er vandaag zo uitzie,' haar linkerhand wappert in een snel gebaar van boven naar beneden langs broek en blouse, 'dat is natuurlijk alleen maar afweer. Dat kan ik zelf ook wel bedenken. Daarvoor hoef ik niet naar een psycholoog. Maar, en toch, hoe gek het misschien ook klinkt, toch heeft dit alles te maken met mijn behoefte aan een gesprek met een professional.' Mara likt met het puntje van haar tong langs haar lippen. Haar ogen dwalen onrustig heen en weer langs de muren en het raam. Ze kijkt Birgit kort aan, slaat haar ogen dan weer neer. 'Weet je, de laatste tijd heb ik een idiote neiging tot provoceren. Mijn man en ik, we lijken wel een stel uit een Bergmanfilm. Hij schreeuwt tegenwoordig zelfs terug. Of we zeggen juist helemaal niets en zitten de hele avond zwijgend op de bank. Gadver, zo heb ik nooit willen zijn. Niet dat ik niet meer van hem houd... maar het is allemaal zo...'

Hier pauzeert Mara, neemt tegelijkertijd een hap lucht en een grote slok thee waardoor ze zich verslikt. Hevig hoestend staat ze op uit de stoel en buigt ver voorover in de hoop dat de thee vanzelf uit haar luchtpijp terug in haar mond zal vloeien. Geschrokken komt Birgit overeind en trekt enkele tissues uit de doos op tafel. Inmiddels is Mara donkerrood aangelopen. Hijgend leunt ze met een hand op de rugleuning van de stoel. Nat van het zweet opent ze met een korte ruk de sluiting van de strakke leren halsband. Ze gooit het ding op de grond naast de stoel en schuift in dezelfde beweging het leren jack van de leuning. Keer op keer wrijft ze met haar vingers langs haar keel en nek. Uit het opgestoken haar hangen vochtige plukken. Eindelijk komt ze op adem. Snel verlaat Birgit de kamer om een glas water te halen. Ze laat de koudwaterkraan stromen tot het koud genoeg is naar haar zin. Ze vult een karaf en neemt meteen twee schone glazen mee.

Mara kucht nog wat na, ze staat voor het raam. Nu pas ziet Birgit hoe de donkere blouse om haar borsten en middel spant. Mara blijft naar buiten kijken terwijl Birgit water inschenkt. Ze gaat naast Mara staan en overhandigt haar een glas. Mara drinkt behoedzaam, met kleine voorzichtige slokjes. De eerste woorden die ze spreekt, zijn haast onverstaanbaar, haar stem heeft een pijnlijk hees geluid.

'Zo is een oom van me gestorven. Gestikt in een visgraat. Niemand kon hem helpen. Hij stierf in zijn eigen keuken. Zijn vrouw en kinderen stonden erbij en keken ernaar.' Mara slikt en neemt nog een slokje water. 'De laatste tijd ben ik vaak bang om dood te gaan. Niet in van die korte flitsjes die iedereen weleens heeft. Er valt geregeld een zware deken van diepe angst over me heen. Dat ken ik niet, dat is iets nieuws. Ik ben nooit van mijn leven echt bang geweest om dood te gaan, nooit, tot nu dus. Dat is zó eng... Zo eng dat ik het aan iemand moet vertellen. Eerlijk gezegd heb ik geen idee waar die angst vandaan komt. Het is allemaal nogal onvoorspelbaar. En onoverzichtelijk. Hè hè, ik kom weer op adem.'

Ze gaan terug naar hun stoelen. Birgit wacht tot Mara zit. 'Heb je misschien ook last van hyperventilatie?'

'Nee, dat geloof ik niet. Eigenlijk heb ik niet zo veel fysieke klachten. Afgezien van de gewone overgangsdingetjes natuurlijk. Nachtzweten en stemmingswisselingen, onvoorspelbare buien van radeloosheid en depressie.'

'Neem je daar iets voor? Ben je daarvoor bij de huisarts geweest?'

'Nee zeg, kom nou. Ik heb een homeopathisch middeltje tegen nachtzweten. En kruidencapsules tegen moodswings.' Ze schiet in de lach. 'Vind je dat geen ongelooflijk vrolijk woord? Moodswing, perfecte naam voor een kermisattractie.'

Birgit besluit de overgang en het onderwerp relatiecrisis voorlopig te laten rusten en terug te komen op Mara's behoefte aan deze sessies. Hoewel ze eigenlijk niet naar de Keniase liefde durft te vragen gezien haar blunder vorige keer, wil ze straks toch een poging wagen. Nu is het zaak structuur aan te brengen. 'Als je een lijstje zou maken van de onderwerpen die je het meest bezighouden, wat staat er dan op nummer één, als meest urgent?'

Ergens voelt ze zich een beetje een voyeur. Alsof ze via Mara een kijkje neemt in Rosa's leven. Mara mag dan vinden dat Birgit, net als haar eigen dochter, zo verdomd zeker is van zichzelf, -dat zei ze immers de vorige keer, op haar beurt vindt Birgit Mara net als haar eigen moeder dwingend en eigengereid. Egoïstisch. Chaotisch. Alsof de wereld er voor hen is. Een doorgeschoten emancipatiegedachte. Vrijheid over de top. 'De wereld wacht op je' krijgt plots een heel nieuwe betekenis voor Birgit. Op wie of wat dachten die vrouwen nou eigenlijk dat de wereld wachtte? Het lijkt het soort loze uitspraak waarmee men zichzelf moed probeert in te spreken.

Mara rolt het lege waterglas heen en weer langs haar wang en sluit haar ogen. In de plooien van haar oogleden is de grijze oogschaduw samengevloeid tot een slordige, vochtig zwarte streep. Als ze haar ogen opent, is haar blik helder en haar stem krachtiger dan zonet. Ze gaat rechtop zitten, buigt haar bovenlichaam naar voren. 'Weet je Birgit, wat maakt het uit wat er op nummer één, twee of drie staat? Voor mijn part husselen we het hele zaakje door elkaar. Of het het belangrijkste onderwerp is, weet ik niet, wel weet ik dat het voortdurend in mijn gedachten is. Ik bedoel de dingen die voorbijgaan. Dingen die nooit meer zullen gebeuren. Die niet teruggedraaid kunnen worden. Ik zou het willen hebben over afscheid nemen. Hoe je dat doet. Hoe je afscheid neemt en achterlaat. Hoe je je verzoent met vergankelijkheid. Begrijp je, Birgit?'

Terwijl Mara's rug in het trapgat verdwijnt, sluit Birgit de deur en zinkt zuchtend in haar stoel. Met gesloten ogen spoelt ze de film van het afgelopen uur terug. Een huivering jaagt kippenvel over haar onbedekte armen. Ze staat op om een grote, fijn geweven wollen sjaal uit de kast te pakken. Voor het raam slaat ze de sjaal om haar schouders. In het westen verschijnen wolken aan de strakblauwe lucht. Weersveranderingen komen gewoonlijk vanaf zee. De was hangt nog steeds stil aan de knijpers, de verkeersgeluiden dringen door de ramen heen. Birgit krijgt zin om te douchen bij het zien van al dat frisse wasgoed. Het is maandag, nog niet eens twaalf uur en ze heeft pas één cliënt gehad. Toch voelt ze zich opgebruikt.

Uiteindelijk kwam Mara met de waarheid. Ze blijkt doodsbang te zijn om alleen achter te blijven, want manlief heeft een verhouding met een collega. De affaire met het Keniase vakantievriendje heeft ze laten gebeuren om te bewijzen dat ze nog meetelt. Samen met een vriendin had ze dit keer het jaarlijkse weekje vakantie in Kenia gevierd. Ook de vriendin was gevallen voor de aandoenlijke charmes van een zwarte jongen. Birgit was verbaasd, verrast, toen Mara dit deel van het verhaal vertelde.

Terwijl Birgit luisterde, had ze voortdurend haar moeder voor zich gezien. Rosa op een strandstoel onder een palmboom geflankeerd door een zwarte man. Rosa in zee en op een terras. Rosa op een yogamatje, wandelend langs het strand. Rosa in bed... Slechts met moeite lukte het haar aandacht bij Mara's verhaal te houden. Gelukkig was de sessie op Mara's verzoek direct daarna geëindigd. Mara wilde nadenken. Ze moest bijkomen van de ontboezemingen. 'Je moet me geloven, Birgit, dit had ik werkelijk niet gepland! Laten we snel een vervolgafspraak maken. Volgende week?'

Birgit brengt de gebruikte kopjes en glazen naar de keuken. Als ze terugloopt, hoort ze haar telefoon overgaan. Ze neemt op. 'Hallo?'

'Dag schoonheid, met Cees. Mag ik je even lastigvallen met een verzoekje? Ik moet vandaag in de stad zijn en zou je willen uitnodigen een hapje met me te eten, wat denk je?'

Cees! 'Hoe kom jij aan mijn nummer?'

'Je zus was zo vriendelijk, je vindt het toch niet erg?'

Dat vindt ze wel maar dat zegt ze niet. 'O, Inger, natuurlijk. Ik heb al een eetafspraak met mijn vriendin.'

'Een aperitiefje dan?'

'Ja, dat lijkt me prima.'

'Mooi! Om een uurtje of halfzes bij Winters? Ken je dat?'

Een beetje overdonderd is ze wel. Maar waarom zou ze niet meegaan? Op Aya's verjaardag was hij aardig. Goedlachs en lief tegen zijn dochter. Het is geen vreemde, Inger kent hem goed. En hij heeft het soort handen en lach waar ze van houdt. Vooral de handen herinnert ze zich goed.

'Ja, dat ken ik. Zie ik je straks.' Ze sluit het gesprek af. Als de verbinding verbroken is, realiseert ze zich dat ze is vergeten te vragen of hij degene is die haar vanochtend gebeld heeft.

's Avonds bekijken ze boven de lege soepborden het display van Lisa's smartphone. 'Kijk hier eens naar, wat vind je?'

Lisa surft naar de website van een hotel. 'Hier, een weekje "*Smiling Coast*" voor zevenhonderd euro. Een kamer met ontbijt. We kunnen op woensdag of vrijdag vertrekken. Een klein probleempje is dat het daar nu het eind van het regenseizoen is. Als je pech hebt, regent het nog soms, meer dan een uurtje per dag zal dat niet zijn. Het ziet er toch geweldig uit?'

Het fel oplichtende schermpje toont beelden van een zwembad, tropische tuinen en strand. Glimlachend personeel in zachtgroen uniform, allemaal met een witte doek over de onderarm geslagen. Ze geeft het toestel terug aan Lisa. 'Ik weet het niet, hoor. Het is net alsof ik mijn moeder ga zitten bespioneren, dat bevalt me helemaal niet.'

'En dit dan, kijk hier.' Lisa heeft vast gehoord wat ze zei maar heeft ondertussen andere plaatjes gevonden die ze aan Birgit voorschotelt.

Eerlijk gezegd is Birgit er niet helemaal bij. Ze ziet de plaatjes verschuiven en heen en weer bewegen. Dat komt niet alleen door Lisa's enthousiasme. Iets drinken met Cees betekende een fles goede wijn bestellen en deze tot op de bodem leegdrinken. De wijn was ongelofelijk lekker en Cees meer dan aardig. Cees had nog een vergadering. Birgit begrijpt niet dat hij met een halve fles wijn achter de kiezen nog kon vergaderen. Hij had haar op beide wangen gekust toen ze afscheid namen. Hij rook aangenaam prikkelend.

Aangeschoten maar op de afgesproken tijd was ze het restaurant waar Lisa op haar wachtte binnengestapt. Nadat ze in no time de dikke plakken warm brood met tapenade naar binnen had gepropt, kwam ze een beetje bij. 'Ja,' vertelde ze Lisa desgevraagd, 'ja, een heel leuke vent. Lekker groot, bourgondisch en ondernemend. Gescheiden, dat wel, vader van een dochtertje. Precies ja, een klein puntje van aandacht. Nee nee, niet iets om lichtvaardig over te doen. Zeker niet. Maar wel een heel aantrekkelijke man. En zo lekker duidelijk. Die ga ik nog een keer zien.'

Lisa had bedenkelijk gekeken. Ze was niet op Birgits monoloog ingegaan. Ze hadden een hoofdgerecht besteld en het onderwerp Cees laten rusten. Gambia was belangrijker.

In het licht van de brandende straatlantaarn voor haar huis valt de envelop, rechtop tegen de deur en deurpost gezet, direct op. Onwillekeurig houdt Birgit haar adem in en draait zich razendsnel om. Met haar rug tegen de voordeur zoekt ze naar de sleutels in haar tas. Haar vingers tasten rond, ze vervloekt haar gewoonte haar tassen te vullen met overbodige spullen. Als ze de sleutelbos te pakken heeft, klemt ze deze stevig vast en haalt de bos met overdreven veel lawaai tevoorschijn. Ondanks oplichtende televisies in de belendende huizen, voorbijrijdende fietsers en het luide praten van twee meisjes aan de overkant, vreest ze de verschijning van de man met de baard. In een snelle beweging draait ze zich om. Ze moet haar ogen tot spleetjes knijpen om het sleutelgat scherp in beeld te krijgen. Eindelijk raak! Ze krijgt de sleutel in het slot en de deur springt open. De envelop ploft neer voor haar voeten. Er branden blaren op beide kleine tenen. Omdat ze eerst niet de moeite wilde nemen haar panty's aan te trekken en daar later te aangeschoten voor was.

Ze werpt nog een snelle blik op de omgeving en bukt dan om de envelop op te rapen. Haar naam staat erop, alleen de voornaam, handgeschreven met een blauwe balpen. Ze sluit de deur met een klap en leunt een ogenblik met gesloten ogen tegen de muur. Ze doet haar schoenen uit en loopt blootsvoets door de donkere gang. De envelop in haar hand lijkt licht te geven. In de woonkamer sluit ze eerst de lamellen achter de gordijnen voordat ze het licht aandoet.

Op de roomwitte correspondentiekaart die ze met trillende vingers uit de envelop haalt, staat slechts een enkele handgeschreven zin. *In onze nood wenden we ons tot Hem die over ons waakt.* Het is een kinderlijk handschrift, de letters golven heen en weer. Misschien was de schrijver dronken, of onzeker. Of vervuld van goddelijke waarheid. Grommend om de aandacht die ze ongewild schenkt aan de afzender, scheurt ze de kaart in tweeën en smijt de helften in de prullenbak. Terwijl ze de laptop opstart, bedenkt ze manieren om zich van de boodschapper te ontdoen. De volgende keer dat ze hem ziet, zal ze hem opnieuw binnen vragen en hem zien te verleiden. Ze zal foto's maken met haar mobiel en deze op internet zetten. Hem een slaapmiddel toedienen en zijn baard afknippen. Vragen of hij haar wil leren geloven en daarna op haar blote knieën voor hem gaan zitten. En bukken, natuurlijk, diep bukken voor hem. Ze kan de foto's bewerken en afdrukken en in de omgeving van zijn huis en kerk aan lantaarnpalen en op bomen plakken. *Zoekt en gij zult vinden* zou er op kunnen staan. Of *En zo betreden wij zijn heerlijkheid. Eert de bron waaraan gij ontspringt,* dat is ook een goeie.

Zodra ze haar e-mail opent, verdwijnt haar wraakzucht even snel als hij gekomen is. Er is een nieuw bericht van Rosa. Het bericht is tien minuten geleden binnengekomen. Het is al laat dus mama zal wel aangeschoten zijn en in een van haar sentimentele buien. Birgit gaat zuchtend zitten. Met een muisklik haalt ze haar moeder naar zich toe.

Voordat ze de kans krijgt te lezen, snerpt het geluid van de deurbel door het huis. Haar hart klopt in haar keel. De tijdsaanduiding rechtsonder in het scherm van de laptop geeft 23:17 aan. De gang ligt donker voor haar. Als ze het raampje eergisteren niet had afgeplakt, had ze kunnen zien wie er voor de deur staat. Nu moet ze raden. Ze verwacht en vreest de boodschapper. Even twijfelt ze, opendoen of negeren. Stampvoetend loopt ze de donkere gang in. Opnieuw klinkt het scheurende geluid van de bel. Dan stoot ze zo hard met haar pijnlijke teen tegen een van haar schoenen dat deze naar voren schiet en met een harde bons tegen de deur tot stilstand komt. Alsof ze op haar eigen deur klopt. 'Birgit, is alles in orde?' De vraag wordt haar op dringende toon dwars door de gesloten deur gesteld. Nu durft ze de deur te openen. Scheef, met een hand tegen de deurpost geleund, staat Cees naar haar te grijnzen. 'Alles in orde?'

Birgit is zo opgelucht dat ze alleen maar kan lachen en hem binnen laat. Onderweg naar de kamer raapt ze haar schoenen op. Als ze zich bukt terwijl Cees achter haar aan loopt, denkt ze onwillekeurig aan haar fantasieën over de boodschapper. Snel komt ze overeind en gaat Cees voor naar de kamer. Om zich een houding te geven zet ze haar schoenen overdreven zorgvuldig in het schoenenrek, daarna gaat ze zwijgend tegenover hem staan. Wat een wonderlijke dag, denkt ze voordat ze haar gezicht naar hem opheft. Er trekt een film aan haar ogen voorbij. Een doodstille leguaan op een blond meisjeshoofd. Spartelende vissen in een plas op een donkergrijze keukenvloer. Een met wit damast gedekte tafel, kristallen glazen gevuld met donkerrode wijn. Een hand met bleke, dunne vingers, die eerst een witte envelop tegen haar deur aanzet en vervolgens door een eindeloos lange, donkere baard strijkt. Zand, schelpenwit zand, met her en der kleurige parasols en loom gestrekte lijven. Zwart en wit. Roodverbrand. En daar is Mara. Mara met haar uitgroeiende geverfde haar en zilverpuntige hondenhalsband. Haar mond vertrokken en met tranende ogen van een bijna-verstikking. Achter Mara zweeft wasgoed, wit en stil. Sierlijk heft een jonge vrouw een paar slanke blote armen.

Onwillekeurig zucht Birgit als ze warme adem tegen haar wang voelt. Er strijken twee handen neer op haar schouders. Langs beide zijden van haar hals wrijft een duim omhoog en omlaag. Ze wordt binnengezogen in een omhelzing vol wijn en sigarenrook. De vreemde tong ligt zwaar, als een slapend dier, opgerold in de warme mondholte. Birgit zuigt de tong tot leven. Haar handen liggen tegen zijn achterhoofd. Ze duwt en wrijft, verleidt hem tot bewegen. Ze verbaast zich over haar onverwachte gulzigheid. Het oplichtende scherm van de computer zet de kamer in een kil licht. Ze maakt zich los van Cees en pakt zijn hand. In de slaapkamer trekt ze hem naast zich op het tweepersoonsbed. Ze zoekt onmiddellijk opnieuw zijn mond, zijn tong is nu klaarwakker en beweeglijk. Cees manoeuvreert zich half over haar heen. Terwijl ze kussen, voelt ze zijn ene hand op haar borst, de andere glijdt van haar knie omhoog langs haar dij. Het windt haar op te denken dat hij zal voelen dat het ragfijne slipje dat ze draagt al vochtig is. Het is lang geleden dat er iemand in haar slaapkamer was, te lang.

Ze opent haar ogen. Ook Cees heeft zijn ogen open, misschien al wel de hele tijd. Het oogcontact verbreekt iets, het brengt haar even zodanig in de war dat ze hem met beide handen tegen zijn schouders van zich afduwt. Hij gaat op zijn zij liggen, grijnst in het halfduister van de kamer en haalt een condoom uit zijn broekzak. Onmiddellijk pakt ze het van hem aan. Zijn vinger glijdt onder de rand van haar slipje terwijl hij in haar ogen kijkt. Ze herkent de veranderende ademhaling die door de op handen zijnde seks wordt gewekt. Gedreven door een golf roekeloze wellust ritst ze zijn jeans open, scheurt de verpakking kapot en schuift het condoom een klein eindje over de ronding van de gladde top. Dan legt ze duim en wijsvinger om de erectie en buigt zich voorover om met haar lippen het condoom af te rollen. Het lukt wonderwel, ze is het niet verleerd. Als ze haar lippen maar strak genoeg houdt en haar tanden voorzichtig mee laat werken. Cees leunt achterover, steunend op zijn ellebogen ziet hij hoe zijn geslacht steeds verder in haar mond verdwijnt. Ze speelt hier en daar wat met haar vingers, geeft duwtjes en oefent druk uit. Als het condoom helemaal afgerold is, richt ze zich op om het resultaat van haar inspanningen te bekijken en zijn slip samen met de jeans van zijn benen te trekken. Als hij zijn overhemd heeft losgeknoopt en het uittrekt, ziet ze een getatoeëerde adelaar vlak onder zijn sleutelbeen. Ze gaat vliegen. Ze trekt haar slip uit en sluit haar ogen. 'Kom.'

Vier dagen later, het is vrijdagmiddag, zit Mara alweer tegenover Birgit.

'Is je moeder nog in Afrika?' De vraag wordt vergezeld door een opwippende voet. Automatisch registreert Birgit Mara's lichaamstaal.

'Ja.'

'Lekker. Zon, zee, strand. Reist ze alleen?'

'Ja. En jij, welke dingen doe jij graag alleen?' Eigenlijk zou ze Mara wel meer willen vertellen over Rosa maar haar professionele houding weerhoudt haar.

Weer wipt Mara's voet op. 'Ik was een paar weken geleden nog in mijn eentje op een festival. Nou ja, met nog negenhonderd anderen. Een festival is natuurlijk niet te vergelijken met een reis naar Afrika, maar er zijn overeenkomsten. Negenhonderd mensen samen in een bos op reis. Naar zichzelf.' Mara lacht, haar ogen zijn vandaag niet opgemaakt maar haar lippen felgekleurd. Op een van haar voortanden zit een veegje rood. Birgit wil het al de hele tijd zeggen maar tot nu toe is er nog geen geschikt moment geweest. Mara kletst al een halfuur door, Birgit kan er nauwelijks tussenkomen. Ze wordt er ongeduldig van. Mara lijkt het echte onderwerp van gesprek te vermijden. Tussen Birgits benen schrijnt het. Het liefst zou ze opstaan en de boel daar beneden even lekker laten doorwaaien of in het toilet een koel doekje tegen de brandende huid leggen. Cees heeft een zware baardgroei en hij heeft haar langdurig verwend met zijn mond. Even wou ze dat Mara wegging.

En dan komt Mara plotseling to the point. 'Goed dan, voor de dag ermee. Ik heb tegen je gelogen toen ik vertelde dat mijn man een affaire heeft. Niet mijn man maar ikzelf heb een verhouding. Al anderhalf jaar. Mijn man weet van niets, niemand weet er iets van. Ook mijn vriendinnen niet. Het is een geheim. We hebben het heerlijk samen, die ander en ik. Hij is ook getrouwd. Ik schaam me voor mijn man, voor de kinderen. Ik schaam me en ik wil het niet opgeven. Als ik het vertel, is het over. Dan is iedereen verdrietig. Wie schiet daar iets mee op. En toch schaam ik me verschrikkelijk. Het is zo ingewikkeld, er zitten zo veel kanten aan. Ik vind dat jij dit van mij moet weten. Die aanvallen van angst en de angst voor vergankelijkheid, die hebben natuurlijk met de situatie te maken. Je moet me helpen Birgit, iemand moet me helpen. Ik houd zielsveel van mijn man, en toch zoek ik die ander steeds op. Ik houd van ze allebei, van allebei tegelijk, en ik durf het niemand te vertellen.'

Bij de laatste woorden gooit Mara haar hoofd achterover en zwaait wanhopig met haar armen. Dan laat ze zich achterovervallen en kijkt naar haar handen die nu stil op haar dijen rusten. Ze ziet er plotseling jaren ouder uit. De vergankelijkheid wordt zichtbaar, denkt Birgit.

'Dat lijkt me zwaar, Mara, zo'n geheim te dragen. En zo'n dilemma te hebben waar je in je eentje uit moet komen. Hoe voel je je, nu je het hebt verteld?'

'Bang. Ik vind het doodeng.' Mara's stem is nauwelijks hoorbaar.

'Om te beginnen, Mara, wil ik nog eens benadrukken dat je geheim veilig bij me is, alles wat er tijdens onze sessies hier gebeurt, blijft binnenskamers. Ten tweede, het is goed denkbaar dat de angsten die je hebt in directe relatie staan tot dit geheim. En ten derde, ja, natuurlijk wil ik je hierbij helpen.'

Mara heft haar hoofd op, in haar ogen glanzen tranen. Ze haalt met een snuivend geluid haar neus op, veegt haar hand langs haar ogen en lacht kort. 'Dank je. Ik ben opgelucht nu je het weet.'

'Fijn. Dat lijkt me een goede start voor het vervolg. Ik denk dat het belangrijk is dat jij komende week nadenkt over waar je met mijn hulp uit wilt komen. Hoe lijkt je dat?'

Mara knikt instemmend met een korte heftige beweging. 'Goed. En moet ik die andere man vertellen dat ik getrouwd ben? Wat denk je? Wat is jouw advies, als dochter?'

'Helaas, daar kan ik geen uitspraak over doen, dat is helemaal naar jouw eigen inzicht en behoefte. Je moet je wel goed de consequenties van zoiets realiseren. Neem geen overhaaste beslissingen in je enthousiasme, of in je nood. Je kunt jezelf zo gemakkelijk voorbijlopen, bijvoorbeeld door de opluchting van dit moment. Doe rustig aan, is mijn advies. En wees een beetje coulant voor jezelf.'

Waarom wilde ze mijn advies als dochter, vraagt Birgit zich af zodra Mara vertrokken is en ze haar aantekeningen maakt. Birgit had kunnen zeggen dat een moeder een eigen leven heeft waarvoor alleen zijzelf verantwoordelijk is. Dat een ouder over zijn of haar liefdesleven aan een kind geen verantwoording hoeft af te leggen. Zeker niet wanneer de kinderen zelf volwassen zijn.

Geërgerd sluit ze haar laptop. Als ze opstaat, voelt ze de schurende tinteling weer. Ze heeft Cees maandag, dinsdag en gisteravond gezien. Ook al doet ze haar best enige afstand te bewaren, haar lijf heeft zo zijn eigen wil. Het schreeuwt om meer van Cees. Een pijnlijk lekkere scheut trekt door haar onderbuik, even duwt ze haar dijen stevig tegen elkaar. Zondagavond ziet ze hem weer. Er is een heleboel dat haar erg aantrekt in Cees, en er is een klein dingetje dat haar verontrust. Eigenlijk zijn er twee dingen die haar niet lekker zitten. Het ene is dat hij vader is van een dochter. Het tweede is dat hij iets met kinderliedjes heeft. Nu zou dat niet zo erg zijn als hij ze bij de juiste gelegenheden zou zingen, maar Cees heeft een voorkeur voor het verhaspelen van bekende kinderliedjes in de slaapkamer. En daar raakt Birgit steevast van in de war. Ze vindt seks en kinderliedjes een verontrustende combinatie. Ze is er nog niet uit of ze het tegen Cees zal zeggen of dat het niet de moeite waard is omdat hun relatie toch geen lang leven beschoren is. Als ze met Cees blijft omgaan, krijgt ze automatisch zijn dochtertje erbij. En niet te vergeten de moeder van het kind.

Wat was ze blij dat Alphons geen eigen kinderen meebracht zodat zij en Inger gewoon twee zusjes konden blijven zonder te hoeven delen met stiefjes. Ook al was Birgit het huis uit, ze heeft toch erg moeten wennen aan een nieuwe man op de bank bij Rosa. Een die bleef, na alle kortdurende scharrels en mislukte pogingen tot een relatie in de woongroep. Erg goed heeft Birgit nooit begrepen waarom Rosa wilde scheiden. Wander is een schat, en bovendien een geweldige vader.

Mama is een zoeker, altijd geweest. Misschien is dit een goed moment om haar een mailtje terug te sturen. Je zou verwachten dat vrouwen van die leeftijd weten hoe het eraan toe gaat in de liefde. Maar wat een puinhoop maken ze ervan. Mara en Rosa worstelen, allebei op hun eigen manier, nog steeds met relaties. Birgit weet niet precies wat liefde is. Een romantisch waanidee dat wij verwarren met de drang tot voortplanting? Vergissen we ons als we denken dat we verliefd zijn op iemand om wie hij is? Om zijn mooie karakter, fantastische eigenschappen en uiterlijk? Ze staart naar buiten, ziet in een van de dakgoten aan de overkant een lapjeskat. Misschien geloven we zo graag in die romantische liefde omdat de drang tot behoud van de soort ons die heerlijke roze bril opzet. Maar Mara is al te oud om zich nog voort te kunnen planten, hoogstwaarschijnlijk heeft ze geen eitjes meer. Bij haar moet er dus iets anders aan de hand zijn. Verveling? De angst voor vergankelijkheid? Nog een laatste keer knallen voordat het doek voorgoed zakt? Eenzaamheid wellicht? De angst om alleen over te blijven?

In het begin van de relatie met Eelco konden ze uren in elkaars armen liggen. Zo dicht tegen elkaar aan vervaagden hun grenzen. Huid ging over in huid, zijn adem werd de hare, twee harten sloegen in één ritme. Ze had werkelijk niet kunnen zeggen waar zij begon en eindigde. In een gelukzalig niets dreven ze, in een bel van tijd en ruimte. Goedbeschouwd was het een verheven gebeurtenis. Zou je zoiets een mystieke ervaring kunnen noemen? Ook nu, met Cees, wil ze zo graag dat zuivere, dat mooie. Zo zou het moeten zijn, liefdevol, geil en mystiek tegelijk. Hoe doe je dat? Wat Rosa zoekt, is waarschijnlijk niet anders, ook zij wil opgaan in iets of iemand. Om van zichzelf verlost te zijn. Snakt niet iedereen daarnaar, naar iemand die ons van onszelf verlost? Zelfs als we verlaten en ingeruild worden. Of als we plotseling alleen zijn, zoals Rosa nu. Ze was niet gelukkig met Alphons. Maar nu hij dood is, mist ze hem misschien toch wel.

Onderweg naar huis doet ze boodschappen. Ze is moe, waardoor er een onzichtbare barrière tussen haar en de omgeving lijkt te staan. Het kost haar moeite om vooruit te komen.

In de brievenbus ligt een envelop. Het is een uitnodiging om een gebedsdienst bij te wonen in een grote tent in het parkje vlak bij waar ze woont. De voorganger is een Amerikaanse predikant. Hij is bekeerd in de gevangenis, waar hij een lange straf uitzat. Nu verkondigt hij wereldwijd het wonder van de wedergeboorte. De toegang tot de dienst is vrij, giften worden op prijs gesteld. Birgit bekijkt de kleurenfoto van de kleine donkere man grondig. De wit gesteven manchetten kunnen de tatoeages op beide polsen van de zwarte man niet helemaal verbergen. In de gevangenis heeft hij kennelijk tijd gehad een nieuwe carrière uit te stippelen. Birgit moet lachen om de flyer. Onrustbarend echter zijn de met pen geschreven adressering en het ontbreken van een postzegel. Het betekent dat de boodschapper zelf hier is geweest. Dat is bepaald geen prettig idee. Ze had gehoopt dat hij haar niet meer lastig zou vallen. Er is ook een ansichtkaart. Birgit heeft het gevoel dat er aan alle kanten aan haar wordt getrokken. Wat willen ze toch van haar?

Ze leest dat Rosa volop geniet en haar ogen uitkijkt. En dat ze twee leuke Nederlandse vrouwen heeft ontmoet. De foto op de voorkant is een dorpstafereel. Schitterend geklede vrouwen achter hoog gestapelde meloenen en wortels. Op hun hoofden al even mooi geknoopte doeken. Er wandelt een vrouw met een baby op haar rug, het kleine zwarte hoofdje ligt met een wang tegen moeders kaarsrechte rug gedrukt te slapen. Felgekleurde plastic emmers en teilen steken mooi af tegen de aangestampte rode leem op de grond. Een kleurrijk tafereel uit een verre wereld.

Birgit legt de kaart op de keukentafel, maakt een prop van de uitnodiging en gooit deze in de prullenbak. Ze vraagt zich af of die vrouwen ook bekeerd zijn. Vroeger waren de Afrikanen de pineut, nu zijn de rollen omgedraaid. Ze zet de kaart met een magneetje vast op de koelkast. De vorige kaart was een spotprent van een wulpse, schaars geklede, jonge vrouw met kroeshaar en dikke lippen. Ze wandelt langs het strand, hand in hand met een kalende man van wie de buik ver over de broekband puilt. Zij belt met haar mobiel, in het tekstballonnetje zijn een reeks euro- en dollartekens te zien en de woorden 'Ha Ha'. Het tekstballonnetje bij de man wijst naar zijn hoofd, er zijn hartjes en pijltjes omheen getekend. Het woord *sex* is met uiteenspattende hoofdletters geschreven.

Rosa had beter een kaart van een zwarte jongen met een oudere vrouw kunnen sturen.

Birgit ruimt de boodschappen op en kookt een snelle maaltijd met zalm en pasta. Eerlijk gezegd is ze het alleen wonen een beetje zat, altijd die ene placemat met dat ene glas.

Met een schuin oog op het nieuws in de stadskrant eet ze de pasta en een tomatensalade. Nadat de vaatwasmachine is ingeruimd, neemt ze een tweede glas wijn mee naar de kamer. Ze doet de tv aan, zet het geluid uit en pakt haar laptop. Er is een mailtje van Wander. Ze opent het bericht.

Ha lieverd,
Even lekker lachen? Zie thedaymomcametovisit
1e keer: bescheuren
2e keer: nog eens bescheuren
3e keer: zijn dat acteurs?
Knuffel /Kus/ Omhelzing Wander

Glimlachend opent ze het meegestuurde linkje. Ze heeft bij voorbaat al pret want wat Wander stuurt, is altijd raak. Het filmpje over *Mom* op bezoek is inderdaad ongelooflijk geestig. Als dit in scène is gezet, dan zijn de acteurs fenomenaal in hun timing. Ze bekijkt het drie keer en schiet telkens opnieuw in de lach. Van Wander kan ze het hebben dat hij grappen maakt over haar moeizame relatie met Rosa. Hij stuurt graag foto's en filmpjes waarin ouders, vaker moeders dan vaders, een dramatische hoofdrol spelen. YouTube voorziet hem ruimschoots van materiaal. Birgit en Rosa zijn bepaald niet de enige twee met een moeizame verhouding. Ze mailt hem terug.

Ha ha pap, heel erg geestig, dankjewel.
Zo'n moeder kun je ook nog hebben, het kan nog erger dus?
Kus!

Nagrinnikend typt ze als zoekwoorden Gambia en sekstoerisme in. Het levert een stroom aan documenten op. Reisverslagen, informatie van een bureau voor toerisme, boeken over het onderwerp. Als ze een artikel van de hand van een student sociale wetenschappen leest, wordt haar duidelijk dat het klopt wat ze denkt. Het 'omgekeerd sekstoerisme' in Gambia is in feite prostitutie. De blanke vrouw betaalt de Gambiaan voor seks. Soms zijn de mannen die hun diensten aanbieden, de zogeheten '*bumpsters*', minderjarig. Ze hebben er hun beroep van gemaakt toeristen te verleiden. *Bumpsters* zijn professioneel en onovertroffen charmant. Hun beloftes blijken voor velen onweerstaanbaar. Achter de eeuwig glimmende lach schuilt pure noodzaak. Levensbedreigende armoede en werkloosheid drijft de jongens ertoe hun lichaam aan te bieden.

The Smiling Coast, ja ja. Birgit sist verontwaardigd.

Uit interviews met ouders en familieleden blijkt dat men zich schaamt en zich vernederd voelt, maar dat er in hun ogen geen andere optie is. De jongen krijgt waar hij op uit is: geld, eten en kleding. Van het geld profiteert de familie, en daarmee de gemeenschap, ook mee. In een enkel geval wordt de jongen zelfs jarenlang financieel gesponsord om te kunnen studeren.

In Gambia gebeurt het ook andersom natuurlijk, zoals elders. Oudere mannen met jonge meisjes. Tot nu toe verkiezen de meeste blanke mannen Thailand. Maar er is een kentering zichtbaar...

Birgit klikt het document weg en opent een artikel over besnijdenis bij Gambiaanse meisjes. De foto's van gillende meisjes met verminkte geslachtsdelen zijn zo confronterend dat ze de site onmiddellijk verlaat. Ooit is er iemand geweest die dit heeft verzonnen. Waarom? Het kost haar moeite zich voor te stellen dat clitorale verminking bij een cultuur hoort. Mogen vrouwen dan niet genieten? En wie wil zoiets in hemelsnaam uitvoeren bij een kind? Rosa zou er beter aan doen die meisjes daar te helpen in plaats van te liggen rollebollen met een jongen.

Stel je voor dat Aya... Néé, daar wil ze niet aan denken. Eigenlijk zou ze Rosa nu onmiddellijk moeten bellen. Haar vragen of ze wel weet in wat voor land ze zit. Een land waar mensen sterven van de honger, waar middelbare blanke vrouwen misbruik maken van die honger en waar meisjes kapotgemaakt worden. Zouden die jongens het soms fijner vinden met buitenlandse vrouwen omdat de seksualiteit uit hun eigen vrouwen gesneden is?

In de keuken schenkt ze nog een halfje wijn in. Nee, ze gaat niet met Lisa naar Gambia. Niet dat ze het werkelijk serieus heeft overwogen, maar nu heeft ze helemaal geen behoefte meer Rosa in Afrika te zien. Het is pas tien uur. Ze ruimt de vaatwasser uit om iets omhanden te hebben. Rusteloos vist ze de uitnodiging uit de prullenbak. Terug in de kamer kijkt ze met een half oog naar het *Journaal*. Ondertussen googelt ze naar informatie over gebedsdiensten in Nederland.

Vooral de Pinkstergemeente is actief op dit gebied. De filmpjes die Birgit bekijkt, laten grote bijeenkomsten zien. Overal ziet ze hetzelfde: een bezeten prekende voorganger op het podium omringd door assistenten. De mannen – waar zijn de vrouwen? – in ouderwetse pakken. In uitverkochte zalen, kerken en tenten beweegt en bidt het publiek hartstochtelijk mee. Het heeft iets van een orgie, vindt Birgit. Ze doet de tv uit en opent een ander filmpje.

'... en het stamhoofd verbood me te evangeliseren of te dopen. Natuurlijk trok ik me niets aan van een niet-bekeerde wilde. Na de doopplechtigheid in de rivier werd me de weg versperd. Wijdbeens in hun rokjes stonden de onwetende Papoea's achter hun stamhoofd. De speren opgeheven en bloeddorst in hun ogen. Ik dacht dat mijn tijd gekomen was. Maar ik vroeg God om hulp en begon te bidden. Eerst in mezelf, zacht, maar al snel gebruikte ik de gave van de gebedstaal. Deze macht die ons gegeven is.

Daar stond ik, in de binnenlanden van Nieuw-Guinea, tegenover een zwart stamhoofd dat vóór mij nog nooit een blanke had gezien. Ik bad luidkeels en plots beefde hij. Vlak voor mij begon hij te trillen. Hij keek me aan en sidderde over heel zijn lichaam. En ik bad en dacht: niet ik verdien het hier te sterven, maar hij. Dit is een slecht mens. Toen wierp hij zijn speer van zich af, pakte mijn hand en stamelde iets. Ik verstond zijn woorden niet maar ik begreep hem zeer goed. Hij gaf zijn slechtheid toe. Gaf zich over. Hij knielde, boog voor mij. Ik had het bewijs van de kracht van Gods gebedstaal bewezen.' Triomfantelijk kijkt hij de verzamelde gemeente aan. 'Halleluja', klinkt het hier en daar uit de zaal.

'Slecht? Slecht, hoor wie het zegt! Arrogante betweterige kwast!' Birgit praat hardop tegen het scherm. Een typisch voorbeeld van de waarheid preken, denkt ze, denken dat je gelijk hebt omdat je gelooft. Zo dom.

Ze klikt naar een opname van een gebedsbijeenkomst in een tent in Groningen. Achter het podium schreeuwt een spandoek: *Jezus leeft!* De voorganger is een Nigeriaan met de profetische naam John Peter Joshua. Met welluidende stem zweept hij zichzelf en de toehoorders op. Zijn Engels gaat af en toe over in een zangerige, onverstaanbare taal. Spreekt hij hier in tongen? Gefascineerd kijkt ze toe hoe de man met gesloten ogen energiek naar het midden van het podium loopt, zijn armen hoog geheven. Aan de rand van het podium worden de bezoekers die willen genezen door assistenten in een rij gedirigeerd. Het zittende publiek scandeert Jezus' naam. Men slaat zich op de borst of heft de handen ten hemel. Sommige mensen zitten schuddend op hun stoel, een enkeling valt op de grond en blijft rollend liggen. En dwars door alles heen weergalmt de door een microfoon versterkte, dwingende roep om hulp van *Jesus the Lord.*

Bij het zien van dit vertoon schiet Birgit bijna in de lach. Hoofdschuddend kijkt ze verder. De eerste gelukkigen van de lange rij worden aangeraakt door de zwarte man. Met naast zich een aantal assistenten die hem beschermen, legt hij de hand op de zieke die om heling komt. Met luide stem wordt de duivel opgedragen te verdwijnen. Het publiek in de zaal laat zich tot grote hoogte opjutten. Een kennelijk genezen meisje rent door de gangpaden, springt over een rollende vrouw en barst uit in een jubelend gebed. Ze wordt opgevangen door een man.

Die baard! Birgit herkent hem onmiddellijk.

Hij is vol in beeld als hij zijn armen om het meisje heen slaat en haar tot rust maant zodat hij haar kan ondervragen. 'Is de pijn weg? Kon je zonet niet lopen? Heeft de Heer zijn wonder verricht?' Over de wang van het meisje rolt een traan, ze knikt bevestigend. De boodschapper draait haar ruw om en toont haar aan de zaal. Er wordt hem een microfoon in handen gedrukt en hij begint te scanderen. 'Halleluja, halleluja. Jezus leeft, Jezus toont zich hier en nu door haar! Halleluja!' Zijn hand ligt als een klem om de bovenarm van het nu verschrikt kijkende kind. Dan duwt hij haar vooruit. 'Loop! In Jezus' naam, loop!'

Ongelovig en geschokt sluit Birgit de laptop en drinkt in een enkele teug haar glas leeg.

Muziek! Op de zachte, vertrouwde klanken van Adele loopt ze naar de badkamer. Nee, terug. Ze controleert of de deuren op slot zijn en de lamellen goed gesloten. Ze merkt aan het trillen van haar vingers dat ze eigenlijk erg bang is. Die baardaap is een gevaarlijke gek!

In de badkamer draait ze de douchekraan open en laat het water stromen. Huiverend stapt ze in de klaterende stroom. Ze luistert naar het ruisen van het water.

Er is niets aan de hand, spreekt ze zichzelf toe. Rustig nou maar. Er is niets veranderd vergeleken met een halfuur geleden. Niets. Je hebt filmpjes op het internet bekeken. Dat is alles.

Maar, en dat zou heel goed kunnen, misschien is het een waanzinnige stalker. Die ogen. Godsdienstwaan! Dat hij denkt dat jij gered moet worden.

Het beeld van de dwingende hand om de dunne bovenarm van het meisje laat haar niet los. Net zomin als zijn felle blik en de galmende toon waarop hij sprak. Als ze de kraan uitzet, hoort ze de bel. Haar hart slaat een slag over. Snel grist ze een badlaken van de stapel en slaat het om zich heen.

Cees heeft zijn papa-dagen. Lisa komt nooit zo laat zonder afspraak. Bewegingloos hoort Birgit dat de bel voor de tweede keer gaat. Het geluid veroorzaakt pijn in haar lichaam. Scherp als een mes, dwars door haar borst en buik.

Ze hoort haar eigen fluistering. 'Papa, mama, help...'

Na enkele minuten komt ze in beweging. Afgezien van de stem van Adele is het stil. Met gespitste oren droogt ze zich af en doet haar badjas aan. Ze besluit Inger te bellen voor een geruststellend gesprekje over Aya of om een ouderwets partijtje te kibbelen. Ineens mist ze haar zusje vreselijk. Ze verlangt naar Wander en ze wil Rosa... Gelukkig neemt Inger de telefoon op.

'Ha grote zus, hoe is-ie?'

Birgit barst in snikken uit.

ROSA

HET MEISJE IN DE HOTELBOETIEK IS ZO OOGVERBLINDEND mooi dat ik het niet kan laten vanonder mijn wimpers naar haar te blijven kijken. Met mijn vingertoppen volg ik de contouren van de uitgesneden giraffes aan de uiteinden van het houten slabestek.

Ik overweeg enkele setjes te kopen voor de meisjes en vriendinnen thuis. Voor Aya heb ik kleurige armbandjes en een schattig gevlochten tasje gekozen. Ik neem een slabestek met zebra's, een met olifanten en eentje met de giraffes. Allemaal dieren die in Gambia niet of nauwelijks voorkomen, daarvoor moet je dieper het continent in. Het kan me niet schelen, ik vind het houtsnijwerk verfijnd en mooi uitgevoerd.

Bij het afrekenen valt het me op dat de wimpers van het meisje vals zijn. Gistermiddag bij de zwembadbar complimenteerde ik een van de serveersters met haar prachtige haren. In een snelle, sierlijke beweging tilde ze de lange staart van haar hoofd. Ze schoot in de lach toen ze mijn verbazing zag en vertelde dat het bij al haar collega's nep is. Nu begrijp ik waarom de winkeltjes in het dorp al die haarstukjes in het assortiment hebben. Wimpers, nagels en kapsels, allemaal plastic.

Ik vraag haar naar een veilige manier waarop ik zonder groep een tochtje kan maken. Van een van de reisleiders die zich in het hotel aanbieden aan de gasten heb ik gehoord dat je beter geen taxi kunt nemen omdat de gemiddelde taxichauffeur je bedondert waar je bij staat. En het openbaar vervoer in de lokale minibusjes is voor Europeanen sterk af te raden omdat er geen limiet zit aan het aantal passagiers. Volgens de reisleider loert het gevaar voor de alleen reizende onervaren toerist overal. Hij pleitte voor georganiseerde excursies. Het liefst bij hem te boeken. Een tochtje met een gids via het hotel kon zijn goedkeuring nog net wegdragen.

De georganiseerde vogelexcursie is me weliswaar goed bevallen, maar ik zou weleens zonder andere Nederlanders weg willen.

Het meisje vertelt dat bij de meeste taxistandplaatsen borden hangen met daarop de prijzen van de verschillende ritten. En dat de chauffeurs zich aan die prijzen houden om klanten niet af te schrikken. Ik herinner me niet ergens zulke borden gezien te hebben. Meestal ben ik zo druk bezig met het ontwijken van verkopers dat mijn aandacht niet bij uithangborden is. Het meisje benadrukt dat ik rustig, ook als vrouw alleen, een taxi kan nemen. Wel is het de gewoonte dat de klant lunch en drankjes betaalt, naast de ritprijs. Ze heeft mijn cadeautjes feestelijk ingepakt en wenst me een *happy stay at the Smiling Coast.*

In de tuin staat de dagelijkse groep mensen te wachten op het rituele voeren van de gieren. Tientallen nerveus dribbelende gieren zitten klaar, op het grasveld en hoog in de palmbomen. Enkele zwarte wouwen zweven boven het gazon. Het is een indrukwekkend gezicht de roofvogels zo dichtbij te zien. Ik blijf even staan kijken naar een dik jongetje dat zijn best doet een van de gieren met een stuk brood te lokken. De grote vogel komt zo dichtbij dat het kind van schrik een schop geeft. De gier slaat met zijn enorme vleugels en vliegt een eindje op. Het jongetje krijgt een fikse draai om zijn oren van een al even dikke man. De borsten van de man bewegen als bij een vrouw. Het kind roept iets naar de man en zoekt bescherming onder de arm van zijn moeder. Dan draaien alle hoofden naar het pad, waar de vogelgidsen aan komen lopen met schalen piepkuikens en vleesafval uit de hotelkeuken. Het vlees wordt hoog opgegooid voor de wouwen, die het met grote snelheid in een duikvlucht uit de lucht plukken. De gieren eten van de grond. Als het voedsel op is, zullen ze naar het vijvertje lopen om er te drinken en zich onder een stromende kraan te wassen. Daarna gaan ze in een rijtje in de zon zitten en spreiden hun vleugels wijd open. Dat vind ik steeds weer een ontroerend beeld. Het heeft iets kwetsbaars, zoals de vogels zich in de directe nabijheid van mensen in alle rust overgeven aan de warmte van de zon.

Ik wacht niet op het zonnebad van de gieren en ga naar mijn kamer om de pakjes weg te brengen en mijn tas te pakken. Misschien neem ik zo meteen die taxi al. Ik voel vandaag niets voor het strand of mijn boek.

Het kamermeisje is nog niet geweest, aan het voeteneind van het eenpersoonsbed ligt mijn beddengoed in een slordige knoop. Als ik de in elkaar gedraaide lakens zie, waaraan een woelnacht is af te lezen, voel ik mijn hart krimpen. Een bittere golf eenzaamheid overspoelt me, onverwacht en hevig. De onpersoonlijke inrichting van de kamer, mijn koffer, de pakjes, het komt me ineens allemaal zo zinloos, zo nietszeggend en leeg voor. Alle energie die ik vanochtend had, stroomt in één keer uit me. Een zware vermoeidheid komt ervoor in de plaats.

Met de verrekijker ga ik op het balkon zitten, in de schaduw van de wijdvertakte boom. Nu ben ik alleen. Alleen. Alleen. Alleen. Zoals een drenzend kind onophoudelijk om moeders aandacht zeurt, zo dringt de gedachte zich aan me op. Ik kan me er niet eens toe zetten de verrekijker op te tillen. Krachteloos staar ik in het groen van de bladeren. Het verre geluid van het ritmisch rollen van de branding wordt doorsneden door geschreeuw vanaf de tennisbaan en flarden muziek uit het zwembad. Onder me hoor ik een slepende tred. Even later zie ik een ouder echtpaar over het pad schuifelen. De vrouw loopt met een stok, de man ondersteunt haar met zijn hand onder haar arm. Stok. Stap. Rust. Stok. Stap. Rust. Aan zijn vrije arm bungelt een vrolijk gestreepte strandtas. Ze komen maar langzaam vooruit. Maar ze zijn samen.

Hete tranen stromen uit mijn ogen.

Wat moet ik met mezelf als er niemand is die van me houdt? Niemand die zo aan me gehecht is dat hij me vergeeft als ik weer eens zo dom ben om me tegen hem af te zetten. Niemand die me vasthoudt als ik moe ben van mezelf. Die me ondersteunt als ik dreig te vallen. Die me een kop thee aanbiedt en me laat toekijken hoe hij met zorgvuldige aandacht snoeit en bemest. Een kop hooithee met Alphons lijkt ineens zo verschrikkelijk veel fijner dan een glas wijn op een terras vol vreemden. Alleen. Alleen. Alleen. Je bent alleen, Rosa. Alleen.

Vanaf mijn kaak druppelen de tranen een voor een in mijn hals. Naast me op tafel liggen de schelpen stil en mooi te zijn. Voor mij alleen. Ik kan me niet verroeren. Ik schaam me. Ik schaam me voor de afwezigheid van verdriet om zijn dood. Of was het er wel en heb ik het niet gemerkt? Heb ik het niet kunnen voelen omdat ik zo overtuigd was dat onze liefde was uitgebloeid? Misschien heb ik veel meer van Alphons gehouden dan ik zelf weet. En dan ik hem liet merken. Wat maakt het uit dat hij liever biologisch at en voor het open raam stond te ademen. Wat maakt het uit dat hij graag las over reïncarnatie en leven na de dood. Wat maakt het uit dat hij precies wist wat hij wilde. Ik had hem wel wat meer kunnen waarderen om wie hij was en wat hij deed. Misschien is dit verdriet een uitvloeisel van mijn schaamte. Verkapte spijt over mijn gedrag.

Alleen. Alleen. Alleen. Als een ratelende goederentrein in de nacht dendert het woord dwars door alles heen.

Mijn hartstochtelijke gevoelens voor Rano lijken achteraf bezien verdacht veel op vastklampen. De drenkeling die zich aan een stuk wrakhout vasthoudt. Een kort moment van respijt in de armen van een ander. Een vreemde. Een jongen nog...

In plaats van de verrekijker sla ik mijn handen voor mijn ogen. Zonder iemand anders in de buurt is er alleen mezelf om in de ogen te kijken, en te beschuldigen.

Nu ben ik alleen.

Bewegingloos wacht ik tot de stroom tranen is opgedroogd. Mijn ogen branden en mijn oogleden zijn pijnlijk gezwollen. Eindelijk vind ik kracht om in beweging te komen. Boven de wastafel plens ik handenvol koud water tegen mijn gezicht. Voorzichtig deppend droog ik mijn wangen, hals en ogen. Bij het wit van de handdoek steekt het blauw van mijn ogen helder af. Langs mijn mond zijn de lijnen groeven geworden en de wallen onder mijn ogen lijken dikker en grijzer. Ondanks mijn gebruinde huid zie ik er ongezond uit. Terneergeslagen. Verslagen, zo voel ik me, verslagen door het leven. Een leven dat ik zelf verkoos.

Lusteloos verzamel ik spullen in mijn rugzakje. Ik kan me net zo goed rot gaan liggen voelen bij het zwembad of op het strand.

Morgen vertrekken Jessica en Simone, vanavond gaan we bij wijze van afscheid in een van de restaurantjes in het dorp eten. Tot die tijd moet ik me in mijn eentje zien te vermaken.

Een van de schoonmakers komt de trap op sloffen als ik de deur achter me dichttrek. Het is niet het meisje dat normaliter de kamers schoonmaakt. Het geld dat ik op het kastje heb gelegd, is vandaag voor deze man, ik hoop dat hij dat begrijpt. Toch aarzel ik. Als hij het niet begrijpt, heeft hij niets. Ik draai me weer om en vraag hem me te volgen. Hij blijft bij mijn schelpenverzameling staan kijken terwijl ik naar binnen ga om het geld voor hem te pakken. Voorovergebogen blaast hij het stof van de schelpen en verplaatst een van de kleine rozerode hoorntjes aan de rand. De zwarte huid van zijn vingers steekt prachtig af bij de tere kleuren. Ik bedank hem voor het schoonmaken en geef hem het geld. Opgelucht over mijn misschien overdreven actie neem ik de trap met twee treden tegelijk. Alles beter dan nu ook nog een vervelend gevoel te hebben over zoiets onduidelijks als de codes rondom het geven van een fooi.

Op het dak van een van de appartementen zitten de drie hamerkoppen dicht naast elkaar. Het karakteristieke silhouet van de vogels vrolijkt me op. Zo rustig mogelijk haal ik mijn verrekijker tevoorschijn uit de rugtas. De vogels lijken staande te slapen. Het bruin van hun verenkleed heeft allerlei nuances die pas goed zichtbaar zijn van zo dichtbij. De kuifveertjes, die hun kop zo grappig uitgerekt doen lijken, hebben aan de uiteinden piepkleine pluimpjes.

Het is een uur of elf, de zon brandt op mijn blote schouders en kuiten en er waait een warme bries door de tuin. Tuinmannen in groen uniform sproeien de gazons en snoeien de struiken aan de randen van het pad. Een van hen herken ik aan de oranje gebreide muts die hij altijd draagt. De vier letters op de voorkant knallen er uit: UNOX.

Rond de gigantische bloemen fladderen roomblanke vlinders. Het gras kleurt felgroen tegen het rood van het stenen pad.

'Mooie jongens, hè?' De donkere stem van Klaas bast naast me. Hij brengt een geur van zonnebrandcrème mee, zijn ogen zijn verborgen achter een zonnebril. Ik zie mezelf weerspiegeld in de glazen.

'Ja, een wonderlijk plaatje.' Snel zet ik mijn zonnebril op om mijn gezwollen oogleden te verbergen.

'Hoe gaat het? Morgen weer naar huis, naar de kbv'tjes. En jij?'

'Ik blijf nog een paar dagen. Wat zei je nou?'

'Kleine bruine vogeltjes, kbv'tjes. Bij ons vliegt zo veel klein spul dat op elkaar lijkt...'

We zwijgen. Roerloos staan we naast elkaar, onze blik op de dakrand gericht waar de drie hamerkoppen zitten.

'Mag ik je een drankje aanbieden, Rosa?'

'Graag.'

In de hoek het verst weg van het zwembad is nog een tafel vrij. De schaduw van de grote parasol kleurt Klaas met een zweem van zachtgeel licht.

Ik vraag om een koud biertje en rommel in mijn tas. Het is een lawaaiige plek, de muziek klinkt schel en er zijn een paar jongetjes die de hele tijd op een ruzieachtige toon naar elkaar schreeuwen. Ik schuif mijn stoel zo dat ik met mijn rug naar het zwembad zit. Door de spijlen van de balustrade zie ik vlak onder me het jonge Engelse stel met de tatoeages, ze liggen op hun buik te slapen. Iets verderop zit de Deense, zwaar opgemaakt, rechtop op een ligbedje. Ze staart naar haar jonge zwarte minnaar die voorover in de branding ligt. Voor het oog van iedereen doet hij zijn oefeningen. Zijn schitterende armen drukken zijn bovenlichaam keer op keer omhoog. Op het moment dat ik denk dat zijn armspieren op knappen moeten staan, komt hij overeind. Als een hond schudt hij zijn haren uit, glinsterende druppels vliegen van hem af. Ver op zee achter hem vaart een vissersboot. Ik pak mijn verrekijker. De jongen doet zijn zilveren halsketting af en bukt zich om een handvol zand te pakken. Hij schuurt het zilver tussen zijn zanderige vingers. Afwisselend spoelt en schuurt hij de ketting tot het zilver schoon is. Met snelle vingers sluit hij de ketting weer om zijn hals. Nog steeds met zijn rug naar het strand rekt hij zich uit en bukt zich.

Ik verleg mijn blik naar de Deense, die een zak zachte schuimsnoepjes kneedt. Met haar andere hand speelt ze met een flesje water. Als een taartje zit ze op het geel met rood gestreepte strandlaken. Het lichte opgestoken haar torent als een toef slagroom op haar gebruinde hoofd. De enorme glazen van een knalroze zonnebril rusten op haar gevulde wangen. Haar gave huid glanst van de olie, haar lippen heeft ze karmozijn geverfd. Het gebruinde vlees van haar mollige schouders wordt geaccentueerd door het feloranje van de bandjes van haar badpak. Om een verbazingwekkend slanke enkel glimt een zilveren kettinkje, de nagels van haar tenen zijn blauw gelakt. Om het geheel af te maken heeft ze haar verlengde vingernagels oranjerood geglazuurd.

'Ik neem ook een biertje, ik loop wel even naar de bar.' Klaas staat op, wacht niet op mijn antwoord en loopt weg. Onmiddellijk keer ik terug naar het kleurrijke tafereeltje op het ligbed. De Deense stopt een handvol snoep in haar mond en kroelt met haar teentjes in het zand. Ze is zo dik dat het haar moeite moet kosten om te gaan liggen, denk ik, laat staan overeind te komen, dus blijft ze maar zitten. In de branding is haar minnaar druk bezig zijn buitenste zwembroek te wassen. Zo te zien draagt hij drie broeken over elkaar. Net als het zilver wordt ook de broek met zand geschuurd en vele malen gespoeld. Tussendoor rekt hij zich omstandig uit en test hij zijn spierballen, de rug is naar zijn publiek gekeerd. Als toeschouwer weet je dat hij zich zeer bewust is van zijn publiek.

Achter hem, op zee, is de vissersboot dichterbij gekomen. De bovenlichamen van de roeiers aan de spanen buigen heen en weer, naar voren en achteren, ze hebben duidelijk moeite om vooruit te komen. Ondanks mijn doffe stemming en brandende ogen verlustig ik me aan de lichamen van de vissers en de jongen in de branding.

'Alsjeblieft. Proost.' In zijn grote hand lijkt het bierglas dat Klaas vasthoudt kleiner dan het in werkelijkheid is. Thuis ringt hij vogelkuikens, vertelde hij. Aan de bomen op zijn erf heeft hij nestkasten voor kauwen laten plaatsen. In het voorjaar klimt hij op een ladder, haalt met zijn grote handen een jong uit iedere kast en ringt het. Ik stel me het naakte, bevende lijfje van een warm vogeljong voor. Hoe Klaas het zorgvuldig en behoedzaam in de palm van zijn hand houdt. Hoe hij zijn vingers eromheen sluit om het warm te houden. Hoe hij het breekbare vogelpootje tussen zijn vingers vasthoudt en het razende hartje in het lijfje van de vogel tegen zijn vingers voelt. Hoe het iele piepen van het jong klinkt als hij het terug in het nest legt onder het woedende oog van de krassende ouders.

Ik verruil mijn verrekijker voor mijn zonnebril en hef het glas dat voor me staat. Het koude, bittere bier smaakt hemels. Troostend vult het mijn mond.

In de branding heeft de zwarte jongen gezelschap gekregen. Om zeker te zijn van wie ik denk dat het is, haal ik ze door mijn kijker dichterbij. Ja, het is Rano. De andere jongen trekt zijn broek weer aan en laat zich in het ondiepe water vallen. Dicht naast elkaar beginnen ze zich ritmisch op te drukken. Ik moet toegeven dat het er aantrekkelijk uitziet.

'Kijk die jongens eens hun best doen in het water. Baltsgedrag. Het zal niet lang meer duren voor er een blank vrouwtje bij zit. Let op.' Klaas heeft een toegeeflijke, ietwat vaderlijke bromtoon in zijn stem. Glimlachend leg ik de kijker op mijn schoot. 'Zo is de natuur.' Meer stoms weet ik niet te zeggen dus ik drink mijn glas leeg. Het bier is al een beetje lauw terwijl het er nog maar net staat. Het is uitzonderlijk warm vandaag.

'Zie, daar is er al een. Hé, is dat Simone niet?'

Klaas heeft gelijk. Simone loopt naar de jongens in het water. Ze zwaait naar ze en gaat op de harde strook zand zitten. Haar lichtblauwe bikini accentueert de bleke huid en rood verbrande schouders en rug. Ze had zich beter in moeten smeren. De jongens komen omhoog. Rano gaat naast haar in het zand zitten en de andere jongen schudt de tientallen gevlochten strengetjes uit. Simone buigt opzij om de druppels te vermijden. De jongens nemen afscheid door hun handen op verschillende manieren tegen elkaar te slaan. Ik ken het gebarenritueel van videoclips. Rano en Simone blijven zitten, de andere jongen gaat terug naar zijn Deense suikertante. Hij neemt plaats op het ligbed tegenover haar en pakt haar hand in de zijne. Zonder iets te zeggen zitten ze daar. De druppels op zijn rug weerkaatsen de zon.

Wat is samen? Hoe alleen kon ik me soms voelen terwijl ik samen was. De invloed van mijn gedachten op mijn stemming is enorm. Het zijn niet alleen genen die bepalen en hormonen die in mij huishouden. Mijn ratio doet evengoed mee.

'Ik lust er nog wel een, Klaas. En jij?'

'Komt eraan.' Hij staat al op. Ik wend me nogmaals naar het strand, zonder kijker. Rano en Simone zijn opgestaan en wandelen weg van het drukke hotelstrand. Verderop zullen ze langs het bos komen waar Rano me optilde en rondzwierde. Van de nacht die daarop volgde, probeer ik geen spijt te hebben maar het lukt me niet er zonder gêne aan terug te denken. Ik hoop hem niet meer te zien of te spreken.

'Alsjeblieft, Rosa. Proost.'

'Proost. Op de vogels.'

'Ik ben eruit welke vogel bij jou hoort. Weet je nog, dat spelletje in de auto?'

'Natuurlijk. Kom maar op.'

'De zwarte reiger.'

'De zwarte reiger?'

'De zwarte reiger, *egretta ardesiaca*, heeft een karakteristiek hoofd met aan de achterkant lange pluimen. Zwarte poten, gele voeten, zwarte ogen. Als hij staat te vissen vouwt hij zijn veren als een paraplu om zich heen. Om hinderlijke schitteringen in het water te voorkomen.'

'Dus zo zie jij mij?'

'Jij hebt schitterende ogen en kunt jezelf geweldig verstoppen als het je uitkomt. Als ik het zo mag zeggen?'

'Ik vat het op als een compliment, dank je Klaas. Ik heb nog nooit een zwarte reiger gezien. Je verzint het toch niet?' Ik ben verrast door het beeld van de zichzelf verbergende vogel. Zou Klaas zwarte gevouwen vleugels met een rouwsluier associëren? Als hij nu maar niet verwacht dat ik ook heb nagedacht over hem.

Bij het opstaan moet ik me even vasthouden aan de tafel. 'Het bier stijgt me naar het hoofd, geloof ik. Ik ga even naar mijn kamer.'

'Dit is voor mijn rekening, Rosa.'

'Dank je. Ik zie je vast nog vanavond in de bar.' Ietwat duizelig doe ik mijn best in een rechte lijn langs de tafeltjes en zonnende mensen te lopen. Er rolt een gele bal voor mijn voeten, een watervlug jongetje schopt hem bij me vandaan. De geur van gekruide kip en gefrituurde ui waait me tegemoet uit de open keuken. Veilig bij het trapje aangekomen vervolg ik mijn weg over de hete stenen van het tuinpad. Onder de bloeiende struiken scharrelt een groepje kleine rode vogeltjes, druk pikkend naar zaden en insecten. Tegen de muur die het terrein omsluit, zit een knikkebollende bewaker.

Alphons had gelijk toen hij zei dat het de mens zelf is die zich eenzaam en afgescheiden voelt van de anderen. Terwijl we in feite, door ons gedeelde mens-zijn, altijd met elkaar verbonden zijn. Alleen of samen, je bent het altijd, en tegelijkertijd.

Ik verlang naar de koelte van mijn kamer, naar een koud lapje op mijn stekende ogen. Ik verlang naar de druk van Alphons' hand. Naar zijn blik, die me tegelijkertijd omsloot en op afstand hield. Alphons was nooit romantisch, altijd vriendelijk en welwillend. Misschien ook liefdevol. Maar ik had het te druk met verwachten en afwijzen om dat nog helder te kunnen zien. Nu, nu zie ik het. Ik ben een expert geworden in het razendsnel openen en sluiten van mijn zwarte paraplu.

Hier moet ik het met Birgit over hebben. Misschien weet zij hier meer van, als psycholoog. Of is dit allemaal dronkenmansgebral? Vanavond zie ik het vast allemaal weer anders. Nu maar even een dutje doen, met een verzachtend oogmaskertje. Vanavond wil ik graag fris zijn.

Mijn kamer is schoon en opgeruimd. Op het tafeltje naast het bed staat een schaaltje met kunstig opgetast vers fruit. Zou dat de dank zijn voor mijn fooi van vandaag? Als ik een sinaasappel pak, valt mijn oog op het schrift met Alphons' verhaal. Ik druk het even tegen mijn borst voordat ik het opensla.

EIGENHEID

Terwijl het plateau tot stilstand komt, begint het in zijn maag en om hem heen te draaien. Wankelend stapt het kind uit de cirkel op de vloer. Hij kijkt rond en telt zeven deuren. Hij geeft zichzelf een opgave. De eerste deur die opengaat, moet hij openen. Er is niets wat de deuren van elkaar onderscheidt. Helemaal niets wat hem kan helpen een keuze te maken. Hij moet het helemaal zelf weten.

Maar ja, wanneer weet je iets? Hij sluit zijn ogen, houdt zijn adem in, tolt een paar keer om zijn as en loopt op de tast naar de muur.

Schuifelend volgt hij de muur tot hij een drempel voelt. Deze is het. Met beide handen duwt hij de deur open en stapt naar binnen. Onmiddellijk valt de deur achter hem in het slot. Vóór hem, midden in de donkere ruimte, licht een vierkant scherm op.

Afbeeldingen verschijnen en verdwijnen. Schilderijen, beeldhouwwerken, nog meer schilderijen maar nu in felle kleuren. Het zoemen van een projector is duidelijk hoorbaar. De jongen stapt iets verder de kamer in en blijft staan kijken naar de afbeeldingen.

Ineens is daar het ei.

Het ei ligt stil te glanzen. Onverwachte tranen prikken achter de ogen van het kind. Onwillekeurig steekt hij zijn arm uit. In een teder gebaar, verlangend het ei aan te raken.

Het geluid verstomt en het beeld staat stil.

Ineens hoort hij de stem van oom Durk in zijn hoofd. 'Waar zit jij nou naar te kijken?'

De jongen antwoordt fluisterend. 'Naar een plaatje van een ei. Een bronzen ei.'

'Een ei hoort in de pan. Daar ga je toch zeker niet naar zitten staren?' sneert Durk.

Weer fluistert de jongen. ' Zie je het niet? Zie je niet dat er iets in kan groeien?'

'Het lijkt mij een bedorven ei, met al die rare vlekken.' Oom Durk begrijpt er duidelijk niets van.

De jongen krijgt zin om zijn oom een lesje te leren maar weet dat dat zinloos is. Dus fluistert hij een snelle uitleg. 'Het is kunst. Een kunstenaar heeft zijn idee in brons gegoten.'

Oom Durks lach galmt in zijn hoofd. 'Ha! Wat nou kunst, een ei!? Als die kunstenmaker nou een kip had gemaakt, maar da's natuurlijk veels te moeilijk. Ik heb nog een zootje bronzen medaljes liggen van het kampioenschap biertappen. Ha ha, die gek mag ze hebben. Kunst... het moet niet gekker worden. En wat staat daaronder?'

Met hete wangen leest het kind de tekst hardop voor: 'Het begin van de wereld.'

'Ha ha! Het begin van de dág. Me dunkt, dat lijkt mij beter. Nou, weet je wat, als jij dat zo mooi vindt, mag jij morgenvroeg een vers eitje voor je ome Durk halen. Een kakelvers gekookt eitje, dat vind ik nou kunstig. Tjonge jonge, welke mafkees gaat er nou naar een ei zitten kijken?'

Het hoofd van de jongen wordt almaar heter van de strijd die hij in zijn gedachten met oom Durk moet voeren. Wie heeft gelijk? Hoe kun je weten wie er gelijk heeft?

De jongen kijkt naar het ei. Hij weet dat het brons vele kilo's moet wegen. Hij staart naar de glans en de in elkaar overlopende kleuren. Naar de oneindigheid van de gebogen lijn. Hij voelt hoe hij een eierschaal zou kunnen breken met zijn vingers, hoe hij een ongeboren jong in een handomdraai zou kunnen vermorzelen. Zijn knokkels worden spierwit als hij zijn handen tot vuisten balt. Als hij aan oom Durk denkt, wordt het stil en stijf binnen in hem.

Het ei ziet er ineens anders uit, de glans is eraf. Toch is het plaatje niet veranderd. Oom Durk maakt de dingen lelijk. Hij zou niet meer aan oom Durk moeten denken.

Het ei kan wel zonder hem, het zal er altijd zijn, ook zonder toeschouwers.

Hij verlangt naar het blauwe licht achter zijn ogen dat hij zag toen hij net bij de reus was aangekomen. Hij herinnert zich de kalmerende vleugelslag van de engel. Hij probeert de druk van de warme reuzenhand op zijn hoofd te voelen.

Onder zijn schedeldak dooft de herrie die oom Durk veroorzaakt langzaam uit.

Is dit eigenlijk wel een hotel? Kan hij zijn kamer terugvinden? Is zijn rugzak veilig of zou de reus er in rond zitten neuzen? Abrupt stapt hij op en loopt dwars door de schemerige ruimte, langs het projectiescherm, naar de tegenoverliggende wand. In de muur voor hem wordt de vage omtrek van een rechthoek zichtbaar, een deur. Resoluut legt hij zijn hand op de klink en duwt die naar beneden.

'*Truth or dare*, zullen we dat doen? Wie kent dat?' Jessica spreekt met dubbele tong. Na de biertjes waarmee we het vuur van het Afrikaanse eten doofden, zijn we in de hotelbar beland voor een afzakkertje met onze vrienden. Ik ben op water overgestapt, maar Jessica is bier blijven drinken. 'Jullie hebben toch nog wel zin in een spelletje voor het slapengaan? Kom op, we vliegen pas om vier uur, dat is laat me eens nadenken... Klaas, hoelang is dat nog?' Jessica legt haar vingers met de felrode nagels vragend op de behaarde onderarm van Klaas. Hij trekt zijn arm terug, kijkt op zijn horloge en antwoordt. 'Het is nu kwart voor een dus dat is nog vijftien uur en een kwartier uur.' Hij leegt zijn glas en zet het met een luide tik op het tafelblad. 'Hoe gaat dat spelletje van jou?'

Ben gaapt achter zijn hand en steekt zijn andere arm omhoog naar de ober. Ik ben benieuwd of hij om de rekening of een volgend rondje gaat vragen. Zes vingers steekt hij op, nog een rondje dus. '*Truth or dare*, dat is een gevaarlijk spel voor zover ik weet. Ik doe alleen mee als het over vogels gaat. Ik kan slecht tegen mijn verlies.'

De ober wisselt de lege flesjes voor zes nieuwe en twee schaaltjes pinda's.

'Oké, maar ik leg het alleen maar uit als iedereen meedoet.' Jessica schenkt het bier vanaf grote hoogte in. Ze heft het schuimende volle glas en wacht tot wij hetzelfde doen. We houden onze glazen hoog tussen ons in tegen elkaar en proosten.

'Telkens is een van ons aan de beurt. Die kiest voor *Truth* of voor *Dare*. Dat wil zeggen dat je een vraag krijgt waar je naar waarheid op moet antwoorden, of dat je een uitdaging voor je kiezen krijgt. Die uitdaging neem je natuurlijk aan. Dat is het spel. Je vertelt de waarheid of je toont je moed. Dat het al laat is en dat we elkaar hierna nooit meer zullen zien, maakt het alleen maar leuker. Je hebt toch niets te verbergen voor onbekenden? En het maakt geen zak uit of je afgaat tegenover ons. Sterker nog, je houdt er in ieder geval een goed verhaal aan over. Leuk voor de vrouwtjes thuis toch, Ben en Klaas, hoeven ze niet alleen maar jullie vogelverhalen aan te horen. Nou, wat doen we?'

'Kom maar op, ik begin wel.' Tineke staat op. Haar man heeft nog steeds buikloop en laat zich bijna niet zien. Ze heeft zich na de vogelexcursie min of meer bij ons damesgroepje aangesloten. 'Ik ga even mijn neusje poederen, dan kunnen jullie een mooi vraagje voor mij bedenken. En niet te schunnig, hè!' Heupwiegend loopt ze weg in een naar mijn smaak belachelijk krap halterjurkje.

'Hoe weten wij nou of ze de waarheid spreekt?' Simone buigt zich naar mij toe en fluistert dat ze bovendien niet bepaald zit te wachten op nog meer oninteressante ontboezemingen van Tineke. De mannen spitsen hun oren alsof ze verre vogelgeluiden horen. Behalve het snorren van krekels en Afrikaanse muziek hoor ik niets bijzonders.

‘Klaas, Ben, wat hebben jullie altijd al willen weten van Tineke?’

‘Wat ze in zijn eten doet om hem een week op de kamer te houden.’ Ben grinnikt en knipoogt naar Jessica. Klaas haalt zijn schouders op.

Ik vind het een ongemakkelijke situatie. Maar hoewel ik eigenlijk geen zin heb in dit spel, vind ik het vooruitzicht van mijn lege hotelkamer erger. ‘Of ze weleens iets strafbaars gedaan heeft, iets gestolen of zo?’ Dit lijkt me een vrij onschuldige vraag waar je gemakkelijk mee wegkomt.

‘Ja Rosa, dat is een goeie. Dat doen we.’ Jessica neemt een handvol pinda’s uit een van de bakjes en begint te kauwen.

‘Jij mag hem stellen, Jessica. Het is tenslotte jouw idee.’ Simone haalt een tubetje handcrème uit haar tas en begint haar droge handen in te smeren.

Er ritselt een windje langs de struiken en een fijne geur van bloesem drijft voorbij. Jessica steekt een nieuwe sigaret op en tikt met een nerveus gebaar de as af in de staande asbak naast haar. Haar glas is alweer bijna leeg. Daar is Tineke terug. ‘Zo, brandt maar los. Wat is de vraag?’ Rustig gaat ze zitten en doet een zinloze poging het te korte jurkje over haar dijen naar beneden te trekken.

‘De vraag is of je weleens iets strafbaars hebt gedaan?’

In de stilte die valt, kleurt Tinekes gezicht van rood naar donkerrood. Er parelen minuscule druppeltjes op haar bovenlip en in haar hals verschijnt een patroon van rode vlekken. ‘Hoezo?’ Ze fluistert, hees en haast onverstaanbaar.

'Fout antwoord, Tineke, wij stellen hier de vragen. En de vraag is of je weleens iets strafbaars hebt gedaan?' Jessica kijkt triomfantelijk naar ons, alsof ze iets gewonnen heeft.

'Iets kleins mag ook, hoor. Gewoon iets wat je als kind spannend vond en wat je nooit hebt durven opbiechten.' Klaas is schattig in zijn poging Tinekes ongemak te verzachten.

'Ja,' fluistert ze, 'ja, en nu moet ik naar Ger. De boel inpakken. Morgen...' voordat ze haar zin afmaakt, staat ze al naast haar stoel. 'Sorry, maar ik heb eerlijk gespeeld. De vraag heb ik naar waarheid beantwoord. Slaap lekker allemaal, tot morgen.'

Aan de achterkant is haar jurkje opgekropen tot aan de rand van haar slipje. Ik roep haar naam en maak een gebaar van naar beneden trekken. 'Je jurk! Van achteren!'

Gelukkig begrijpt ze me en trekt de zoom ver naar beneden. Ze zwaait nog een keer en loopt snel richting appartementen.

'Nou, daar was een hoop moed voor nodig, tjongejonge.' Jessica zakt zuchtend onderuit.

'Ze heeft toch antwoord gegeven op je vraag? Voor een ander antwoord had je de vraag misschien beter moeten stellen. Nou, heeft er nog iemand de moed om door te gaan?' Simone wisselt ieder biertje af met een glas water, ze is nog fris en fruitig. Hoewel de schilferende huid van haar hals en voorhoofd allesbehalve fris oogt.

De mannen staan tegelijk op. 'Zoals jullie weten, dames, zijn wij vroege vogels, dus als jullie het niet erg vinden, zoeken wij ons nestje op. Morgen weer vroeg uit de veren. Nu snaveltjes dicht en oogjes toe, is het niet, Klaas?' Ben slaat zijn zwager hard op de schouders. Klaas knikt een beetje sullig en laveert zijn grote lichaam tussen Ben en de tafel door.

'Ho eens even, heren, ik heb nog een vraagje uitstaan bij meneer Ben. *Remember*? In de auto, tijdens de vogeltrip? Als ik een vogel was, welke vogel was ik dan? Jij zou erop terugkomen, dit lijkt me een perfect moment.' Jessica gaat afwachtend rechtop zitten, ze inhaleert diep en blaast een strakke horizontale baan rook naar opzij.

Klaas frunnikt aan zijn pet. Hij wacht.

Ben houdt zijn hoofd scheef terwijl hij Jessica overdreven strak aankijkt.

'Laat die determidinges en die biotoop maar zitten,' zegt ze uitdagend tegen hem, 'vertel maar gewoon welke paradijsvogel je in me ziet.' Ze lacht iets te luid. De andere gasten en het personeel kijken nieuwsgierig naar onze tafel. Klaas doet een stap naar achteren, alsof hij er niet helemaal bij wenst te horen. Ben recht zijn schouders. Met een zwierige armbeweging zet hij zijn pet op.

'Goed dan, Jessica, de *Tockus erythrorhynchus*. De *red-billed hornbill*. Helaas ligt mijn vogelgids op mijn kamer, dus ik kan je hem niet laten zien. In het donker verwacht ik natuurlijk niet veel vogels tegen te komen. Dames, ik wens jullie goede nacht. Dat de slaap jullie vleugelen moge geven.'

'Wat is dat in godsnaam voor vogel, Ben? Zitten ze hier in de tuin?' Jessica vraagt het gretig.

'Zeker, hier, op dit moment zit er een tegenover me. Haha, nee zonder gekheid, 's morgens onder de bomen naast het vijvertje met het eendennest. Je herkent ze onmiddellijk aan de rode snavel. Truste dames, het was me een genoegen.'

'Je bedoelt toch zeker niet die Van der Valk-vogels?'

'Tot morgen.' Klaas zet eindelijk zijn pet op en gaat richting uitgang met zijn typische licht waggelende gang. Hij loopt alsof hij zijn gewicht bij iedere stap met moeite van links naar rechts verplaatst. Het fikse aantal biertjes helpt niet mee om zijn evenwicht te bewaren.

'Toen waren er nog drie. Nemen we nog een slaapmutsje? Ken jij die vogel, Rosa? Wat was het nog maar weer, red bil huppeldepup...' Zonder een antwoord af te wachten bestelt Jessica, met een zwaai en drie opgestoken vingers, nog een rondje.

'Drie bier voor *the three birdies overhere*... Geen idee wat voor vogel hij bedoelt...'

Ik weet precies welke vogel Ben bedoelt, iedere ochtend komen ze foerageren onder de grote bomen voor mijn balkon. Met hun imposante rode snavels zien ze er eigenwijs en vervaarlijk uit.

'Wat een droogkloten die twee. Er zit geen spatje gekkigheid in die hele Klaas. En Nederland mag blij zijn dat Ben met pensioen is, je zal zoiets als collega hebben! Morgen wil ik zijn vogelgids bekijken. Jij nog een watertje erbij, Simone?'

'Nog eentje dan. Jij bent vast heel blij, Rosa, dat je morgen niet met een kater het vliegtuig in hoeft?' Simone krabt aan de zijkant van haar hals, die er rood en geïrriteerd uitziet. 'Aargh, ik doe een moord voor een koud doekje.' Ze haalt een tubetje tevoorschijn en knijpt een flinke dot crème in haar handpalm. Opgelucht wrijft ze de crème uit in haar hals. 'Eczeem is een hel. Zeg dames, gaan we nog voort met het spel?' Ze wrijft de rest van de crème uit over haar handen en lijkt nieuwe energie te putten uit de verkoelende zalf. 'Wie gaat? Rosa? Jessica?'

Ik ben behoorlijk aangeschoten maar vastbesloten pas laat naar mijn kamer te gaan. Jessica is me voor.

'Ik ben wel toe aan een beetje spanning, moet ik eerlijk zeggen. Ik ben blij dat ik morgen naar huis ga, weer lekker aan het werk. M'n mannetjes wachten op me.' Die mannetjes van Jessica zijn verstandelijk gehandicapten, Jessica noemt ze mensen met mogelijkheden, die dagelijks naar de dagopvang komen waar Jessica locatiemanager is. Ze spreekt over de cliënten alsof het haar eigen kinderen zijn. 'Ik mis ze, weet je. De domme grappen en de *hugs*. Ik zal jullie ook missen, meisjes, het was erg gezellig. Rosa, Simone, een laatste kans om de waarheid te spreken en moed te tonen. Kom op.'

Simone kijkt me aan, haar wenkbrauwen hoog opgetrokken in twee vragende boogjes.

'Goed, verzin maar iets voor mij', zeg ik. 'Het maakt me niet uit, vraag of uitdaging. Ik ga wel even weg.'

Moeizaam werk ik me omhoog uit de lage stoel. De weg naar de toiletten lijkt vanavond veel langer. De mannen achter de bar, de meisjes achter de balie, allemaal groeten ze me vriendelijk. Ik doe enorm mijn best rechtop te lopen en de indruk te wekken niet aangeschoten te zijn. De deur van de toiletten klemt, na enkele stevige rukken geeft hij plotseling mee. De onverwachte zwieper die ik maak, behoort tot de klassieke slapsticksituaties. Lachend ga ik de toiletruimte binnen, het harde tl-licht werkt eerder op mijn lachspieren dan ontnuchterend. Ik vermijd de spiegel, plas, was mijn handen uitvoerig met zeep en probeer niet te denken aan wat er ondertussen op het terras voor mij bedacht wordt. Al die tijd lukt het me om niet naar mijn spiegelbeeld te kijken. Opgelucht verlaat ik de hol klinkende, betegelde ruimte.

'*Sit down*, Rosa.' Simone klinkt streng en gebaart met haar hand welke stoel ik dien te nemen. Volgzaam doe ik wat zij zegt. Jessica slaat haar benen over elkaar en leunt glimlachend achterover.

'We hebben een uitdaging voor je bedacht. We gaan naar het strand en jij gaat zwemmen. Neem je de uitdaging aan?'

Nachtzwemmen. Ik vind het een doodeng idee. 'Goed.' Het is eruit voor ik er erg in heb.

'Weet je zeker dat je dat durft? Nu?'

'Ja. Laten we gaan.'

Giechelend als een stel opgewonden pubers pakken we onze tassen en lopen naar de tuin. Jessica struikelt, ze grijpt mijn arm om zich staande te houden.

'Oeps, niet zo snel, meisjes.'

'Zachtjes doen, alsjeblieft. Iedereen slaapt.' Simone stoot Jessica aan en zwijgend vervolgen we onze weg, over het door lampen verlichte tuinpad naar het strand.

Het is windstil en de branding is duidelijk hoorbaar. Als Jessica maar niet de hele tijd zo veel herrie zou maken.

Struikelend loopt ze naast me, met één hand houdt ze zich aan mij vast en in de andere heeft ze een halfvol bierflesje. Simone gaat ons voor, rechtop en doelgericht.

'Je doet het toch niet, Rosa. Wie weet wat er allemaal in zee zwemt 's nachts.'

'Ik doe het wel. Wacht maar. En jij gaat mee.' Ik klets maar wat terwijl ik probeer mezelf aan te zetten tot een heldendaad. Waarom zou ik in vredesnaam doen wat zij vragen? Waar slaat het op om halfdronken en midden in de nacht de zee in te gaan? Wil ik iets bewijzen? Of iets wegspoelen? Ik weet het niet en ik vrees dat ik straks niet meer zal durven.

'Schoenen uit.' Bij de strandopgang, aan de rand van het terras, stoppen we. Ik heb de bewaker zien zitten, onder het afdak bij de open keuken, maar ik negeer hem. Hij zit goed verstopt in een donkere hoek, dit keer is er geen sigaret die hem verraadt.

'Ik hou mijn schoenen aan tot het water, er liggen overal schelpen.' Zonder dralen loop ik het hellende stukje af naar het strand. Het zien van de zee doet me huiveren. Achter me hoor ik Simone en Jessica aankomen.

'Zo, lekker donker hier. Niemand die ons ziet. Heb je je badpak bij je, Rosa? Het zou jammer zijn als je zonder moest.'

'Ik heb niet begrepen dat dat bij de uitdaging hoort.' Het komt er vinniger uit dan ik bedoel. Zo gaf ik Alphons vaak antwoord, op precies deze toon. Aanvallend en verongelijkt als een chagrijnig kreng. Arme Alphons. Hij bleef bij me omdat hij mij geweldig oefenmateriaal vond.

Mijn weersgesteldheid, zei hij, was zo onvoorspelbaar en mijn buien zo hevig dat hij het als een kunst beschouwde zijn rust te bewaren. Hij liet me eenvoudig uitrazen. Ik haatte de welwillende blik en stoïcijnse houding waarmee hij wachtte tot mijn onweer overtrok. Alsof ik hem niet raakte, niet kón raken. Alphons liet zich niet raken, en ik maar duwen en trekken. Er bekruipt me een naar gevoel. Het verhaal van Alphons. Had ik soms de rol van ome Durk in Alphons' leven? Het blauwe licht en de kalme vleugelslag van de engel, daar verlang ik plotseling naar.

De blik waarmee hij me bekeek, was er misschien toch een van liefdevolle genegenheid. Maar ik zag enkel dat hij alles van zich af liet glijden. Ik wilde dat hij ook ongelukkig was. Maar wat ik ook deed, hoe ik hem ook tergde, het lukte me niet hem uit zijn tent te lokken. Zelfs niet die keer op dat strand op de Azoren, waar ik gekleed het water inliep.

Kwallen.

Wat is het water ondoorzichtig, wil ik dit wel?

Ik wil. Ik doe het.

Ik herken de koppigheid die mijn kaakspieren verstijft. Ik weet dat ik het water in zal gaan. In mijn ondergoed. Bewaker of niet, ik mag toch zeker wel een beetje nachtzwemmen?

'Ik ga wel in mijn ondergoed. Mag dat ook?' Kippenvel verspreidt zich ondanks de zwoele nacht over mijn armen als ik mijn jurk uittrek. Rillend sta ik met mijn voeten in het vochtige zand.

'Iemand moet bij de spullen blijven. Dat doe ik wel.' Simone legt onze tassen en mijn jurk en schoenen een eindje verder in het mulle zand.

'Ik ga mee.' Jessica doet haar rok en hemdje uit en gooit ze met een boog naar Simone. 'Hand in hand, kom.'

Haar vingers knijpen mijn hand haast fijn, ik voel een scherpe nagel in de muis van mijn duim. Bibberend, voetje voor voetje, stappen we door het natte zand tot het water over mijn voeten stroomt. Op deze plek loopt het strand heel geleidelijk naar beneden en moet je flink ver gaan voordat je kopje-onder gaat. Hoewel er nog altijd een flinke stroming staat, voel ik het niet aan me trekken. Het lijkt hoog water, gunstig tij voor een zwempartijtje.

Onmetelijk groot ligt de zee in de donkere ruimte voor me. De halve maan legt een lint van licht op het water.

'Kom mee Rosa, rennen!'

Jessica trekt me mee en gillend rennen we het diepe tegemoet. Ik verbeeld me dat ik slierten slijm en draderige substanties voel dus ik laat Jessica los en beweeg wild met armen en benen om mogelijke aanvallers af te schrikken. Maaiend en watertrappend ga ik het water in tot ik de bodem kwijtraak. Als ik omdraai, zie ik Jessica's silhouet, ze staat in de branding. Hoor ik haar stem? Ja, ze roept me. Ik ben helemaal niet zo ver weg, als ik een meter terug zou gaan, sta ik alweer op de bodem. Nu ik er eenmaal in ben, is het water een stuk minder koud. Er zijn ongelofelijk veel sterren. Draaierig kijk ik omhoog naar het licht. Aya gelooft dat je een ster wordt als je doodgaat. Als Alphons een ster was, zou hij een stille ster zijn, een kleine ster, rustig en constant. Niet met dat regenboogkleurige flonkeren van sterren in een heldere vriesnacht. Nee, hij zou het witgele licht hebben van... nee, niet tl-licht, en ook geen halogeen...

'Help.' Mijn kreet om hulp is schril en vol van schrik. Ik weet zeker dat er iets groots langs mijn benen zwom. Trillend, met woeste reuzenslagen en veel lawaai zwem ik terug. Mijn hart slaat bonkend in mijn borst. Ik doe mijn uiterste best geen zeewater in te slikken. Doodsbang, druipend en hijgend struikel ik het laatste stuk door de branding.

Een grote gestalte heeft zich bij Jessica en Simone gevoegd. Rano. Achter ze zie ik de bewaker op het terras staan. Jessica is alweer aangekleed. Hijgend veeg ik een sliert slijm van mijn kin. Ondanks mijn ondoorzichtig zwarte ondergoed voel ik me bloter dan ooit.

Simone roept naar de bewaker dat alles oké is. Hij doet een enkele stap terug maar blijft staan kijken. Als ik achterom kijk, zie ik hoe stil en rustig het water is. Kabbelend haast, volstrekt anders dan ik het zonet beleefde.

'Hier, doe maar om. Gaat het?' Simone overhandigt me haar grote sjaal.

Bibberend en een beetje misselijk sla ik de grote doek om.

'Kanjer! Je hebt de uitdaging met verve doorstaan. Proost.' Jessica wankelt en heft het lege bierflesje omhoog.

'Ja. Ik vraag me af waarom eigenlijk.' Mijn antwoord klinkt weinig heldhaftig.

Rano staat onweerstaanbaar lachend op zijn typische dansende manier tussen ons in. Hij straalt een rust en vanzelfsprekendheid uit alsof hij door ons is uitgenodigd. Hij loopt naar de bewaker, ze slaan de handen tegen elkaar en praten even. Hun ingehouden stemmen en donkere gelach passen perfect bij de setting. Drie aangeschoten witte vrouwen en een stel zwarte mannen midden in de nacht op een strand.

Ondanks alles schiet ik in een nerveuze lach. Als Alphons dit zag, zou hij zich hoofdschuddend afwenden om rustig een stukje tuin te gaan wieden.

Rano komt terug, de bewaker verdwijnt in de donkerte onder het afdak.

'Ik geloof dat ik het wel genoeg vind voor vanavond. Ik ga naar bed.'

'Neem mijn sjaal maar mee hoor, Rosa, ik zie je toch nog bij het ontbijt.' Simone staat zo dicht bij Rano dat hun armen elkaar lijken te raken.

Rano draagt de schoenen die ik hem heb gegeven. Een spijkerbroek hangt laag op zijn heupen en het oude grijze shirt dat hij draagt, maakt hem ongelofelijk jong en aantrekkelijk. Bruusk draai ik me van ze af, pak mijn spullen en loop bij ze vandaan. Ik zet mijn voeten behoedzaam neer, in de hoop dat ik niet de pech heb in een kapotte schelp te stappen.

'Rosa, please, wait a minute.'

Natuurlijk doe ik wat hij vraagt. Zijn stem heeft de smekende ondertoon die me al eerder irriteerde, omdat hij me weerloos en week maakt. Iets kinderlijks klinkt erin door dat smeekt gehoord te worden. Ik luister. Staar naar de gebeeldhouwde armen en dat prachtige gezicht. Verlies me in het duister van zijn huid en het licht in zijn ogen. Dein mee op zijn fluisterende vleien.

Ik hoor hem zeggen hoe mooi ik ben, hoe speciaal en bijzonder. Hoeveel hij van me houdt, en dat we het zo fijn hadden en dat ik de mooiste vrouw ben die hij kent. Hoe heerlijk, schitterend en lief hij me vindt.

Gehypnotiseerd laat ik zijn hand toe, vlinderende vingertoppen langs de huid van mijn arm. Die aanraking is een voorbode. Een bedwelmende verleiding.

BIRGIT

'SOP PAARDJE SOP, SOP PAARDJE SOP... DAMESPAARDJE, HOE-renpaardje, boerensnol, gát in de weg...'

Lisa barst in lachen uit. 'Ga door, is er nog meer?'

'Een, twee, drie, vier, zo naait-ie goed, zo naait-ie beter, ik bef je nog wat heter.' Met een stoïcijnse blik zingzegt Birgit de teksten die ze van Cees heeft geleerd. 'En dan hebben we deze nog: poesje miauw, kom eens gauw, o wat ben je lekker nauw. Hier kom ik, voel mijn pik, o wat heerlijk lik lik lik.' Ze steekt haar tong uit, zucht, neemt een flinke slok wijn. Tegenover haar stikt Lisa zowat in een olijf. Van de weeromstuit schiet Birgit in de lach. 'Nog een? Het wordt alleen maar erger, hoor.'

'Jezus Birgit, dit is niet waar. Ik kan niet meer.'

Birgit buigt zich dichter naar Lisa. 'Laat Jezus erbuiten, alsjeblieft! Hou je vast, daar komt-ie: op een grote paddenstoel, rood met witte stippen, zat een geile elfensnol heen en weer te wippen. Ha, riep de paddenstoel, harder heter meer. Geef me snel de hele boel of doet je kutje zeer...'

Met tranende ogen kijkt Lisa Birgit aan. 'Verzint hij dat allemaal ter plekke?'

Birgit antwoordt met een stalen gezicht. 'Ik mag hopen dat ik hem tot deze creaties aanspoor. Ik heb altijd al iemands muze willen zijn... ha ha.' Ze drinkt haar glas in één lange teug leeg en steekt haar hand op naar de ober. Het is rustig in het café en na drie tellen staat hij naast hun tafel. Ze bestelt nog twee witte wijn.

Lisa veegt lachtranen uit haar ogen. 'Je verzint het, Birgit. Ik geloof het haast niet. Die Cees, het wordt tijd dat je hem aan me voorstelt.'

Birgit knikt. 'Dat gaat er waarschijnlijk niet van komen, vermoed ik. Maar goed, luister.' Ze neuriet de wijs van *Vader Jacob* tot Lisa mee gaat neuriën, dan begint Birgit te zingen.

'Zuig me zuig me, trek me trek me. Hard en nat, hard en nat. Alle klokken luiden, alle klokken luiden. Kijk ik kom, kijk ik kom.'

'Zo...' De ober zet twee volle, beslagen glazen wijn op tafel. 'Dat heb ik op de kleuterschool heel anders geleerd.' Glimlachend zet hij de lege glazen op zijn dienblad. 'Sorry hoor, maar hier kon ik niet omheen. En ik ben niet de enige, geloof ik.'

Birgit beseft dat ze in haar roekeloosheid misschien iets te luid heeft gezongen. Een groepje meisjes staart giechelend naar hun tafeltje. Vanuit de hoek van het café staren twee oudere heren met openlijke interesse naar haar.

'Dat was het. De voorstelling is voorbij.' Ze zegt het luid en demonstratief zodat iedereen het wel moet horen.

Lisa legt een hand op Birgits onderarm. 'Hij is goed met taal, creatief, die Cees van jou.'

'Het gaat me anders behoorlijk tegenstaan. Ik denk dat ik hem dump.'

'Lijkt me een goed plan. Ik weet het niet, hoor, maar de combinatie kinderliedjes en seks heeft iets ranzigs. Iets fouts.'

'Precies. De eerste keer had het ook nog wel iets geestigs, ergens. Zoiets had nog nooit iemand voor mij verzonnen. Dat geestige is er nu wel af. Ik moet er niet aan denken dat hij zijn dochter per ongeluk de verkeerde versie voorzingt.'

Birgit is er inmiddels uit dat ze geen relatie wil met een man die al vader is. Het is haar veel te gecompliceerd. Er is domweg te veel geschiedenis om als stiefmoeder, het woord alleen al bezorgt haar kippenvel, mee te moeten draaien in het leven van iemand anders, voor wie ze niet gekozen heeft. Ze kent dat dochtertje helemaal niet, weet alleen dat ze een blonde paardenstaart heeft. Toch wel schattig. Nee, iets in haar heeft eigenlijk al besloten er een punt achter te zetten. Weer een hoofdstuk met een man afgesloten. Ik lijk Rosa wel, denkt ze.

'Ander onderwerp. Wat denk jij ervan om eens naar een gebedsdienst te gaan? Gewoon, voor de lol. Om eens te zien wat daar nou eigenlijk gebeurt.' De uitnodiging voor de bijeenkomst van de boodschapper mag dan wel in de prullenbak liggen, Birgit heeft de plaats en aanvangstijd in haar hoofd opgeslagen.

'Pardon? Jij schakelt wel erg snel vanavond. Wat bedoel je?'

'Bij mij in het buurtparkje zijn morgen gebedsdiensten, in een grote tent. Ik ben nieuwsgierig naar wat daar gebeurt. Puur professionele interesse, hoor. Ik wil weleens met eigen ogen zien hoe dat gaat, die manipulatie en zogenaamde trance. Heb je gehoord dat mensen tijdens zulke bijeenkomsten zo diep in trance raken dat ze in een vreemde taal gaan orakelen? "Spreken in tongen" noemen ze dat. Dat lijkt me mooi om eens mee te maken. Ik durf niet zo goed in mijn eentje.' Ze hoopt dat Lisa mee wil. Ze hoopt ook dat de boodschapper er zal zijn. Dat ze hem onopvallend kan bestuderen en hem kan waarschuwen haar niet meer lastig te vallen. Met Lisa erbij voelt ze zich veiliger.

'Nee dank je, er zijn grenzen. Naar Gambia was ik graag meegegaan, maar een tent met een stel godsdienstfanaten gaat me te ver. En als ik jou was, zou ik ook niet gaan. Zoek gewoon op YouTube naar filmpjes.' Lisa trekt haar neus bedenkelijk omhoog. 'Je bent wel een beetje vreemd bezig, gaat het wel goed met je, eigenlijk?'

Dat vraagt Birgit zichzelf de laatste tijd ook regelmatig af. Als ze op een rijtje zet wat haar zoal bezighoudt, komt ze tot een onrustbarend plaatje. Het gekke is dat het werken met cliënten goed gaat, uitstekend zelfs. Alsof werk en privé twee verschillende werelden zijn. Geïrriteerd schudt ze nee.

'Wat nee? Wat is er aan de hand?' Lisa's bezorgde frons maakt haar gezicht zachter. Grappig dat een verticale rimpel tussen de wenkbrauwen dat effect heeft.

'Je hebt gelijk, natuurlijk moet ik niet naar zo'n bijeenkomst gaan. En van dat reisje naar Gambia, sorry, als ik zou gaan, dan zou ik dat alleen moeten doen. Ik kreeg weer een mail van Rosa, midden in de nacht verstuurd. Ze klonk behoorlijk hysterisch, bijna sentimenteel. Ze schreef nota bene dat ze me miste. Dat is iets nieuws.'

'Nou ja, Birgit, ze zal het verlies van Alphons daar wel voelen. Hoelang is het geleden dat hij overleed? Nog geen drie maanden, dat is toch heel kort? Dan zou ik ook af en toe hysterisch zijn en me realiseren dat er mensen zijn met wie ik nog iets te verhapstukken heb. Dat zou jij toch moeten weten.'

'Natuurlijk, dat weet ik ook wel. Maar je kent mijn moeder. Die doet alles in omgekeerde volgorde en in tegenovergestelde richting. Vermoeiend, hoor. Ze is soms net een klein kind. Natuurlijk rouwt ze, dat moet wel, ook al denkt ze zelf van niet. In je eentje in een vreemd land kom je jezelf waarschijnlijk hard tegen.'

Rosa zou het weleens moeilijker kunnen hebben dan ze laat weten, beseft Birgit. Onder de hallelujaberichtjes over witte stranden en zwarte mannen steekt wellicht een heel ander verhaal. Over verlies en rouw.

Zelf mist Birgit Alphons soms ook, al vond ze hem een rare kwast. Wel een líéve kwast. Alphons was iemand die de kunst van het luisteren verstond. Hij kon luisteren zonder oordelen. Alleen Inger wist van haar bezoekjes aan de volkstuin. Niet dat Birgit er zo vaak kwam, maar een enkele keer verlangde ze zo naar de geur van warme, dampende aarde of de fijne bloempjes van bloeiende boontjes, dat ze hem opzocht in de tuin. Dan zaten ze wat te kletsen en te zonnen, of een beetje te schrijven en lezen. Soms had ze zin om gewoon even met haar handen in de aarde te wroeten, een bosje peentjes rooien of een paar aardappels uitsteken. Een overblijfsel uit de woongroeptijd, waar de slingerende paadjes tussen de groentebedden een geliefde kruip-door-sluip-doorroute vormde voor de kinderen. Een beetje graafwerk en een kopje thee bij Alphons in de tuin werkte altijd rustgevend. Afgezien van verjaardagen en een enkele kerst was dat het contact dat ze met elkaar hadden. Niet zo veel. Toch mist ze hem. Na de crematie heeft ze de tuin regelmatig bezocht en wat onderhoudswerkzaamheden verricht. Ze is een beetje van de plek gaan houden.

Inger had haar liefdevol uitgelachen toen ze dat zo had verteld. 'Weet je nog, Birgit, vroeger in de woongroep? Met dat visnet over de bessen waarin vogeltjes vast kwamen te zitten? Weet je nog hoe eng jij dat vond? Jij was als de dood dat ze je zouden pikken. En het dierenkerkhof achter de houtstapel, met die dikke spinnen? En de pompoenenwedstrijd?' Ingers stem was overgeslagen van enthousiasme. Birgit vond het overdreven. Het speet haar bijna dat ze erover was begonnen.

Rosa beweert steeds dat haar huwelijk doodgebloed, passieloos en saai was. Maar ze heeft het wél volgehouden met Alphons. Tot de dood ons scheidt... het was een hartstilstand die ze, volkomen onverwacht, scheidde. Birgit vond het schokkend dat Rosa aanvankelijk opgelucht was. Maar

Rosa deed er heel gewoon, haast luchtigjes over. Op de avond van de crematie, toen zij na een lange dag de laatste gasten uitgeleide hadden gedaan en met zijn tweeën in mama's huiskamer waren overgebleven, begon ze plotseling over weggaan. Ze kwam uit de keuken, met een nieuwe fles rode wijn en een bord met stukjes kaas.

'Binnenkort ga ik op vakantie, als alles achter de rug is. Alphons wilde nooit naar Afrika, nu kan ik doen wat ik wil.' Ze schonk de wijn in de glazen en stopte gulzig een groot stuk kaas in haar mond. De manier waarop ze kauwde, irriteerde Birgit mateloos. 'We hebben toch keurig netjes afscheid van hem genomen? Dus kan ik het met een gerust hart achter me laten. Hè hè.' Achteloos had ze de kaas met enkele slokken wijn weggespoeld en was achterover tegen de rugleuning van de bank gezakt. Ineens draaide ze haar hoofd naar Birgit toe. 'Je vindt het toch niet erg, lieverd, dat ik er zo over denk? Je hebt immers zelf gezien hoe groot de afstand tussen ons was. We leefden niet bepaald als man en vrouw, al jaren niet meer, mijn hemel, wat kan een mens zich vergissen...' De verdrietige trek die om haar mond was verschenen, veranderde in een glimp van een lach. 'Nieuwe ronde nieuwe kansen...' Haar blik was nu op de stoel gericht waar Alphons altijd had gezeten. Op het kleine tafeltje ernaast lag een stapeltje boeken. Het verbaasde Birgit dat ze er nog lagen.

'Je bent wel... eh, een soort van rigoureus, mama, we hebben nota bene vandaag pas afscheid genomen, en jij praat al over nieuwe kansen!' Het kostte Birgit de grootste moeite de afkeuring die ze voelde uit haar stem te weren. 'Sorry hoor, maar ik heb de indruk dat jij helemaal niet weet wat dat is, verdriet hebben om iemand. Net als toen met papa. Hij was je mán! Jullie waren getrouwd! Jezus, wat ben jij een slecht voorbeeld. Je laat mannen achter alsof het niks is. Als je je maar even verveelt, doe je ze van de hand.' Birgits stem schoot omhoog.

'Wat weet jij het toch allemaal goed, kind. Nee, aan jou kunnen we allemaal een voorbeeld nemen. Heb je me ooit horen zeuren over mijn sores met Alphons? En begrijp ik nu werkelijk dat je me de scheiding van je vader twintig jaar na dato nóg voor de voeten gooit? Heb je daarvoor zo lang moeten studeren? Bemoei je niet met zaken die je niet aangaan, kind. Nu moest je maar eens gaan, ik ben kapot. Ik wil slapen.' Birgit zag hoe een asgrauwe sluier over Rosa's gezicht trok.

'Goed. Ik pak de trein.' Met prikkende ogen was Birgit opgestaan. Gelukkig hadden Inger en Petra voordat ze weggingen afgewassen en opgeruimd. Rosa kon zich toch zo goed redden? Nou, dan lukte het haar vast wel die paar wijnglazen af te spoelen. In het halletje pakte ze haar jas van de kapstok. Even bleef ze staan kijken naar de pet van Alphons op het hoedenrekje. De gedachte de pet mee te nemen schoot door haar heen. Bah. Met een snelle hoofdbeweging schudde ze het idee van zich af en ging terug de kamer in. Rosa zat nog precies zoals net. Birgit boog zich over haar heen en drukte een kus op haar haren.

'Neem je een slaappilletje?' Aarzelend legde Birgit een hand op haar schouder. 'Je redt het toch wel?'

'Zorg jij nu maar voor jezelf, kind. Ga maar, met mij is niks aan de hand. We bellen.'

Onderweg naar huis had Birgit haar onderlip tot bloedens toe stukgebeten.

'Zullen we nog één wijntje nemen, Birgit?' Lisa lonkt al naar de ober, die ze sinds de pikante liedjes in het oog lijkt te houden. Met een scheef lachje op zijn gezicht staat hij binnen een paar tellen naast hun tafeltje en haast zich daarna om de bestelling in orde te maken.

'Ik vind Rosa een schat', zegt Lisa. 'Dat heb ik altijd gevonden, dat weet je. Je moet eens ophouden over je moeder te praten alsof ze een klein kind is. Jij víndt altijd zo veel van haar. Jullie zouden elkaar eens moeten vasthouden in plaats van met elkaar te bekvechten. Serieus hoor, ik meen het!' Aan Lisa's stem hoort Birgit dat ze geen grapje maakt. De lach is eruit verdwenen en haar ogen liggen donker tussen de samengeknepen oogleden.

'Echt Birgit, als psycholoog zou je beter moeten weten. Je moet eens ophouden je gevoeligheden te etaleren. Gebruik je verstand wat vaker bij je eigen kwesties, dat doe je toch ook in je praktijk. Zo, nu nemen we er nog een voordat er tranen vloeien.'

Birgit houdt van Lisa om de manier waarop ze haar mening op het juiste moment ventileert. Hoe pijnlijk de kritiek ook is, van Lisa kan Birgit het hebben. Omdat er een welgemeend en zinnig advies bijgeleverd wordt.

'Ik vind de relatie met mijn moeder de moeilijkste die er is. Een en al psychologische verstrengeling... verstrikking tot de verstikking erop volgt.' Ondanks de ernst moet ze lachen om haar eigen dramatische uitspraak. 'Nou ja, dat is wel een beetje overdreven.'

De verticale rimpel in Lisa's voorhoofd is verdwenen, ze lacht gelukkig ook weer. 'Dat kun je wel zeggen. Als ik jou was, zou ik maar eens serieus met haar praten, voor het te laat is. Je hebt gezien hoe snel het kan gaan. Iemand kan zomaar weg zijn. Proost. Op je moeder. Op het leven.'

'Voorlopig maar even op het leven, dat lijkt me genoeg.'

Thuis neemt ze eerst een paracetamol. Ze sluit de gordijnen en opent dan haar computer.

Ver achterover leunend in de stoel staart ze naar het lege scherm. Opnieuw ziet ze voor zich hoe ze Rosa achterliet in haar stoel, de avond van de crematie. Hoe een grauwe sluier over haar gezicht was getrokken. De vermoeidheid in het gebaar waarmee ze Birgit de deur wees, had haar getroffen. Net als mama's handen, die lusteloos en zwaar in haar schoot lagen. Het was bijna eng geweest hoe oud die handen ineens leken, door het blauw van de aderen die door de dunne huid schemerden. Birgit had dwars door haar verdrietige woede en verongelijktheid het verlangen gevoeld naast Rosa neer te knielen, om haar gezicht in mama's schoot te verbergen en haar handen op haar hoofd te voelen.

Ze komt overeind, haalt diep adem, typt een bericht in en verzendt het zonder te aarzelen. *Mama, ik mis jou ook.*

De volgende ochtend ontwaakt ze, gewekt door het zoemen van de wekker, met een lichte hoofdpijn. Tijdens het wassen, aankleden en ontbijten formuleert en sleutelt ze in gedachten aan een tekst waarmee ze Cees van haar besluit op de hoogte wil brengen. Ze komt niet tot een bevredigende uitleg, misschien moet ze wachten tot hij belt. Vanochtend heeft ze slechts een enkele cliënt, Mara. Vanmiddag is er een teamoverleg waarvoor ze nog enkele stukken wil lezen. Na Mara's sessie is daarvoor ruim voldoende tijd.

In de bus stinkt het naar natte jassen. Birgit is opgelucht als ze haar uitstappunt bereikt heeft. Ze laat haar paraplu dicht en geniet van de frisse druppels. Met omhoog geheven gezicht stapt ze in een diepe plas. Koud water dringt langs de zijkanten van haar dure suède schoenen naar binnen. Chagrijnig loopt ze om de plassen heen. Iedereen op straat schuilt onder zuidwesters en paraplu's, en kijkt naar de grond om de plassen te ontwijken. Het scheelt maar een haar of ze krijgt de punt van een paraplubalein in haar oog. Inwendig vloekend bereikt ze de ingang naar de praktijk. Snauwerig zegt ze Robin goedemorgen. Meestal neemt ze de trap, maar vandaag kiest ze voor de lift. Haar voeten maken een sopperig geluid bij iedere voetstap. In de liftspiegel vlammen de blossen op haar wangen rood op. Rustig nu! Ademen, goed zo, in en uit. Beheers je, het zijn maar schoenen. Oké, oké, hele dure, maar het blijven schoenen. Gewoon gebruiksvoorwerpen. Niets van levensbelang. Dat gedoe met Cees lost zich vanzelf wel op. Het juiste moment en de beste manier dienen zich vast vanzelf aan. En die mail naar Rosa? Daar is ook niets mis mee. Het voelt misschien wat onwennig zoiets te zeggen maar het is een passende reactie van je. Rustig nou maar. Lisa zou trots op je zijn. En Inger zou het toejuichen. Al met al is er in feite niets aan de hand. Behalve dat je koude voeten krijgt en dat je schoenen verpest zijn.

Birgit spreekt zichzelf vaker op deze manier toe, aanvankelijk op een bozige overredende toon, daarna met een geruststellend sussen.

In haar kamer zet ze eerst de thermostaat hoog en propt ze haar schoenen vol met tissues. Ze zet ze zo dicht bij de radiator dat het suède niet direct in aanraking komt met de hittebron, dat zou funest zijn voor het zachte leer. Op kousenvoeten loopt ze naar de keuken om water te halen. Als ze terug is, gaat de interne telefoon. Het is Robin, met de aankondiging van bezoek. Er staat een meneer op Birgit te wachten en nee, hij heeft geen afspraak. Birgit ziet op de klok dat het pas kwart over negen is, ze heeft nog een kwartier voordat Mara komt. Het moet Cees zijn. Vorige week kwam hij ook brutaalweg binnenlopen om haar uit te nodigen voor een etentje op een privé-jachtje van een klant net buiten de stad. Het was een fantastische avond geworden. Dat is een van de leuke dingen aan Cees, zijn brutale, onverwachte acties.

'Laat hem maar boven komen, Robin.'

Doet ze er goed aan het uit te maken met Cees? Wat voelt ze precies voor hem? Zal ze het nu tegen hem zeggen of vanavond? Telefonisch of per mail? Nú, ze gaat het hem nu gewoon zeggen. Als ze het belletje van de lift hoort, opent ze nerveus de deur.

Aan de uiteinden van de lange baard hangt hier en daar een druppel. De schouders en kraag van de beige regenjas zijn doornat. De lichte ogen van de boodschapper flitsen langs haar heen de kamer binnen en richten zich dan weer op haar.

'Wat doe jij hier?!' Schrik en woede kleuren haar stem. Ze bedwingt de neiging de deur voor zijn neus dicht te gooien. Dat zou niets oplossen. Dus staat ze stijf te wachten op zijn antwoord, zonder hem binnen te vragen. De vloerbedekking prikt door de dunne zijden kousen in haar voetzolen.

Hij antwoordt niet. Kijkt haar alleen maar aan met zijn enge lichtgevende ogen. Een wolf, denkt Birgit, hij is een wolf in schaapskleren. Straks is het een of andere psychopaat. Ze gaat de politie bellen om aangifte te doen van stalking.

'Hoe gaat het met je moeder? Gaat het beter? We bidden iedere dag voor haar, voor jullie allebei.' Alsof ze hun dagelijkse praatje bij de bakker houden, zo staat hij op zijn gemak tegen haar te kletsen.

'Als je me niet met rust laat, schakel ik de politie in. Ik wil dat je weggaat, nu. En dat je uit mijn buurt blijft. Ik wil je nooit meer zien. Nergens! En ik wil ook geen post meer! Niet van jou en niet van je kerk. Begrijp je dat? Ik meen het.' Bevend van woede slingert Birgit de boodschap naar zijn hoofd en loopt langs hem heen naar de balustrade. Ze buigt zich voorover en roept hard naar beneden. 'Robin, kom je even boven? Dan brengen we meneer even naar de uitgang.' Ze grimast naar Robin, die vanaf de balie in de hal onmiddellijk opstaat en naar de trap loopt.

'Zo, samen komen we er wel uit, hè? Ga maar vast voor.' Gedecideerd wijst Birgit de boodschapper de weg naar de trap. Ze wil hem voor geen goud in de lift hebben. Zwijgend volgt hij haar bevel, draait haar zijn rug toe en begint te lopen.

'Ho, nog even, hoe wist jij eigenlijk dat ik hier werk?' Vol schrik bedenkt ze wat hij nog meer over haar zou kunnen weten.

Met zijn hand op de leuning draait hij zich naar haar om. 'Van het internet. Ik dacht dat het geen kwaad kon. God is mijn getuige. En weet je, hij kan ook de jouwe zijn, je hoeft hem alleen maar toe te laten. Het spijt me dat ik je bang maak.'

Robin is al halverwege de trap. Ze maakt rechtsomkeert als ze de boodschapper naar beneden ziet komen. Hij groet haar vriendelijk en verdwijnt door de hal naar buiten.

Uitgeput zakt Birgit in haar kamer in haar stoel, in haar handpalmen glanst een laagje zweet. Robin komt met twee treden tegelijk de trap op gerend en dendert naar binnen. 'Wie was dat? Moeten we iets doen?'

'Nee, laat maar. Hij is een cliënt, van vroeger. Onschuldig maar heel vervelend. Waarschijnlijk komt hij nooit weer. Bedankt voor je hulp.'

'Weet je het zeker? Neem een kopje koffie en een glaasje water. Je weet dat Mara ingepland staat om halftien, ze zal zo wel voor de deur staan. Ik hou de boel strak in de gaten. Tot straks.'

Als Robin weg is, sluit Birgit haar ogen. Die baard, die ogen... Ze hoopt dat het voorbij is. Ze is duidelijk genoeg geweest. Desnoods schakelt ze de politie in.

'Zal ik je schoenen even drogen? Ik heb beneden een föhn liggen.' Birgit schrikt op als Robins hoofd om de deur steekt.

'O. Ja, graag. Niet te dichtbij en ook niet te heet hoor, anders krimpt het leer. Dank je, je bent een schat.'

Robin komt de kamer in, pakt de schoenen en neemt ze mee. Met haar halflange lichtblonde pijpenkrullen en kersenrode jumpsuit ziet ze er meisjesachtig uit. Birgit staat op en schenkt een glas water in. Ze doet haar best zich te concentreren op de komst van haar cliënte. Ze hapt naar adem. Net als tijdens die vakantie met Eelco in Florida. Een tochtje op het water in The Everglades. Tussen het hangend mos dat in lange slierten van de bomen droop, roeiden ze door moerasgebied. Ze was nerveus geweest, want onder de oppervlakte hielden zich alligators schuil. Met ingehouden adem en haar handen stijfjes in haar schoot had ze uitgekeken naar de karakteristieke dubbele bolling van ogen boven het wateroppervlak. Ondanks de gids die voor in de boot de peddels hanteerde, voelde ze zich onveilig. Het hangende mos had het zicht belemmerd en het stikte er van de insecten. Er was geen alligator te zien geweest. Aan het eind van het boottochtje was Birgit opgelucht en Eelco teleurgesteld geweest. Lachend grapte ze dat zij de dieren had afgeschrokken. Toen ze voorbereidingen troffen om aan te leggen, was van onder de steiger ineens de enorme bek van een volwassen dier verschenen. Ze had de hele dag nodig gehad om van de schrik te bekomen.

Een klop op de deur.

Nooit eerder heeft Birgit op kousenvoeten een cliënt binnengelaten. Zonder schoenen voelt ze zich bloot.

'Dag Mara, kom binnen.'

'Birgit, goedemorgen.' Energiek stapt Mara naar binnen, trekt haar zware leren jack uit en hangt het aan de kapstok. Ze is helemaal in het wit vandaag. Broek, hemdje, blouse. Haar laarzen zijn dit keer rood met een opgestikt bloemmotief. Stoer en toch heel vrouwelijk, hoort Birgit de verkoopster kirren tegen deze klant. De vrouw van middelbare leeftijd die nog zo graag een keer een paar westernlaarzen wil, is een makkelijke prooi voor de commercie.

Aan Mara's vinger prijkt de ring met de turkooizen steen, waarvan Mara de vorige keer zei dat die de draagster zal helpen overzicht te scheppen. Birgit is benieuwd.

'En, waar wil je het vandaag over hebben?' Birgit houdt de waterkoker omhoog.

Mara knikt. 'Thee, graag. Ik denk erover te scheiden.'

'Alsjeblieft, rooibosthee. Scheiden? Vertel eens wat meer.' Birgit is ongedurig, ze wil nog niet gaan zitten. Dus maakt ze om iets te doen te hebben een kop koffie voor zichzelf.

'Het lijkt me het eerlijkst. Als ik me voorstel dat ik mijn minnaar moet opgeven, lijkt de rest van mijn leven zinloos. Maar als ik dit geheim houd, dan vreet ik me op van schuldgevoel. Het is kiezen uit twee kwaden.' Mara slingert het theezakje in het hete water heen en weer.

'Zijn dit volgens jou de twee opties, of zie je er nog meer?' Nu kan Birgit niet langer blijven redderen, ze gaat zitten.

'Ik zou het natuurlijk kunnen opbiechten. Maar ik voorzie dat mijn huwelijk dan evengoed ten einde is. Ik sta voor een duivels dilemma. Opbiechten is natuurlijk het beste, daarmee verlos ik mezelf van mijn geheim en toon ik respect voor mijn man. Maar weegt dat op tegen het verliezen van mijn minnaar? Opgeteld kun je zeggen dat het eerlijkheid en respect versus spanning en avontuur is. En seks natuurlijk.' Zuchtend wrijft Mara met een duim over de steen in haar ring.

'En je kinderen? Spelen die ook nog een rol?'

'De kinderen? Nee. Ja. Nou ja, ik denk natuurlijk wel aan de kinderen. Maar ze zijn volwassen, met een eigen leven. En het is míjn huwelijk. Het is niet hun zaak. Het huwelijk is een zaak tussen mijn man en mij. Niet tussen de kinderen en mij. Snap je dat?' Mara praat alsof ze ondertussen heel hard nadenkt en moeite heeft haar gedachten te formuleren. 'Natuurlijk zijn ze onze kinderen en gaat het over hun ouders. Maar ik heb niet het idee dat ik hun toestemming nodig heb. Hun instemming zou wel fijn zijn, natuurlijk, maar ik ben baas over mijn eigen leven. Zoiets, ik ben er nog niet helemaal uit.'

Birgit is verrast over Mara's zorgvuldige zoeken, de precieze manier waarop ze onder woorden probeert te brengen hoe ze in de situatie staat. Het onderscheid dat Mara aanbrengt tussen toestemming en instemming klinkt helder.

'De vorige keer wilde je mijn advies als dochter, weet je dat nog? Je bent toen niet aan je vraag toegekomen, had het hiermee te maken?'

'Ja, ik wilde je vragen hoe jíj het zou vinden als je moeder op latere leeftijd zou willen scheiden. Zou je haar kunnen vergeven als ze een geheime minnaar had? Of zou je het niet begrijpen en het afdoen als een overgangsgril? Misschien is het helemaal niet gepast die vraag aan jou te stellen.' Mara staat op, ze loopt naar het raam en staart naar buiten.

Birgit praat tegen Mara's rug. 'Mijn ouders gingen scheiden toen ik acht was. Ik had de klassieke reactie van een kind op een scheiding: onbegrip, schuldgevoel. Er zijn boeken volgeschreven over dit thema. Maar hoeveel je er ook zult lezen, als je het niet hebt meegemaakt zul je nooit de omvang van de onmacht die het kind ervaart kunnen bevatten. Schuld en boete is voor bijna alle kinderen van gescheiden ouders een issue. Dat wil zeggen, als het jonge kinderen betreft. Naast de relatieve opluchting voor de betrokkenen dat het schreeuwen en de ruzies voorbij zijn, blijft de schuldvraag bestaan. Niet altijd voor alle betrokkenen even groot, maar toch... In jouw situatie betreft het natuurlijk volwassenen. Dat is eigenlijk geen vergelijking. Ik weet het niet, Mara. In mijn leven heeft de scheiding een enorme impact gehad op de relatie met mijn moeder.' Birgit weet niet zeker of ze er goed aan heeft gedaan haar eigen ervaring met echtscheiding te vertellen.

Mara blijft naar buiten kijken, ze trekt ineens haar schouders hoog op en schudt haar hoofd. 'Kijk naar die balkonnetjes, die ramen en tuintjes... hokjes waarin we verkiezen te leven. Afgebakend en begrensd. Ik wil eruit, Birgit, ik wil uit mijn hok.' In Mara's stem is woede hoorbaar, een felle, sissende klank.

Birgit ziet de woede als een motor, als energie die een aanzet kan zijn tot het ondernemen van actie. De realiteit dient echter ook getoetst te worden. Ze stelt een vraag waarvan ze hoopt dat die licht remmend werkt. 'Denk je niet dat je op den duur in een ander hok net zo opgesloten raakt?'

Mara schokschoudert. 'Misschien. Maar dan heb ik het in ieder geval geprobeerd. Mijn man redt zich wel, dat heeft hij altijd gedaan. De kinderen... vooral mijn dochter zal het moeilijk vinden, denk ik. Hoe mijn zoon zal reageren, weet ik niet zo goed. Hij is behoorlijk nuchter.' Ze draait zich om, leunt met haar billen tegen de vensterbank. Op haar wangen gloeien rode blossen. 'Wat denk jij, Birgit, vergis ik me?'

'Wat ik denk? Ik denk aan hoe je hier de vorige keer binnenkwam, aan je angst voor vergankelijkheid. Weet je nog dat je over je doodsangst sprak?' Birgit herinnert zich het zware harnas van grijs leer waarin Mara zich die dag had gehuld. Om haar hals die band met puntig ijzerwerk.

'Ja, dat weet ik zeker nog. De angst om ontmaskerd te worden en de angst om mijn huwelijk kapot te maken. Ik denk dat de doodsangst die ik voelde de klem van mijn dilemma was.'

Heel even is Birgit geïrriteerd door Mara's eigen gepsychologiseer. Als ze het allemaal zo goed weet, wat doet ze hier dan? Wie is er hier eigenlijk in therapie? Ze glimlacht haar irritatie weg en stelt haar volgende vraag op een belangstellende, neutrale toon. 'Heb je die angst afgelopen week nog gevoeld?'

Mara komt los van de vensterbank en gaat weer zitten. 'Nee. Ik ben nog wel bang, maar ik heb meer het gevoel dat ik zelf aan het roer van mijn leven sta. Het klinkt misschien tegenstrijdig, maar doordat ik me zo bewust ben van mijn verantwoordelijkheid en de vrijheid om te kiezen, voel ik me minder kwetsbaar. Ja, dat is het, ik voel me minder kwetsbaar omdat ik zelf kies.' Bij die laatste woorden vouwt ze haar vingers in elkaar alsof ze gaat bidden. 'Weet je, Birgit, wat ik ook kies, het is onvermijdelijk dat ik iemand pijn zal doen. Die wetenschap, hoe gek het ook mag klinken, geeft me rust. Mag ik nog een kopje thee of is het al tijd?' Glimlachend kijkt ze Birgit recht aan, gaat weer staan en loopt opnieuw naar het raam. Haar ongedurigheid maakt Birgit onrustig. 'Kijk, een lapjeskat, daar aan de overkant in de dakgoot. Katten zijn ware evenwichtskunstenaars.' Mara wijst enthousiast snaar het huis schuin aan de overkant, daar loopt de kat die Birgit al eerder heeft gezien.

'We hebben nog tijd voor een kopje thee.' Ze luisteren naar het suizen en zingen van de waterkoker.

'Waar zijn je schoenen vandaag?' Mara komt weer in haar stoel zitten.

Birgit kijkt naar haar tenen die lang en dun door de zijden kousen zichtbaar zijn. 'Onder de föhn. Ik stapte vanochtend in een plas. Robin heeft ze meegenomen.'

'Mooie voeten heb je. Mooie kousen ook. Ach, je bent helemaal een schoonheid.' Mara glimlacht zo lief naar haar, alsof Birgit haar dochter is.

'Dank je. Ik heb mijn voeten maar vooral mijn tenen altijd heel lelijk gevonden.'

'Wat een tijdverspilling, jezelf afkeuren. Doodzonde. En grappig toch dat een ander nooit lijkt op te merken wat in je eigen ogen zo levensgroot aanwezig is.'

'Hoe bedoel je?' Birgit wacht eigenlijk op het moment dat Mara terugkomt op het onderwerp scheiding en haar moeder-dochtervraag.

'Heb je ooit opmerkingen gehad over je tenen?'

'Nee, ik geloof het niet.'

'Nou dan, zo lelijk kunnen ze dus niet zijn. Jij denkt dus iets te zien wat er, behalve in je eigen verbeelding, niet is. Toch?' Mara nipt van haar thee. Ze kijkt Birgit van onder haar zwaar hangende oogleden aan.

Nu ik haar ken, denkt Birgit, vind ik haar hangende oogleden eigenlijk wel meevallen. Ik zou nu niet meer onmiddellijk aan een oogcorrectie denken. Ze antwoordt rustig, docerend haast. 'Daar komt het bijna altijd op neer. Het is praktisch onmogelijk datgene te zien wat er feitelijk is, wij zien onze interpretatie van de feitelijke werkelijkheid. Als het jezelf betreft, is het al helemaal moeilijk, zo niet onmogelijk, toe te geven dat je waarneming gekleurd is en niet overeenstemt met de werkelijkheid.' Ineens smaakt de koffie Birgit niet meer, ze vindt hem bitter en laat het bij dit ene slokje. Ze gaat door. 'Die hokjes waar je het zonet over had, wat zegt dat over jouw waarneming? En dat jij in die kat een evenwichtskunstenaar ziet.' Birgit zelf ziet in katten vooral een onophoudelijke bron van uitvallende haren die aan kleding en meubels blijven plakken.

Met een klap zet Mara haar theeglas op tafel. 'Tuurlijk. Ik zie de kunst van het balanceren, die zou ik graag van die kat overnemen. En misschien ook wel het onafhankelijke. Je eigen gang gaan, kopjes geven als je daar zin in hebt en weglopen zodra het je niet bevalt. Kunnen wij leven zonder onszelf of anderen pijn te doen, dat is de vraag.' Stil kijkt Mara naar Birgit, alsof ze het antwoord in de echo van haar eigen vraag verwacht te horen.

Birgit formuleert zorgvuldig, langzaam. 'Zoals ik het zie, Mara, zijn het vooral onze verwachtingen die pijn veroorzaken. In onze relaties draait alles om het ingelost krijgen van onze verwachtingen. Het punt is dat we juist hierdoor de meeste kans lopen op afwijzing. Zodra wij iets van een ander verwachten, lopen we kans teleurgesteld te worden. Zonder verwachtingen zouden relaties een veel grotere kans van slagen hebben. Als je zou analyseren waarom jij een relatie met een andere man bent aangegaan en waarom je dat verzwegen hebt voor je echtgenoot, dan zul je waarschijnlijk ontdekken dat daar allerlei verwachtingen aan ten grondslag liggen.' Birgit hoort haar eigen betoog en heeft het wonderlijke gevoel dat haar eigen theorie een andere betekenis heeft gekregen. Ze kan er niet precies de vinger op leggen, maar ze heeft voor de tweede keer vanochtend het idee dat er iets in haarzelf verschuift.

Weer staat Mara op uit haar stoel. Ze kijkt op haar horloge. 'Nog een laatste ding, Birgit. Ik denk dat we misschien een gigantische vergissing hebben begaan door elkaar eeuwige trouw te beloven in het huwelijksbankje. Vroeger was trouwen een middel om familiekapitalen veilig te stellen en te vergroten. Nu beloven we elkaars liefde veilig te stellen en te vergroten, tot in de dood en in voor- en tegenspoed. Dat is natuurlijk een onmogelijke opgave. Over verwachtingen gesproken! Dat kan helemaal niet, liefde is een gevoel. Een emotie kun je niet veiligstellen door afspraken te maken of toezeggingen te doen. Hoe kun je je in hemelsnaam beroepen op een áfspraak? En toch is dat precies wat we doen, als onze partner of als wijzelf willen scheiden. We beroepen ons op een oude belofte om bij onze partner te blijven. We voelen ons schuldig als jaren later ons gevoel iets anders zegt. Het was zo veel beter geweest als het huwelijk een economisch instituut was gebleven. We hadden de liefde erbuiten moeten laten. Voor mezelf ben ik er nog niet helemaal uit. Maar ik heb er wel vertrouwen in dat ik er uitkom.'

Energiek pakt Mara haar jack van de kapstok. Als ze haar hoofd buigt en een hand in een van de jaszakken steekt, ziet Birgit dat de grijze uitgroei in de scheiding is bijgewerkt. Ondanks dat is er alweer een zweem grijs zichtbaar. De vergankelijkheid laat zich niet tegenhouden, ook niet door menselijk ingrijpen. Als ik grijs word, laat ik het gebeuren, denkt Birgit, ik ga het allemaal niet verbloemen. Het is toch een ontkenning van wie je bent. Je wilt iemand anders zijn. En anders betekent haast altijd jonger, mooier, strakker. Een hoop energie en tijdverspilling. Waartoe? Je taak in het leven zit er immers op. Je hebt je voortgeplant. Maar er zijn zo veel verwachtingen om aan te voldoen. Verwachtingen die worden gekweekt door soortgenoten. Damesbladen die vrouwen voorschrijven wat ze aan moeten en hoe ze eruit moeten zien. Ze jutten je op met hun artikelen en reclames over haarkleuren en rimpelvervagers. Ze werken ontevredenheid in de hand.

'Wat denk je, Mara, wil je volgende week opnieuw afspreken, of laten we er een week of twee, drie tussen zitten?'

'Wat mij betreft is volgende week fijn. Er gebeurt een hoop, de gesprekken met jou helpen me alles op een rijtje te krijgen. Volgende week zelfde tijd?'

'Goed. En Mara, ik zou je ter overweging willen geven een lijstje te maken van de verwachtingen die je hebt ten aanzien van je leven na een scheiding. Verwachtingen van je minnaar, je echtgenoot, je vriendinnen. En natuurlijk je kinderen. Zo'n lijstje kan je helpen je keuze te maken. Ik wens je sterkte, tot volgende week.'

Als Mara weg is, loopt Birgit naar het raam. De lapjeskat is van het dak verdwenen. Boven de huizen vormt de zon een lichte vlek in het grijze wolkendek. Het is opgehouden met regenen, op een van de balkons druipen kletsnatte lakens zwaar aan een waslijn.

Birgit ruikt nog een zweem van Mara's parfum. De geur van patchoeli doet haar bijna kokhalzen. Rosa rook ook zo, in de tijd dat ze mediteerde bij het boeddhabeeld midden in de woonkamer. Birgit ziet Rosa en Wander zo weer tegenover haar zitten aan de tafel in de keuken. Inger zit bij Rosa op schoot te huilen met haar knuffel stevig in haar kleine handjes. Birgit zelf zit met samengebalde vuisten, ze voelt de tranen achter haar ogen prikken. Dan staat ze op en roffelt hard met haar vuisten op Wanders borst en armen. Ze raakt volledig buiten zinnen. Gillend loopt ze naar haar kamer en laat zich in een hoek achter het bed op haar hurken zakken. Dat mama mag blijven en papa weg moet, vindt ze het ergst. Want waar moet papa wonen? Waarom moet papa weg? Waarom gaat papa weg? Ze ziet hoe Wander haar kamer binnenkomt en zich naast haar tegen de muur laat zakken. Ze voelt de warmte van zijn arm tegen de hare. Ze hoort zijn stem, bezwerend, herhalen dat het goed komt, dat ze altijd zijn meisje blijft. Dat het goed komt. Dat het beter is voor hen allemaal dat ze niet meer in hetzelfde huis wonen, dat het rustiger is voor mama en voor hemzelf. Dat dit echt het beste is... Dan knakt er iets in zijn lichaam, hij zakt in elkaar en slaat zijn handen voor zijn gezicht. En daar is het geluid, dat verschrikkelijke, angstaanjagende geluid. Papa huilt. Snikkend hapt hij naar adem. Birgit verstijft en stopt acuut met huilen. Doodsbang zit ze naast haar vader, ze hoort hoe hij huilt. Ze heeft kippenvel en aait over papa's arm. Het is allemaal mama's schuld, mama's schuld!

ROSA

JESSICA'S DRONKENMANSLACH ROLT DOOR DE NACHT OVER het strand. Geschrokken ruk ik me los uit Rano's omhelzing. '*No, no.*' Lichtelijk verdwaasd loop ik van hem weg. Ik laat Rano en de anderen zonder omkijken achter. Scherp zand schuurt in mijn liezen en de stof van de omslagdoek plakt aan mijn lichaam als ik over het zwembadterras het tuinpad op loop. Koude druppels zeewater glijden uit mijn haar langs mijn rug. Een tak schampt langs mijn arm en ver weg roept een nachtvogel. De geur van smeulend hout drijft door de tuin.

De echo van Rano's aanraking zindert na in de huid van mijn arm.

Truth or dare. Zou ik eerlijk hebben geantwoord op een vraag van Jessica en Simone over mijn avonturen met een Gambiaanse jongen? Nee. Niet dat ze iets hadden geweten.

Behalve dat ze ons een keer hebben zien wandelen samen. Maar vermoeden deden ze het waarschijnlijk al wel. Bovendien, wie weet wat Rano allemaal aan Simone heeft verteld? Vergeleken bij de moed die het vergt zo'n vraag naar waarheid te beantwoorden, is een nachtelijke duik in zee van een ontnuchterende eenvoud.

Ik wil alleen zijn. Ik verlang naar een mooie droom over paraplureigers. Over warme verenmantels. Over glanzend blauwe weerschijn op diepzwarte vleugels. Dat de slaap ons vleugelen moge geven. Mooi gezegd door onze Ben.

Even later spoelt het warme water van de douche het zand en de kou weg. Ik was mijn haren, het kan me niet schelen dat mijn kussen straks nat zal worden. Voor altijd in dit warme water te mogen staan, wiegend en luisterend naar het ruisen op mijn hoofd. Eindelijk kan ik me ertoe zetten de kraan uit te draaien. Met trage bewegingen droog ik me af en kruip in het donker onder het laken en het dunne zomerdek. Met wijd open ogen lig ik klaarwakker naar het plafond te staren. Voorlopig zal de slaap niet komen, dus ik sta op, trek een lang T-shirt aan en open de balkondeur. Behalve het ratelen van de krekels en wat geritsel tussen de bladeren van de boom hoor ik niets. Of toch, vanuit de verte klinkt het ruisen van de branding.

Onder in mijn toilettas vond ik gisteren een waxinelichtje. Een vergeten rekwisiet uit de tijd dat ik nog weleens mijn best deed een onpersoonlijke hotelkamer een romantischer aanzien te geven. Thomas was toen mijn minnaar, ik zag hem nu en dan op een congres of seminar waar ik trainingen gaf. Hij stelde het op prijs als ik de boel een beetje opleukte. Oprecht verrast kon hij reageren op een onverwachte belichting van de ruimte rondom het bed of een spannend lingeriesetje dat tevoorschijn kwam van onder mijn mantelpakje. Wat deed ik mijn best om voordelig uit te komen, wat een moeite om aantrekkelijk gevonden te worden.

Mijn onverslijtbare toilettas is een bron van vergeten dingen. In een zijvakje vind ik een aansteker die nog prima functioneert. Met een blikje sap uit de koelkast – dankjewel Klaas, voorzienige geest – ga ik op het balkon zitten. Het kleine gele vlammetje geeft de schelpen een zachte gloed.

Rusteloos schuif ik de schelpen heen en weer, leg onverwachte, nieuwe patronen. Wat zouden ze doen daar op het strand? Simone is er om op Jessica te passen, Simone zal ervoor zorgen dat ze veilig in hun kamer terecht zullen komen. Voor een nachtelijk bezoekje van Rano ben ik niet bang, ik heb de indruk dat ik overduidelijk ben geweest.

Ineens overvalt me een grote vermoeidheid. Ik blaas het kaarsje uit en ga naar bed.

Fel en aanhoudend geklop doet me wakker schrikken. Een meisjesstem vraagt of ze mag binnenkomen. *'Cleaning service.'*

Ik schiet overeind en roep overdreven luid dat ze later terug moet komen. Met bonzend hart laat ik me terug op het matras vallen en luister naar de slepende voetstappen die zich verwijderen. Het is al bijna halftien, zo laat ben ik hier niet eerder wakker geworden. Ondanks de lichte kater die me hoofdpijn bezorgt, voel ik me redelijk fris. Zodra ik in de badkamer ben en in het licht van de tl-buis voor de spiegel sta, vloeit mijn energie alweer weg. Met slappe knieën ga ik terug naar de kamer. Vanaf de rand van het bed overzie ik de rommel. Over een halfuur is het ontbijt afgelopen maar ik kan me er niet toe zetten me te wassen en aan te kleden. Het vooruitzicht met iemand te moeten praten staat me tegen.

Bewegingloos blijf ik zitten kijken naar de stapeltjes kleren op de stoel en op de planken in de openstaande kast. Simones omslagdoek ligt op de grond, deels over mijn zanderige wandelschoenen. Het koelkastje bij de deur slaat aan, de airco zoemt en buiten fluiten de vogels. Onder mijn voetzolen is de tegelvloer onaangenaam koud. Om elf uur vertrekt de bus die de gasten naar het vliegveld zal brengen. Simone moet haar sjaal terug hebben en het zou bijzonder vreemd zijn als ik geen afscheid nam. Dat betekent dat ik straks gekleed en wel naar buiten zal moeten. Hoewel, ik zou de sjaal met een briefje bij de receptie af kunnen geven. Ik voel de energie weer een beetje in me terugstromen. Opstaan nu. *Kom meisjes, de wereld wacht op ons.* Wat heb ik de kinderen vaak mee naar buiten gelokt met deze uitspraak. Wat ervan rest, is een verre echo van het *ons*. Ik en mijn dochters.

Gewapend met een volle tas en een afscheidsbriefje voor Jessica en Simone loop ik langs de foeragerende *hornbills*. Jessica krijgt in ieder geval niet van mij te horen dat dit de vogel is die Ben in haar ziet. Mijn vakantievriendinnen zijn waarschijnlijk op hun kamer aan het inpakken.

Opgelucht dat ik geen van hen ben tegengekomen, bereik ik de lobby en geef de omslagdoek en mijn boodschap af aan de schoonheid met het lange haar. Bij het passeren van de internethoek moet ik me bedwingen mijn mail te checken. Na het laatste, ik vrees ietwat overspannen klinkende mailtje aan Birgit, ben ik hier niet meer geweest. Hopelijk vat ze mijn hartenkreet niet verkeerd op. Wellicht hoop ik tegen beter weten in, maar soms wil ik gewoonweg vertrouwen op haar volwassenheid.

Zodra ik de poort van het hotel achter me heb gelaten, is daar de gehandicapte bedelaar in zijn rolstoel. Op de eerste dag dat ik hier was, heb ik hem geld gegeven en mijn naam ingevuld op zijn namenlijst. Ik steek mijn hand naar hem op en blijf in de schaduw van de winkelpuien lopen.

Natuurlijk komt de rolstoeler onmiddellijk naar me toe gereden, roepend en zwaaiend met de namenlijst. Abrupt sta ik stil en draai me naar hem om. Na drie keer een overduidelijk en keihard 'nee' naar hem te hebben geroepen loop ik door. Ik schaam me voor mijn gedrag, als een lastige vlieg of een drenzend kind heb ik de man van me af proberen te houden. Aan de andere kant is het ook niet bepaald volwassen hoe hij mij telkens weer lastigvalt. Herkent hij me niet of zo, hij is toch niet blind? Hoeveel moet ik nog geven?

Ik doe mijn best vastberadenheid uit te stralen en richt mijn blik strak op een punt in de lucht boven de verkopers die me in groepjes op staan te wachten aan de kant van de weg. De grote zonnebril die ik draag, beschermt me enigszins, het maakt oogcontact in ieder geval lastiger. Ook heb ik de klep van mijn pet ver naar voren getrokken.

Op het eerste het beste terras van een van de kleinere hotels aan de hoofdstraat zoek ik een plekje, zo ver mogelijk uit het zicht van de straat. Aan het oog onttrokken door een uitbundig bloeiende haag ontspan ik eindelijk een beetje. Het dikke meisje dat me vraagt wat ik wil bestellen is zo sloom dat ik de neiging krijg haar een schop te geven. Het duurt een eeuwigheid voor ik mijn fles water en koffie heb. Het terras is verlaten, ik denk dat ik wel begrijp waarom. Lang nadat ik mijn koffie op heb, komt ze aangesloft met een mandje witte broodjes en kuipjes jam. Terwijl ik op de rest van mijn bestelling wacht, kan ik haast zien hoe het vocht uit het brood verdampt en de korst uitdroogt. Eindelijk komt het meisje met de gebakken eieren. Jammer dat ze peper en zout vergeten is, weer sloft ze bij me vandaan. Hongerig doop ik stukjes brood in het zachte eigeel. Het smaakt verrukkelijk, ook zonder zout. Halverwege mijn tweede ei komt het meisje niet alleen met peper en zout maar heeft ze nota bene een gevulde koffiekan meegenomen. Zwijgend schenkt ze in. Als ze weer naar binnen is, schrik ik van luid geritsel tussen de droge bladeren in de hoek. Een grote hagedis schiet over de tegels en verdwijnt in een spleet in de muur.

In mijn maag prikt en brandt het. Heb ik nog tijd om afscheid van Jessica en Simone te nemen voordat ze weg zijn? Waarom ga ik niet naar ze toe? Alles lijkt ineens zo ver van mij. Het eten staat me plotseling tegen, het vet waarin de eieren zijn gebakken ruikt ranzig. Met een paar grote slokken koffie en een glas water probeer ik het plakkerige laagje uit mijn mond te spoelen.

Besluiteloos voer ik kruimels witbrood aan de kleine vogeltjes die op mijn ontbijt zijn afgekomen. Vrolijk hippen ze onder mijn stoel, een durfal waagt de sprong naar het mandje op tafel. Een voor een vliegen de andere ook op om een perfect uitgevoerde landing op tafel te maken. Kwetterend storten ze zich op de broodresten. Ze gedragen zich net als de musjes bij de zomerse picknicks vroeger, in de boomgaard achter het huis van de woongroep. Een andere wereld lijkt het vanuit dit verre oord.

Op de geweven kleden van Ara, waar ze een hele winter aan werkte, zaten we in de schaduw van de fruitbomen. Dat er grasvlekken op de kleden kwamen en we met jam en wijn knoeiden, kon haar niets schelen. De meisjes vermaakten zich met vlindernetjes en stokbrood. Eerst was er het avontuur van het vinden van de juiste stok, daarna het kliederen met het plakkerige deeg dat om de punt van de stok gevouwen moest worden. Pas dan kwam waar het allemaal om te doen was, het deeg omtoveren tot brood in de hitte van het vuur, in de buitenoven. Met rode wangen en vieze handen holden ze heen en weer tussen de vuurplek en de kleden waarop wij, de gróten, onze zonnepitbroodjes met geitenkaas en vruchtenjam wegspoelden met liters vlierbessenwijn en appelcider. Op die lange zomeravonden logeerden er altijd wel een aantal vriendinnetjes, aangetrokken door de wilde tuin met slingerpaadjes, kruiden en eetbare bloemen. Aan het eind van zo'n avond haalde Jaap, Lánge Jaap, zou Birgit me corrigeren, zijn gitaar tevoorschijn en lagen we loom en warm met z'n allen dicht tegen elkaar aan op onze rug, om de roodgloeiende vonken van het vuur en de kringelende slierten rook tegen de donkerende hemel te zien afsteken. De weelderig begroeide takken van de fruitbomen boven ons, de kinderen geurig, moe en zweterig naast me. De liedjes die we mee neurieden, het onverwachte overvliegen van een velduil, het wachten op de eerste sterren. Wat was het eigenlijk allemaal van een grootse, vervullende eenvoud. Nog later, als de kinderen bij elkaar in hun bedjes lagen, bleef ik op de overloop staan om te luisteren naar het zachte gekwetter van hun stemmetjes. De herinnering aan dat geluid, die melodie van kinderstemmen in de nacht, weeft een sluier van verlangen in mijn borst. Een verlangen erbij te horen, naar de vanzelfsprekendheid van toen. Deze kleine bruine vogeltjes, dat snelle pikken en gekwetter... als zwaluwen.

Met een ruk sta ik op, in paniek stuiven de vogels uiteen. Binnen betaal ik bij een andere, even slome dikkerd. Aan het eind van de straat staat voor het hotel een bus geparkeerd. Opgelucht versnel ik mijn pas en reageer niet eens op de onvermijdelijke rolstoeler die nog steeds een prooi in mij lijkt te zien. Ik lach dit keer zelfs vriendelijk naar hem en doe verder alsof ik stom en blind ben.

Naast de lege bus staat de chauffeur te praten met de portier en enkele bewakers. Een verzameling koffers staat klaar bij de ingang van het hotel. In de lobby staat een rij wachtenden voor de balie. Uitchecken gaat kennelijk langzamer dan men dacht. Vooraan in de rij wordt druk gesticulerend en op boze toon gesproken. Er is onenigheid over de rekening, kennelijk staan er meer drankjes op de rekening dan ze genuttigd hebben. Op ruzieachtige toon wordt met het baliepersoneel geargumenteerd over achttien euro. Een half maandloon voor een Gambiaan, een uurloon voor veel mensen in Nederland. Plaatsvervangende schaamte voel ik, voor deze verwende zeurpieten. Dan realiseer ik me dat het Tinekes stem is die ik hoor mopperen en schelden. De man naast haar moet Ger zijn. Ik wil ze niet zien en loop door. Als ik de lange rij wachtenden afspeur, zie ik achter in de lobby Simone en Jessica op een van de banken zitten. Ze bladeren in een tijdschrift.

Ik weet niet wat me bezielt, misschien is het het gedrang in de lobby dat me afschrikt of het vooruitzicht met een mond vol tanden tegenover de twee vrouwen te staan. Iets houdt me tegen en ik doe mijn best ongezien weg te sluipen. Ik negeer het bordje 'Verboden toegang' bij de ingang naar de ontbijtzaal en glip door de gesloten deur. De ruimte is al opgeruimd en ziet er akelig leeg uit zonder mensen. Schuifelend langs lege tafeltjes loop ik dwars door de zaal naar de openslaande deuren naar het terras. Via een nauwe doorgang in de bloemenhaag kun je naar de tuin, dat heb ik van de week een kind zien doen. Uit de afwaskeuken klinkt het kletteren van serviesgoed en gelach. Achter een muurtje waar doorgaans geen gasten komen, staan enorme teilen. Voorovergebogen steken drie vrouwen hun armen tot ver over de ellebogen in het water. De spoelkeuken. Niemand die zich iets aantrekt van mijn aanwezigheid, zelfs de vogels die de laatste kruimels zoeken, hippen hooguit een klein eindje verder.

De opening in de heg is groot genoeg. Het volgende moment hap ik naar adem en grijp naar mijn keel. Vlak voor me beweegt iets groots en bruins. Krijsend en met een hoop kabaal van tegen elkaar slaande bladeren vlucht een aap een boom in, onmiddellijk gevolgd door drie schreeuwende soortgenoten. Een van de apen heeft een jong aan haar buik vastgeklemd. Zwarte kraaloogjes en vingertjes steken af tegen het roestbruin van moeders vacht.

Op een bankje langs het pad moet ik gaan zitten om mijn bibberende knieën rust te geven. Mijn hemel, wat kan ik schrikken. Opgewonden wijzende hotelgasten maken duidelijk waar de apenfamilie zich bevindt; een eind verderop vlak bij het pad dat naar mijn kamer voert.

Zo ken ik mezelf niet, bang in het vooruitzicht te moeten praten, me te moeten verhouden tot anderen. Het liefst zou ik me opsluiten in mijn kamer, in bed gaan liggen met mijn hoofd diep onder de dekens. Eigenlijk beangstigt me het vooruitzicht zonder Jessica en Simone te zijn, zonder gezamenlijke maaltijden en avondjes in de tuin. Tegelijkertijd heb ik het idee dat ik juist alleen wil zijn. 'De wereld wacht op ons' klinkt plots als een belachelijke uitspraak. Wie zou er wachten? Wat bedoelde ik met de wereld? School of werk? Vriendjes en vriendinnetjes? Vervulling? Uitdagingen? Geluk? Het was niets meer dan een manmoedige poging mijn eigen leven een schijn van zin te geven. Het komt me allemaal zeer vermoeiend en bedroevend zinloos voor.

Sloffend ga ik op pad naar mijn kamer. De riem van de schoudertas die ik vanochtend in een vlaag van besluitvaardigheid volgepropt heb met dingen die ik vandaag eventueel nodig zou kunnen hebben, snijdt in het zachte gedeelte van mijn schouder. Zelfs de aanblik van de drie hamerkoppen op hun vaste uitkijkpost is niet in staat me op te beuren. Zinloos zitten ze daar te zijn. Te wachten. Er is maar één weg, die naar het einde. Dat is de weg die we allemaal gaan. Onderweg mag het dan af en toe leerzaam, boeiend of spannend zijn, de bestemming staat vast.

Eindelijk is daar de trap die naar mijn eigen paar vierkante meters afzondering leidt. Tussen de schelpen ligt een harige kokosnoot. Ik heb ze eerder aangeboden gekregen van de tuinman. Aardig gebaar, maar verkeerde timing en géén gezicht. Woedend, omdat mijn stilleven ongevraagd verstoord is, wat zeg ik, áángetast, smijt ik de vrucht met een krachtige worp de tuin in. Met een schok realiseer ik me dat er iemand had kunnen lopen, ik had iemand kunnen vermoorden met dat ding. Inderdaad. En? Een beetje eerder op je bestemming, *so what*! Een mens heeft zijn lot tenslotte niet in eigen hand. Wat bazel ik toch?

Goddank is mijn kamer schoon en opgeruimd. Met enkele ferme rukken trek ik het strak ingestopte laken los. Wat denken ze eigenlijk, dat ik me in zo'n dichtgeplakte envelop kan persen of zo? De stank van ontsmettingsmiddelen verdikt de brok die muurvast achter in mijn keel ligt en mijn ademhaling bemoeilijkt. Eindelijk schieten de gordijnen uit de rails, tot nu toe heb ik dat weten te voorkomen door ze behoedzaam en met beleid te sluiten. De onverwachte kracht waarmee ik ze nu dichttrek, kunnen ze niet aan. Ik laat de kier voor wat het is, doe de deur op slot, mijn kleren uit en trek het laken en de deken helemaal over me heen.

In mijn oren ruist en suist het. Stromend bloed, of stilte, of de zee. De brok smelt, mijn wangen worden nat en slierten speeksel doorweken langzamerhand het kussen. Ik prop mijn vuist in mijn mond, bijt op mijn knokkels en schreeuw, geluidloos en herhaaldelijk, goed verborgen in mijn wit katoenen schuilplaats.

'*Have a nice flight.*' De stewardess bekijkt mijn ticket en vraagt me haar te volgen. Het smalle gangpad voert me naar het achterste deel van het vliegtuig. Ik heb mijn ticket kunnen ruilen dankzij de hulp van het baliepersoneel in het hotel. Ze hebben hun uiterste best gedaan deze vlucht voor me te boeken. Ik heb ze een buitenproportionele fooi gegeven waar ik absoluut geen spijt van heb. De opluchting die ik voel, is onbetaalbaar.

Om me heen is men druk met het vastmaken van riemen en het schikken en herschikken van de handbagage. Lichtelijk buiten adem hoor ik de stewardess mijn plaats aanwijzen. Twee lege stoelen en ik mag kiezen. De derde plek, aan het raam, is bezet. Daar heeft een dikke, overdadig transpirerende man zich wonder boven wonder in de smalle stoel weten te persen. Blij dat ik aanraking met deze medepassagier kan voorkomen, neem ik plaats aan het gangpad. Een lichte spanningshoofdpijn zeurt achter mijn voorhoofd. Ik sluit de veiligheidsriem en doe mijn ogen dicht. Enkele minuten later kondigt de stem van de gezagvoerder ons vertrek aan. We gaan. Ik ga naar huis.

Al stijgend vliegen we in een wijde boog over flats, woonwijken en bruine stukjes land met hier en daar groepjes palmbomen. Naast me haalt de man, puffend en grommend als een dier, een tas omhoog die tussen zijn voeten op de grond stond. Met een hoop lawaai van knisperend papier en plastic komt er een witte doos uit tevoorschijn. Hij zet de tas op de lege stoel tussen ons en opent de doos. Gretig begint hij van een broodje te eten. Hij eet alsof hij uitgehongerd is. Het broodje verdwijnt in drie happen. Een ietwat verkreukeld croissantje verdwijnt in twee happen. Een groene banaan wordt gepeld en doormidden gebroken. Ook in twee happen verdwenen. Dan is een pakje sap aan de beurt. Met zijn dikke vingers priegelt hij het minirietje uit het cellofaan en steekt het in het gaatje. Zijn vraatzucht is walgelijk en afstotend. Slikkend en nakauwend laat hij het pakje sap een ogenblik tussen de kruimels op zijn buik rusten om een snelle blik naar buiten te werpen. Een seconde later al zuigt hij met een slurpend geluid de laatste restjes van de bodem. Hij frommelt het lege pakje in elkaar, legt het terug in de doos en sluit het deksel. Met zijn dikke vingers vouwt hij de doos tot een klein pakketje en propt het in het netje aan de stoel voor hem.

Onopvallend, vanuit mijn ooghoek, zie ik hoe hij zijn armen gevouwen op zijn enorme buik legt en zijn hoofd achterover laat zakken. Hij sluit zijn ogen. De knopen van zijn overhemd kunnen de druk van zijn buikvet nauwelijks aan. Ertussen is de bleke, behaarde buik zichtbaar. Bij dat beeld kokhals ik bijna. De vergelijking met Rano's buik dringt zich op. Plat, hard, zwart. En glad, zacht en glad. Ophouden, Rosa! Ik moet mezelf streng toespreken om te voorkomen dat ik alsnog spijt krijg van mijn onverwachte vertrek. Ik had kunnen blijven. Ik ben vrij om te gaan en te staan waar ik wil. Ik leef in wat ik tussentijd noem.

Birgits boodschap bevatte maar vijf woorden.

Toen ik na uren uit mijn klamme bed tevoorschijn kwam, uitgehuild en uitgeput, kon ik nauwelijks nog helder denken. De bus was vertrokken en had mijn vrienden meegenomen, dat was zeker. Ik nam een douche en schoot een jurk aan. Toen ik naar buiten ging, voelde het alsof ik recht in een oven stapte. Verzengende hitte. Door de bel van warme lucht begaf ik me naar de lobby. Alle computers waren vrij. Ik logde in en opende een mailtje van Birgit. *Mama, ik mis jou ook.*

Pas toen ik de zachte druk van een hand op mijn schouder voelde en opkeek in het prachtige gezicht van de lange receptioniste voelde ik mijn tranen. Ze gaf me een handvol tissues en bracht me een glas water. Ik zei haar dat ik naar huis wilde, ze beloofde me dat zij en haar collega's hun best zouden doen. De laatste uren in het hotel bracht ik verborgen achter de enorme glazen van mijn zonnebril door. In de schaduw van een boom op een stille hoek van het tuinterras. Met geregelde inname van paracetamol en wijn gingen de uren voorbij. Ik meed het zwembad en het strand, er was te veel licht.

Te veel kans op Rano.

Ik mis mijn dochters, allebei, en ik verlang naar Aya's armpjes om mijn nek. Misschien verlang ik zelfs naar een gesprek met ze over Alphons. Met Aya's armpjes om me heen moet dat te doen zijn. Met het kind in de buurt zijn Birgits doorgaans giftige opmerkingen opmerkelijk milder.

Een luide oprisping klinkt plotseling uit de mond van mijn slapende buurman. De passagiers op de stoelen voor ons kijken om. De vrouw kijkt naar hem en dan naar mij, ze trekt een vies gezicht. Ik lach en grimas terug.

Ik haal Alphons' schrift uit mijn handtas, de hoeken zijn beschadigd en het dunne laagje plastic van de cover laat los van het papier. Als ik het opensla, valt er zand uit. Zand, fijn als stof. Donkergeel steekt het af tegen het zwart van de linnen broek die ik draag. Een Afrikaanse sterrenhemel in mijn schoot.

Het jongetje op de foto is nog dezelfde, bevroren in een eeuwigdurende roep om hulp van boven. Zijn roep zal niet verhoord worden, net zomin als de roep naar boven van wie dan ook. Het fietswiel draait voor eeuwig in het luchtledige. Waar is de hoop in dit tafereel? Wellicht in het achterwiel dat immers nog stevig op vaste grond staat. Of in het feit dat het jongetje nog in het zadel zit.

Ik heb de zo begeerde vrijheid geproefd, nu verlang ik naar grond onder mijn voeten. Zonder bedding vloei ik uit, verlies ik mijn vorm.

De warme maaltijden worden uitgedeeld, het is tijd voor verpozing. Als mijn buurman voor me langs naar het plastic bakje in de hand van de stewardess reikt, ruik ik een mengeling van oud zweet en pregnante deodorant. Voordat ik georganiseerd ben – tafeltje uitklappen, een plek voor het schrift vinden in de tas op de grond, voorkomen dat mijn maaltijd met bijbehorend leeg bekertje op de grond glijdt – heeft mijn buurman zijn bak al half leeg. Het is een hele opgave zijn eetgeluiden te negeren terwijl ik hapjes neem van de stukjes kip in saus en rijst, de paar slappe sperziebonen en het hoopje rauwkost. Halverwege staat het eten me ineens tegen. Met gesloten ogen doe ik mijn best me af te sluiten.

'Eet u dat niet?' Ik vermoed dat de vraag aan mij gericht is en open mijn ogen. Met een vork in zijn hand wijst buurman naar de restanten van mijn maaltijd. Verbaasd schud ik nee.

'Zal ik het dan maar opeten? Als je net uit Afrika komt, kun je zoiets toch niet in de afvalemmer laten verdwijnen?'

Mijn verbazing ontwikkelt zich tot verwarring. 'Eh, nee, natuurlijk, neem gerust.'

'Dank u.' Weer die geurvlaag van onder zijn oksel. Zijn dikke vingers om het plastic. Ik sluit mijn ogen opnieuw. 'Weleens eerder in Gambia geweest?'

Verdorie, ziet hij niet dat ik me afsluit? 'Nee.' Met een onbekende blijkt het lastig met gesloten ogen te converseren. Bovendien is mijn wil beleefd te zijn even sterk als altijd, dus ik open mijn ogen en ga rechter op zitten.

'Ik ga twee keer per jaar, voor zover mogelijk.' De laatste rijstkorrels en een restje saus veegt hij met een stuk brood bij elkaar.

'Zo, voor zaken of zo?' Het zal toch niet waar zijn dat hij daar voor iets anders is.

'Naar mijn verloofde.' Hij legt het cakeje dat als dessert bedoeld is opzij en propt mijn lege maaltijdbakje in het zijne, daarna likt hij omstandig zijn vingers af.

'Verloofde? Goh, een Gambiaanse vrouw?' Nieuwsgierig geworden vraag ik door. Het voelt net als zogenaamd ongeïnteresseerd in een roddelblad bladeren en ondertussen likkebaardend letter voor letter lezen.

'Ja. We kennen elkaar van internet. Een heel lief meisje.' Hij heeft ontdekt dat er een verfrissingsdoekje en een servet bij de maaltijd bijgeleverd zijn. Eindelijk.

'En jullie zien elkaar twee keer per jaar?' Van de weeromstuit veeg ook ik mijn vingers uitvoerig schoon met een vochtige doekje dat sterk naar ouderwetse eau de cologne geurt.

'Twee keer per jaar, voor de rest mailen en bellen we. Ik heb haar een computer en telefoon gegeven.' Zijn stem is zo zacht dat ik moeite moet doen hem te verstaan.

'Was het fijn om haar weer te zien?'

Ik realiseer me dat het een ietwat onbehouwen vraag is aan een vreemde.

'Ik mag haar maar een paar uur zien, overdag, met moeder en zussen en tantes en het hele vrouwvolk erbij. Ze is minderjarig, ze zijn moslim, dus...' Hij buigt zijn hoofd en veegt met het servet zijn voorhoofd droog.

'Dus, eigenlijk zijn jullie nooit samen?' Nog zo'n vraag die eigenlijk niet kan.

'Nee. Dan zullen we eerst moeten trouwen. Maar ik ben geen moslim dus trouwen kan niet.' Hoofdschuddend lijkt hij de hele toestand diep te betreuren.

'Verblijf je dan in een hotel, als je in Gambia bent?' Ik meet me de rol van nieuwsgierig aagje aan, maar ik wil zijn verhaal horen.

'Een pension. Anders is het niet te betalen. Ik heb een vaste stek aan de kust, vlak bij het dorp waar ze woont. Als ik aankom, koop ik een fiets, ik fiets heel wat af. Als ik wegga, laat ik de fiets in het dorp achter. Ze hebben daar niks, dus twee fietsen per jaar is een hele hoop.'

Ik kan me deze dikke reus maar moeilijk voorstellen op een fiets. En al even moeilijk vind ik het voor me te zien hoe een minderjarig Gambiaans meisje van deze man zou kunnen houden. Economische ontwikkeling. Geld. Toekomst voor de familie. En deze naïeve kerel komt twee keer per jaar langs omdat hij zich verbeeldt dat er liefde in het spel is. Ik kan het niet laten.

'Hoe, als ik vragen mag, hoe zien jullie de toekomst dan voor je?'

'Zoals het gaat.' Schouderophalend scheurt hij het cakeje uit de verpakking en steekt het in zijn geheel in zijn mond.

'Koffie of thee?' De stewardess schenkt ons koffie in. Om te voorkomen dat er nog eens een vlaag van onder zijn oksel mijn kant op komt, geef ik zijn kopje aan.

Zoals het gaat, denk ik. Ook een manier om met de toekomst om te gaan. Buurman is zeker de vijfendertig gepasseerd, als hij al geen veertig is. Gezien zijn omvang en lichaamsgeur verwondert het me niet dat hij zijn toevlucht op het internet heeft gezocht. Uit de gele plastic tas tussen ons in komt een kleine fles cognac tevoorschijn. Hij schroeft de dop eraf en giet een flinke scheut in zijn koffie.

'Stukken goedkoper dan hierboven. Jij ook?' Uitnodigend houdt hij me de fles voor.

'Nee dank je, ik ga even slapen.' Duidelijker kan ik niet zijn.

'Zelf weten.'

Klaarwakker luister ik naar de geluiden om me heen. Ergens voor in het vliegtuig begint een baby te krijsen. Het personeel komt langs om het etensafval te verzamelen. Nog een keer moet ik buurmans okselgeur verdragen.

Nu voel ik hoe mijn ogen prikken van het huilen gisteren. Niet alleen mijn voeten zwellen op, ook mijn oogleden lijken met de minuut dikker te worden. De zwelling in mijn voeten kan ik verlichten door mijn schoenen uit te doen, mijn oogleden hebben tijd nodig, tijd en rust. Gek genoeg heb ik het idee dat de pijnlijke gevoelens die in me woelen dezelfde zijn als in de periode na de scheiding. Zelfs een vergelijking met het uit huis gaan van de meisjes dringt zich op. Afscheid nemen, loslaten, verdergaan zonder de vanzelfsprekende nabijheid van de ander, het doet allemaal pijn.

'Sorry, ik moet erlangs.'

Geschrokken schiet ik overeind en stoot mijn teen aan een harde metalen strip onder de stoel. Inwendig vloekend maak ik mijn riem los en ga in het gangpad staan. Slechts met grote moeite komt de buurman overeind en weet zich tussen de stoelen door het gangpad in te wurmen. Als hij wegwaggelt, glijdt zijn broek haast naar beneden, de riem bungelt los langs de voorkant. Met zijn ene hand houdt hij zijn broek omhoog en met de andere houdt hij zich bij iedere stap aan de rugleuningen van de stoelen vast.

De rest van de vlucht laat hij me met rust. De daling en landing gaan perfect en de piloot krijgt een applaus. Niet van mij, ik voel me ongemakkelijk bij het applaudisseren in een vliegtuig. Op Schiphol weerspiegelen de lichten van de landingsbaan in het natte asfalt. Het is een oer-Hollandse druilerige dag.

Beverig van de lange zit en een beetje vervreemd volg ik blindelings het spoor van mijn medereizigers. We stromen door de slurf de aankomsthal in en zonder na te denken laat ik mijn paspoort zien bij de douane en sluit ik aan in de rij bij de bagageband. Mijn koffer is een van de eerste.

Er is niemand om me af te halen omdat ik niemand heb laten weten dat ik terug ben. Bij de automaat koop ik een treinticket naar Haarlem. Als ik van de roltrap naar het ondergrondse perron stap, is mijn trein net gearriveerd. Ik stap in en zoek een plek.

Het is vroeg in de avond, nog geen acht uur, toch zijn de meeste plaatsen bezet en ik besluit te blijven staan. Hoewel mijn schoenen twee maten te klein lijken, is het fijn een beetje te kunnen bewegen. Het is minder koud dan ik dacht. Al met al een voorspoedige reis, zou je kunnen zeggen. Ook van deze reis is de bestemming in zekere zin het einde. Ik weet zelf nog niet precies hoe, maar dat deze reis het einde van iets markeert, dat weet ik met zekerheid. Zonder einde geen begin.

Ondanks het gewicht in mijn borst dat mijn hart verzwaart, moet ik glimlachen om mijn eigen dramatiek. Maar het is een warme glimlach, niet de ironische die ik zo vaak ten beste geef. Dit is een glimlach die verzacht. En de tranen die ik voel branden zetten niet door. Ze natten mijn ogen als een zalfje.

Een taxichauffeur brengt me thuis. Ik geef een grote fooi en krijg een vorstelijke begeleiding naar de voordeur. De auto rijdt weg, de straat strekt zich verlaten en glimmend uit. Ik draai me om en steek de sleutel in het slot, open de deur en stap de hal in. Aarzelend blijf ik een ogenblik staan. De muffe geur van een huis zonder bewoners kriebelt in mijn neusgaten.

Het invallende licht van de straatlantaarn geeft reliëf aan de donkere vormen om me heen. De jassen aan de kapstok, de mand met schoenen in de hoek, Alphons' pet. De pet ligt op het rekje boven de kapstok. Met een ruk trek ik de rolkoffer over de drempel en ik sluit de deur achter me. Zonder licht van de straatlantaarn is alle kleur uit de dingen verdwenen. Snel druk ik de lichtschakelaar naar beneden, de lamp aan het plafond laat mijn rode rolkoffer stralen. Met mijn jas nog aan loop ik door alle vertrekken. Een korte inspectie. Om het huis te laten zien dat ik heelhuids terug ben. Even alle deurklinken aanraken, overal het licht aandoen, uit iedere kraan een stroompje water zien komen. Als het hele huis verlicht is, doe ik een tweede ronde om her en der de lichten weer uit te doen. Het doet me veel meer dan ik ooit heb kunnen denken om het tweepersoonsbed te zien in mijn slaapkamer. Hoewel we al jaren gescheiden sliepen. Alphons in de logeerkamer aan de voorkant, ik in onze oude kamer aan de achterkant. De slaapkamers van de meisjes heb ik nooit voor onszelf gebruikt. Zij moesten ieder moment terug kunnen komen, hun bed moest vers en onbeslapen klaarstaan.

Beneden in de woonkamer zet ik de radio aan. De stilte wordt er iets minder zwaar door. In de keuken, tegen het aanrecht geleund, wacht ik tot het water kookt. Er zit nog één zakje in het doosje hooithee. Alphons' favoriete thee. Ik steek mijn neus in het doosje en snuif de geur diep op. Even later ga ik met een kop Earl Grey naar de woonkamer.

Na een doorwaakte nacht sta ik al om zeven uur op. Buiten is het nog donker, het oranje licht van de straatlantaarns vervaagt in een dikke mist. Pas nadat de verwarming de koude lucht heeft opgewarmd neem ik een douche. In Gambia is de overgang van dag naar nacht zo veel sneller. En vol kleur en geluiden. Behalve het zoeven van voorbijrijdende auto's hoor ik niets. Na een snel ontbijt van geroosterd brood met jam en een kop koffie drentel ik onrustig door het huis. Mijn koffer is snel uitgepakt. Ik vul de wasmachine en bekijk de post die de buurvrouw op een stapeltje heeft gelegd. De kranten en reclamefolders liggen ernaast. Met een tweede kop koffie neem ik het nieuws van de afgelopen tijd door. Tussen de post zit een brief voor de erven van de heer A.H. Rypkema. Bij het zien van de naam krijg ik het warm. Het is een brief van de notaris met informatie die ik al eerder telefonisch heb gekregen. Ook is er brief van de vereniging waar Alphons zijn volkstuin huurde. Maandag zal ik bellen om de huur op te zeggen.

Het is zaterdagochtend, halfnegen en het weekend ligt voor me. Eerst maar boodschappen doen, de dingen een voor een afwerken en niet te veel vooruitkijken. Straks bel ik de kinderen om iets met ze af te spreken. Misschien morgen naar Inger en Petra. Ik verheug me er vooral op Aya te zien. Misschien wil Birgit ook wel naar haar zus komen. Dat zou een gesprek gemakkelijker maken.

Ik kan me er niet toe zetten het huis te verlaten. Lange tijd zit ik roerloos op de bank voor me uit te staren. Daar, in die stoel in de hoek zat Alphons altijd. Zou hij in die stoel ook hebben geschreven aan zijn verhaal? Of deed hij dat verborgen voor mij in zijn stoel onder het afdakje in zijn tuin? Het gehavende schrift ligt nog boven. Ik ga het halen. Het huis lijkt te zijn gegroeid in de tijd dat ik weg was. Alsof het me te groot is geworden, de trap te breed en de gang te hoog. Ik zet de radio op de klassieke zender en ga in Alphons' stoel zitten. Lichtelijk nerveus blader ik naar waar ik was gebleven.

WIL

Het kind staat op de drempel. Door een windvlaag waaiert het fijne witte zand dat de vloer van de grote ruimte vormt, hoog op. In ijle spiralen kringelt het omhoog. Met één grote stap gaat het kind naar binnen. Achter hem valt de deur geruisloos in het slot.

Vóór hem vallen de zandspiralen uiteen, ze dalen en gaan liggen.

In het midden van de zaal brandt een vuur. Daar omheen staan drie stoelen.

De ruimte lijkt op een ridderzaal uit een van zijn stripboeken, met een vuur in plaats van een ronde tafel. Aan de muren zijn smeedijzeren houders bevestigd waarin brandende fakkels gestoken zijn. Vlammende toortsen. Het plafond van de zaal is bedekt met iets wat eruitziet als engelenhaar in de kerstboom. Ook lijkt het op oma's haar, dat ziet er soms net zo uit, spierwit en glanzend.

Als oma hem nu toch eens zou kunnen zien. Of papa. Of mama. Iemand!

Hij gaat op weg naar het vuur. Als hij dichterbij komt, ziet hij dat het al lang moet branden. Onderop, in de donkere restanten van wat enorme houtblokken moeten zijn geweest, gloeit het vurig rood en oranje.

Het kind staart een tijdje naar de smeulende blokken. Hij knippert met zijn ogen als hij zich verbeeldt dat hij letters ziet. Hij vergist zich niet, de letters zijn er echt. Er verschijnt een zin.

'Ga zitten.'

De woorden golven gloeiend op en neer. Het kind doet wat hem gevraagd wordt.

Een plotselinge vonkenregen spuit als een gloeiende fontein omhoog vanuit het midden van het vuur. De vonken wervelen om elkaar heen, klitten aan elkaar vast en gaan weer uiteen. Ze vormen vurige woorden in de lucht.

'Waarom ben je hier?'

Ja, hallo zeg. Waarom zou hij hier zijn? Hij fluistert: 'Omdat ik hier terechtgekomen ben, natuurlijk. Omdat mijn moeder en ome Durk me uit de auto hebben gegooid. Omdat er toevallig een pad door de zee liep. Omdat er een reus was die me binnenliet en een kamer aanbood. Omdat ik moest plassen en op zoek ging. Omdat ik... gewoon, omdat het nu eenmaal zo is gegaan...'

Onrustig staat hij op, kijkt rond of hij ergens een pook ziet en ploft neer op de tweede stoel. De vonkende vraag dooft uit in een sliertje grijze rook dat in het engelenhaar aan het plafond opgaat.

Niets. Er gebeurt helemaal niets meer.

Waarom staan er drie stoelen om het vuur? Wie hebben hier gezeten en waarom? Wat willen ze van hem?

Een nieuwe vonkenregen spuit omhoog. Gespannen tuurt het kind in het gloeiend rood.

Daar zijn de woorden.

'En jij, wat wil jij?'

Geïrriteerd staat hij op en begint rond de vuurplaats te banjeren. Boos schopt hij asresten en stompjes verkoold hout terug in de haard. Wat een geklets. Hij is hier immers zelf naar toe gekomen? Wat een stomme vraag, alsof hij dat niet weet.

Hij blijft maar rondjes lopen terwijl de opmerking die de reus maakte door zijn hoofd jaagt. Bij nader inzien was het eigenlijk helemaal geen reus geweest, maar gewoon een uitzonderlijk grote kerel. Wat is weten? Oké, dan weet je het, en dan? Alles gaat toch altijd anders. Alsof het iets uitmaakt dat je iets weet. Of iets wil. Het leven hangt van toevalligheden aan elkaar. Hoofdschuddend ploft hij op de derde stoel. Moe en hongerig leunt hij ver achterover en laat zijn ogen langs het zilveren engelenhaar gaan.

Hij herinnert zich oma's vingertoppen. Soms, als hij bij haar sliep toen hij nog klein was, streken oma's vingertoppen langs zijn wang in een aanraking zo licht en dwarrelig als het poeder uit moeders poederdoos.

Zélf liet hij zijn eigen vingertoppen het liefst over oma's handen dwalen. Langs de aderen die als donkere rivieren op de handruggen lagen, door de ravijnen tussen haar vingers, bergje op bergje af over de knokkels. Hij verkende het landschap van haar oude handen alsof het telkens nieuw was.

Een hándschap. Hij glimlacht om zijn eigen woordvondst.

Oma is al bijna een eeuw oud. Hij denkt aan de kudde wolkenmammoeten die hij onderweg vanuit de auto heeft gezien. Op de deinende ruggen was het wit beginnen te vervagen. De wind aaide langs de contouren en dreef de wolken uiteen waardoor het leek alsof de vacht rafelde en krulde. Mammoeten waren veel, megaveel ouder dan oma. Ook heeft zijn oma geen vacht, geen rafels en geen krullen. Nou ja, behalve op haar hoofd. Haar handen zijn kaal, bobbelig en vol met vlekjes. Maar zacht. Zachter dan al-

les wat hij kent. Zachter nog dan zijn oude, versleten lievelingslaken.

Het kind probeert zich een voorstelling te maken van wat oma's handen zo zacht heeft gemaakt. Hoeveel moest oma wel niet gestreeld en geaaid hebben om uiteindelijk zó poederig zacht te worden? Om ze aan het eind van haar leven, als gevouwen vleugels, in haar schoot te kunnen laten rusten?

Dat is de laatste regel die Alphons heeft kunnen schrijven. Nooit zal ik weten hoe het afloopt met het kind. Hoewel, weten? Wat is weten?

Alphons heeft me verrast. En zadelt me postuum op met niet te beantwoorden vragen in een wonderlijk verhaal vol droombeelden. Nogmaals blader ik door tot de laatste lege bladzijden. Er is echt niets meer. Einde verhaal. Ik sta op en leg het schrift boven op het stapeltje boeken naast zijn stoel.

Even later fiets ik gedesoriënteerd door de optrekkende mist. Het is kouder dan gisteren maar een lichte plek in het zuiden belooft zon. Ik trek de mouwen van mijn jack ver over mijn handen en verberg mijn kin in mijn sjaal. Wat is alles grijs en ordelijk. Wat beweegt iedereen zich gehaast.

In de supermarkt merk ik dat ik zo snel mogelijk de winkel uit wil. Ik ken de weg tussen de schappen op mijn duimpje dus binnen tien minuten sta ik af te rekenen. De mist is zo goed als opgetrokken, ik verbeeld me zelfs dat ik de warmte van de zon al kan voelen op mijn gezicht. Zodra ik thuis ben, grijp ik de telefoon en toets het nummer van Birgit. Gespannen, met mijn jas nog aan, wacht ik tot ze opneemt. Haar ingesproken stem verzoekt me een boodschap in te spreken. De toon en de manier waarop ze haar verzoek doet, is snel en efficiënt. Een toon die jonge mensen bezigen om de indruk te wekken dat ze druk zijn en dat ze wel zullen zien of en wanneer ze terugbellen. Je voicemail afluisteren vinden ze hopeloos achterhaald. Beter is het te sms'en of te mailen, schijnt het.

Maar het is zaterdag en dit is haar privénummer, en niet haar werktelefoon. Geïrriteerd zeg ik mijn naam. Alsof ze mijn stem niet zou herkennen. Snel vertel ik dat ik terug ben, dat ik haar erg graag wil zien, en vraag of ze me terug wil bellen. Omdat ik niet zo goed weet hoe ik moet eindigen, mompel ik ietwat onbeholpen dat ik haar gemist heb. Ik wil geen enkele druk op haar uitoefenen maar ook niet onverschillig overkomen. Als excuus voor deze ongebruikelijke bekentenis voeg ik eraan toe dat ik natuurlijk ook al gemaild heb en dat ze heus niet bang hoeft te zijn of moet denken... Tuut tuut tuut.

Woedend smijt ik de telefoon in de bank. Hier sta ik, volwassen vrouw, weduwe, en eigenaar van een eigen onderneming. Ik kan zakelijke deals sluiten en groepen begeleiden, teams aansturen en bemiddelen in conflicten. Daar word ik voor gevraagd en riant voor betaald. Ik word zelfs af en toe ingehuurd als communicatiedeskundige of adviseur. En zie me hier staan, trillend van onmachtige woede omdat ik niet in staat ben een fatsoenlijke boodschap in te spreken voor mijn eigen dochter! Ziedend gooi ik mijn jas op de grond en smijt de boodschappen in de kast. Briesend neem ik de trap met twee treden tegelijk en ruk de deur van de wasmachine haast uit zijn hengsels. Met een zwaai belandt het natte wasgoed op een hoop in de badkuip. Het knallend blauw van het grote strandlaken brengt me tot bedaren. Ik schiet in de lach om mijn gezicht in de spiegel. Grinnikend besef ik dat een handdoek me tot bezinning heeft gebracht. Dat moet ik onthouden.

Hormonen, vooruit, ik gooi mijn opvliegendheid nog één keer op mijn biologische klok. Rustiger nu hang ik de was aan het rek op de overloop. Door het dakraam gutst een onverwachte plens licht. Ik besluit een eindje te gaan fietsen, ik verlang naar beweging en wind door mijn haren.

Met het doorbreken van de zon klaart mijn gemoed op. Het oktoberlicht is warm en heiig en brengt een zweempje zuur met zich mee. Het doet me denken aan de geur van verse spinazie waarover Alphons schreef. Aan rottende bladeren en gistend fruit. Aan rijping en vergankelijkheid.

Na een kwartier fietsen ben ik aan de rand van de bebouwde kom. Het volkstuincomplex kleurt her en der paars en geel van late zonnebloemen en herfstasters. Ik parkeer mijn fiets bij de ingang. Het is stil als ik het pad tussen de kaveltjes op loop. Het verschil tussen de lapjes grond is enorm. Scheefgezakte houten bouwsels naast keurig onderhouden schuurtjes. Een achtergelaten spade, rechtop in een bedje bonenloof. Gestutte zonnebloemen en vergeten groene kolen. Ik zie niemand, nergens een kromgebogen rug of spittend mens. Of toch, bij de kraan op de kruising van twee paden vult iemand een gieter. Door het lawaai van het stromende water tegen het gietijzer zal het onmogelijk zijn om mij te horen. De zolen van mijn sneakers maken nauwelijks geluid op het verharde pad. Vlak bij me vliegt een groepje putters op. Verheugd zie ik hoe het rood en geel van hun lijfjes de lucht kleurt.

Alphons' tuin grenst aan de brede sloot die de afscheiding vormt tussen de tuinen en het weiland daarachter. Het tegelpad tussen de groentebedjes lijkt pas schoongeveegd. Er is onkruid gewied en loof gesneden dat op een bergje in een hoek is gegooid. Het is goed om te zien dat men hier verantwoordelijkheid neemt voor elkaar. Ik zal de vereniging maandag bellen om de buurtuinders te bedanken voor hun goede zorgen. Ik loop door, laat mijn ogen langs het groen en de aarde gaan. Het groepje putters is gevlogen, slechts een enkele meeuw laat zich krijsend horen.

Grappig dat ik een vleugje koffie meen te ruiken. Net alsof Alphons hier nog gewoon bezig is en koffie heeft gezet. Hoewel ik om deze gedachte moet lachen, kan ik een opkomend gevoel van ongerustheid niet helemaal onderdrukken. Ik loop verder naar het schuurtje achterin.

In de hoek, onder de overkapping, zit Birgit.

'Birgit!'

Als ze mijn verraste uitroep hoort, kijkt ze met een ruk op uit het tijdschrift op haar schoot. Van onder een kaarsrecht geknipte pony staart ze me verbaasd aan. De rest van haar lange donkere haren heeft ze losjes opgestoken. Mijn hart zwelt bij het zien van haar prachtige gezicht. Wat is ze mooi, mijn kind.

'Mama? Wat doe jij hier?'

'En jij dan, wat doe jij hier?'

Ze rimpelt haar voorhoofd. 'Het decor klopt niet. Jij kunt hier helemaal niet zijn. Ik zie geen palmbomen, geen wit zand...' Hoofdschuddend zuigt ze haar onderlip tussen haar tanden. Ontelbare keren heeft ze zo voor me gestaan, als kind al, wanneer ze zich benadeeld voelde of het gewoon niet eens was met de gang van zaken.

'Sorry, ik had geen idee dat jij hier zou zijn. Ik heb je gebeld, een boodschap voor je ingesproken. Het was niet mijn bedoeling je zo te overvallen.'

'Nou, dat is helaas mislukt. Ik schrik me dood. Is er iets gebeurd?'

'Nee. Ja. Een heleboel eigenlijk.' Om even aan Birgits bozige blik te ontsnappen kijk ik overdreven uitgebreid om me heen. Het valt me op hoe netjes het hier is. 'Ben jij soms degene die de boel hier onderhoudt?' Tot mijn ergernis hoor ik de irritant hoge toon van ongeloof in mijn eigen stem.

Birgit fronst. 'Ja. We zagen het jou echt niet doen.'

'We? Komt Inger hier soms ook?' Plotseling voel ik me buitengesloten. Maar ik heb immers nooit interesse getoond in tuinieren Ik zou blij moeten zijn met deze actie van mijn dochters.

'Mama! Doe niet zo dramatisch, alsjeblieft. Weet Inger al dat je terug bent?'

'Nee, ik dacht... ik wou jou het eerst bellen... Weet je, Alphons heeft een verhaal geschreven. Vanochtend heb ik dat uitgelezen. Daarna belde ik jou maar je nam niet op. Toen móést ik naar buiten. Eigenlijk had ik helemaal niet bedacht dat ik hier naartoe wilde, ik fietste maar wat tot ik ineens hier was.'

'Wanneer ben je teruggekomen? Je bent bruin geworden.'

'Gisteravond. Ik hield het niet meer uit...'

'Was je gisteren om deze tijd nog in Gambia?'

'Ja.'

'En jij hebt dat schrift meegenomen met dat jongetje op de voorkant?'

'Hoe weet jij dat? Ken jij het dan? Voordat ik wegging, ben ik hier langsgegaan. Zomaar, om even te kijken. Omdat het koud werd, pakte ik een dekentje uit de trommel en toen zag ik het schrift liggen. En heb ik het natuurlijk meegenomen. Het is een mooi verhaal.' Wat is het vreemd om haar zo onverwacht te zien. Wat is Alphons ineens ver weg en tegelijkertijd juist dichtbij. En het is zo stil hier. 'Ik vond het bijzonder. Mooi, op een vreemde manier. Kijk!' Het groepje putters waaiert in een kleurige zwerm uiteen in de hoge distels in de tuin naast ons.

'Dus je vond het mooi? Fijn zo, want dat verhaal is namelijk van mij. Ik heb het een keer aan Alphons voorgelezen, zomaar. Hij vond het zo mooi dat hij het wilde overschrijven. Ik dacht dat hij het misschien mee naar huis had genomen.'

'Maar het lag hier.'

'Omdat hij er nog bloemen tussen wilde drogen, uit de tuin. Hij had het bedoeld als een cadeautje voor Aya's verjaardag. Ik heb het ooit geschreven voor een jongetje dat bij mij in therapie was.' Birgit staat tegen de wand van het afdak geleund. Ze houdt haar hoofd schuin en haar ogen zijn samengeknepen tegen het licht. Ik kan de blik in haar ogen niet zien. Ook begrijp ik niet helemaal wat ze zegt.

'Het is een mooi verhaal, het gaf me een soort van zacht gevoel. Of troost. Ik voelde me minder alleen, terwijl het jongetje juist in zijn eentje... Maar dat jij dat geschreven hebt. Dit is wel heel wonderlijk. Ik dacht dat Alphons...'

'Hoe dan ook, mama, je vond het vreemd mooi, zei je. Dat vind ik een compliment. Het zegt me dat het verhaal je heeft geraakt. En je hebt je láten raken. Dat is precies de bedoeling van zo'n therapeutische tekst. Maar vertel eens, hoe was je reis? Heb je gevonden wat je zocht?' Birgit bukt zich en trekt wat onkruid tussen de tegels vandaan. Vanuit de sloot klinkt wild gespetter en het schelle snateren van een eend. Als het gesnater ophoudt, zijn alleen nog de zachte geluidjes van de foeragerende putters te horen.

Ze vraagt me of ik heb gevonden wat ik zocht. Ik aarzel.

'Ik heb je gemist.' Mijn stem klinkt vast. Het is fijn om dit hardop te zeggen.

Birgit komt overeind. Ze veegt haar handen af aan haar zwarte jeans en loopt met neergeslagen ogen naar me toe. Zonder me aan te kijken komt ze dicht tegen me aan staan en legt haar hoofd op mijn schouder. Dan voel ik warme adem in mijn hals, haar stem is een schorre fluistering.

'Ik jou ook.'

Mijn vingers glijden langs de vleugelranden van haar schouderbladen, langs de welving van haar rug. Poederzacht, zo stond er in het verhaal.

Poederzacht van het vele strelen.

Ik laat mijn handen gaan.

Lees ook de andere boeken van Rita Spijker

De liefste moeder die ik ooit ken is een bundeling verhalen over hedendaagse vrouwenlevens, met moeders en dochters in de hoofdrol. De zintuiglijke schrijfstijl voert de lezer rechtstreeks naar bijzondere, intieme en grootse momenten in een vrouwenleven. Gebeurtenissen zo oud als de mensheid maar overweldigend en nieuw voor wie er middenin zit: het geluk van liefde en nieuw leven, het verdriet om dood en verlies. Beschreven vanuit dat bijzondere moedergevoel. Ontroerend, intiem en vooral met veel diepte in de beleving.

De liefste moeder die ik ooit ken
Paperback met flappen, 192 pagina's
€ 10,00
ISBN 978 94 6068 014 4
NUR 303

Lees ook de andere boeken van Rita Spijker

Esmee is een getrouwde vrouw, die niet weet hoe ze de leegte in haar leven moet vullen nadat haar zoon en dochter op kamers zijn gaan wonen. Ze zoekt haar heil bij vriendinnen, in spirituele groeigroepen en in seksuele escapades. Na een fitnesstraining vindt ze een dagboek en neemt het mee. Ze twijfelt, gaat toch lezen en herkent zichzelf in de beschreven thema's: liefde, leugens, moederschap en dood. Esmee wordt hierdoor onherroepelijk geconfronteerd met haar eigen verleden. Ze gaat alleen op reis en dwingt zichzelf de waarheid onder ogen te zien.

Kreukherstellend

Paperback, 224 pagina's

€ 4,95

ISBN 978 94 6068 040 3

NUR 301

Lees ook de andere boeken van Rita Spijker

RITA SPIJKER

Tussen zussen

ROMAN 

Tussen zussen vertelt over vier vrouwen die op een kruispunt in hun leven staan. Renate, de oudste, heeft als halfzus een moeizame relatie met de familie. Haar stiefvader heeft ze nooit kunnen accepteren. Marit, zo gelukkig met haar eigen gezin, krijgt te maken met het overspel van haar man. Tessa is de vrijgevochten kunstenares die tegen de grenzen van haar vrijheid oploopt. Jongste zus Anne moet, om te herstellen van een burnout, een traumatische jeugdervaring onder ogen zien. Het naderende verjaardagsfeest van hun moeder zet het leven van de vier zussen op scherp. Ze worden gedwongen stil te staan bij hun onderlinge band en ieders plek in het gezin.

Tussen zussen

Paperback, 288 pagina's

€ 6,95

ISBN 978 94 6068 041 0

NUR 301

Lees ook de andere boeken van Rita Spijker

Als Moon hoort dat haar vader stervende is, keert ze terug naar het dorp waar ze is opgegroeid. Aan zijn sterfbed doet ze hem een grote belofte. Eenmaal terug in de stad, besluit Moon te gaan wonen in het ouderlijk huis. Op de hoeve wordt ze vooral geconfronteerd met herinneringen uit haar kindertijd. Dan verschijnen er drie mannen in haar leven. Eerst is daar haar neef Henk die op het terrein komt wonen. Als de hoeve vervolgens decor wordt van een theaterstuk trekken theaterregisseur Ties en lichttechnicus Chalid bij haar in. Moon raakt verstrikt tussen haar gevoelens voor de drie mannen, de belofte aan haar vader en de dwingende stem van haar overleden moeder.

Licht op mijn huid
Paperback, 240 pagina's
€ 6,95
ISBN 978 94 6068 059 5
NUR 301

Colofon

Redactie: Maria Vlaar
Correctie: Jolien Langejan-Meijer
Foto omslag: Getty Images, Lambert
Foto auteur: www.hadewychveys.nl
Omslagontwerp: Riesenkind
Zetwerk: V3-Services
Druk: GGP Media GmbH, Pößneck

ISBN 978 94 6068 070 0
NUR 301

Eerste druk januari 2012

Uitgeverij Marmer
De Botter 1
3742 GA BAARN
T: +31 649881429
I: www.uitgeverijmarmer.nl
E: info@uitgeverijmarmer.nl

www.ritaspijker.nl